46 427 946 X

10
18
E. PARIS XIIIe

Sur l'auteur

Née en 1938 à Londres, Anne Perry vit aujourd'hui en Écosse. Depuis le succès international des enquêtes du couple Pitt et de celles de William Monk, elle s'est intéressée à d'autres périodes historiques telles que la Révolution française, la Première Guerre mondiale ou encore la Byzance du XIIIe siècle dans sa fresque épique *Du sang sur la soie*.

ANNE PERRY

L'INCONNUE DE BLACKHEATH

Une enquête de Charlotte et Thomas Pitt

Traduit de l'anglais
par Florence Bertrand

INÉDIT

Grands détectives

créé par Jean-Claude Zylberstein

Titre original :
Death on Blackheath

ISBN 978-2-264-06274-1

1

Debout sur les marches qui descendaient dans la courette, Pitt frissonna à la vue des mèches de cheveux ensanglantés à ses pieds. Des éclats de bois étaient éparpillés alentour, jusque sur le trottoir, ainsi que des fragments de verre, eux aussi maculés de sang à demi figé. Le vent âpre de janvier balayait en gémissant l'étendue déserte qui conduisait aux carrières de gravier, à quelques centaines de mètres de là.

— Vous dites qu'une femme de chambre a disparu ? répéta-t-il à voix basse.

— Oui, je suis désolé, monsieur, répondit le sergent d'un ton sombre.

Son jeune visage était dur sous la pâle lueur de l'aube.

— Quand on a vu quelle maison c'était, on a décidé de vous appeler tout de suite.

— Vous avez bien fait.

Ils se trouvaient à Shooter's Hill, un quartier résidentiel des abords de Londres, non loin du Collège naval de Greenwich et de l'Observatoire royal qui réglait l'heure du monde entier. L'imposante demeure dans l'ombre au-dessus d'eux appartenait à Dudley Kynaston, un haut fonctionnaire spécialiste des questions de défense navale. Qu'un incident violent se fût déroulé si près de chez lui était une source d'inquiétude pour la Special Branch, et par conséquent pour Pitt, qui avait récemment été promu à sa tête. Son nouveau poste s'accompagnait d'un immense pouvoir, auquel il ne s'était pas encore habitué. Peut-être en serait-il toujours ainsi. Il ne pouvait partager ses responsabilités avec personne. Ses triomphes étaient voués à demeurer secrets, tandis que ses échecs seraient désastreusement publics.

Face aux indices affligeants qu'il considérait, il aurait été heureux de pouvoir échanger sa place avec le sergent qui l'accompagnait. Vingt ans plus tôt, il avait lui aussi été un jeune policier ordinaire. Il avait enquêté sur des vols, des incendies volontaires, voire des meurtres – des affaires courantes, en somme. Rares étaient celles qui avaient des implications politiques, ou qui menaçaient la sécurité de l'État.

Il se redressa. Il était élégamment vêtu désormais, mais même ce manteau en lainage tout neuf ne pouvait le protéger contre la morsure de la bise. Il était glacé jusqu'à la moelle. L'air froid, imprégné d'humidité, venait de la Tamise, distante de deux kilomètres. De là où il se tenait, il apercevait la plaine marécageuse qui s'étendait vers l'est, et entendait la plainte lugubre des cornes de brume.

— Et l'alerte a été donnée par la servante qui s'est levée la première ? C'était il y a des heures, non ? ajouta-t-il en jetant un coup d'œil autour de lui.

— Oui, monsieur. Une fille de cuisine, toute menue, mais l'esprit vif. La pauvre petite a eu la peur de sa vie en voyant ces cheveux et ce sang, pourtant elle n'a pas perdu la tête.

— Elle n'a tout de même pas couru jusqu'au commissariat dans le noir ? demanda Pitt, incrédule.

— Non, monsieur, répondit le sergent avec satisfaction. Comme je vous disais, elle a de la jugeote, bien qu'elle n'ait sûrement pas plus de treize ans. Elle a frappé à la porte de la gouvernante, une femme pleine de bon sens, qui a accès à un téléphone. Celle-ci a vérifié que ce n'était pas du sang ou des poils d'animaux et elle a appelé la police. Si elle ne l'avait pas fait, nous ne serions pas encore arrivés.

Pitt baissa les yeux. Le sang aurait pu être celui d'une bête, en effet. En revanche, les longues mèches de cheveux, auburn à la lueur de la lanterne, ne pouvaient appartenir qu'à un être humain. Il songea aussi que, sans ce coup de téléphone qui l'avait réveillé, il serait en train de déjeuner dans sa propre cuisine à l'heure qu'il était, loin de soupçonner cette tragédie potentielle et les complications qui risquaient d'en découler.

Il émit un grognement d'assentiment, mais avant qu'il eût eu le temps de répondre, des pas se firent entendre et Stoker apparut en haut des marches.

Ce dernier était le seul membre de la Special Branch en qui Pitt eût entièrement confiance, tant il avait été ébranlé par les trahisons qui avaient abouti à la démission de Victor Narraway. Au prix d'efforts désespérés, ce dernier avait fini par prouver son innocence, cependant cet épisode avait mis un terme à sa carrière.

— Bonjour, monsieur, dit Stoker, une légère pointe de curiosité dans la voix.

C'était un homme mince, au visage décidé et plein d'intelligence, un peu trop osseux pour être séduisant, et trop austère pour être charmant. Il jeta un coup d'œil aux marches éclairées par la lanterne, puis regarda Pitt.

— Une femme de chambre a disparu, expliqua celui-ci.

Il leva les yeux vers le ciel et ajouta :

— Prenez des notes de ce que vous voyez. Faites un croquis de la scène. Ensuite, prélevez quelques échantillons au cas où nous aurions besoin de preuves un jour. Mieux vaut vous dépêcher. S'il commence à pleuvoir, tout disparaîtra. Je vais aller parler au personnel.

— Oui, monsieur. Pourquoi sommes-nous ici, monsieur ? Une domestique disparue – c'est une affaire qui relève du commissariat du quartier, non ?

Il hocha la tête en direction du sergent, mais la question s'adressait à Pitt.

— Le propriétaire des lieux est Dudley Kynaston – défense navale, répondit Pitt.

Stoker laissa échapper un juron.

Avec un sourire, Pitt se détourna et frappa à la porte de l'arrière-cuisine, qu'il ouvrit sans attendre de réponse. Il passa devant des cagettes de légumes, entra dans la cuisine et fut aussitôt enveloppé par la chaleur et les arômes. La pièce était confortable et en ordre. Il regarda les casseroles en cuivre rutilantes accrochées au mur, les assiettes en porcelaine rangées sur le vaisselier, les étagères remplies de bocaux d'épices étiquetés avec soin. Des chapelets d'oignons et des bouquets d'herbes aromatiques étaient suspendus aux poutres.

— Bonjour ! lança-t-il d'une voix sonore.

Les trois femmes présentes interrompirent leur tâche pour pivoter vers lui.

— Bonjour, monsieur, répondirent-elles, presque à l'unisson.

La cuisinière, une femme rondelette, tenait à la main une grosse cuiller en bois. Une bonne en tablier amidonné et bordé de dentelle disposait du thé et des tartines grillées sur un plateau, et la fille de cuisine épluchait des pommes de terre. Celle-ci avait de grands yeux et des cheveux bruns qu'elle avait bien du mal à apprivoiser. En la voyant, Pitt devina que c'était elle qui avait trouvé le sang et les éclats de verre à l'extérieur. Les manches de sa robe grise étaient remontées jusqu'aux coudes et son tablier blanc était maculé de traces de charbon.

La cuisinière regardait Pitt avec appréhension, ne sachant guère où le placer dans la hiérarchie sociale. Ce n'était pas un gentleman puisqu'il était entré par la porte de service, et il ne possédait pas l'arrogance naturelle d'un homme habitué à être servi. D'un autre côté, il semblait sûr de lui à sa manière, et elle remarqua du premier coup d'œil qu'il portait un manteau d'excellente qualité. Compte tenu des circonstances, il s'agissait sans doute d'un policier, mais il n'avait pas l'air d'un simple agent.

Il lui adressa un bref sourire.

— J'aimerais m'entretenir avec votre fille de cuisine, s'il vous plaît. Si vous pouviez m'indiquer une pièce où nous pourrons parler sans être dérangés, je vous en serais reconnaissant. Si vous désirez qu'elle soit accompagnée de la gouvernante, je n'y vois pas d'inconvénient.

C'était un ordre formulé sous forme de requête, et il soutint son regard assez longtemps pour être certain qu'elle l'avait bien compris.

— Oui, monsieur, dit-elle d'une voix légèrement étranglée. Dora va l'accompagner.

Elle fit signe à la bonne stupéfaite.

— Je monterai ce plateau à Mrs. Kynaston. Maisie, va avec le policier et dis-lui ce qu'il a besoin de savoir. Et sois polie, tu entends !

— Oui, madame, dit Maisie docilement, avant de précéder Pitt jusqu'à la porte.

Elle se retourna brusquement et le détailla des pieds à la tête, d'un air critique.

— Z'avez l'air complètement gelé. Vous voulez un thé… monsieur ?

Pitt sourit malgré lui.

— Ce serait avec plaisir, merci. Peut-être Dora pourrait-elle nous l'apporter ?

L'intéressée parut irritée. À l'évidence, elle n'appréciait guère de devoir servir un policier et une fille de cuisine, mais elle cherchait en vain les mots appropriés pour refuser.

Le sourire de Pitt s'élargit.

— Très aimable à vous.

Il suivit Maisie dans le couloir jusqu'au salon de la gouvernante. Celle-ci n'était pas là, vaquant probablement à des tâches nécessitées par les événements alarmants de la nuit passée.

Pitt s'installa dans un fauteuil au coin du feu qu'on venait d'allumer et qui ne dégageait encore aucune chaleur. Maisie s'assit très droite sur une chaise à dossier dur en face de lui.

— À quelle heure es-tu descendue à la cuisine ce matin ? demanda-t-il aussitôt.

— À cinq heures et demie, répondit-elle sans hésiter. J'ai vidé les cendres et je les ai sorties dans la cour. C'est là que j'ai trouvé le…

Elle déglutit avec peine.

— … le sang et tout ça.

— Vers six heures moins le quart ?

— Oui…

— Il devait faire encore nuit. Comment les as-tu vus ? lui fit-il remarquer. Y avait-il quelqu'un d'autre, Maisie ?

Elle prit une profonde inspiration, puis soupira.

— Le commis d'en face, mais il n'aurait jamais fait une chose pareille. D'ailleurs, il aime bien Kitty… je veux dire, elle était gentille avec lui. Il… il vient de la campagne et sa famille lui manque, hein.

Ses yeux sombres soutinrent sans fléchir le regard de Pitt.

— Qui est Kitty ?

— Kitty Ryder, répondit-elle d'un ton impatient. La femme de chambre de Mrs. Kynaston, celle qui a disparu.

— Comment sais-tu qu'elle a disparu ? demanda-t-il avec curiosité.

Après tout, les femmes de chambre se levaient rarement à l'aube.

— Parce qu'elle n'est pas là.

La réponse était en apparence raisonnable, mais il comprit à son air de défi qu'elle avait parfaitement conscience d'être évasive.

— As-tu pensé que les cheveux sur les marches ressemblaient aux siens ? insista-t-il.

— Oui… un peu…

Une idée lui vint, une chance à saisir avant que Dora arrive avec le thé, car elle allait rester, bien sûr, pour chaperonner la jeune fille.

— As-tu eu peur qu'il ne soit arrivé quelque chose à Kitty ?

— Oui… je…

Elle s'interrompit, fouilla son regard et devina qu'il y avait un piège dans la question, mais ne détourna pas les yeux.

Les pas de Dora résonnèrent dans le couloir.

— Parce qu'il était bien possible que Kitty se soit trouvée dehors en pleine nuit, en hiver, et qu'elle ait eu avec quelqu'un une querelle qui aurait pu mal tourner ? A-t-elle un prétendant que tu n'aimes pas ?

— Un quoi ?

— Un petit ami ?

Dora entra, apportant une théière, un pot à lait, un sucrier, deux tasses et deux soucoupes sur un plateau. Elle le déposa sur la table et se recula légèrement, les traits crispés.

Pitt la remercia d'un signe de tête, mais continua à fixer Maisie.

— Un petit ami, répéta-t-il. Kitty avait un petit ami et sortait la nuit pour le retrouver. C'est pour cela que tu as immédiatement pensé à elle en voyant le sang et les cheveux et tu es allée vérifier si elle était à la maison. C'est bien ça ?

Maisie le dévisagea avec respect et une sorte de crainte, puis acquiesça sans rien dire.

— Merci. Tu n'as pas trouvé Kitty ? ajouta Pitt avec un profond sentiment de tristesse, car il connaissait déjà la réponse.

— Non. Elle n'est nulle part.

— Voudrais-tu un thé ?

Elle acquiesça de nouveau, toujours sans le quitter des yeux.

— Dora, voudriez-vous servir deux thés, s'il vous plaît ? Je prends du lait, pas de sucre. Vous devez savoir comment Maisie aime le sien. Ensuite, auriez-vous la gentillesse d'aller chercher soit la gouvernante, soit le majordome ?

Dora le foudroya du regard, mais obtempéra. On lui avait appris à ne pas s'attirer d'ennuis avec la police, quelle qu'elle fût.

Une heure plus tard, Pitt avait terminé d'interroger le personnel. Pour sa part, Stoker avait rédigé une description détaillée de la courette, accompagnée de croquis. Ils se rendirent ensemble dans le salon afin de parler en premier lieu à Dudley Kynaston. Si nécessaire, ils s'entretiendraient aussi avec son épouse.

La pièce était spacieuse et agréable, visiblement aménagée pour le confort des propriétaires et non dans le seul but d'impressionner. Les couleurs des tapis étaient un peu fanées, leur trame un peu usée, et des plis creusaient le cuir patiné des fauteuils, qu'on avait agrémentés de coussins moelleux.

Kynaston était debout, une pile de papiers posée sur le canapé à côté de lui. Il avait dû se lever en entendant leurs pas sur le parquet du couloir. Pitt se demanda si sa réaction avait été dictée par la courtoisie ou le désir instinctif de ne pas paraître à son désavantage.

Il était grand, presque aussi grand que Pitt. Il avait des traits réguliers, séduisants, et une chevelure abondante qui commençait à grisonner aux tempes. Il semblait contrarié, ce qui n'avait rien d'étonnant compte tenu de la situation.

Pitt s'acquitta des présentations.

— Enchanté.

La réponse, quoique polie, ne s'adressait qu'à lui. Il se contenta de saluer Stoker de la tête.

— J'ignore en quoi je peux vous aider. J'apprécie la sollicitude de la Special Branch, mais il ne s'agit sans doute que d'une déplaisante querelle, peut-être causée par un jeune homme ivre qui n'acceptait pas qu'on lui dise « non ».

En somme, il pensait que Pitt perdait son temps.

— Est-il habituel que Miss Ryder soit dehors de si bonne heure ? s'enquit Pitt.

Kynaston secoua la tête.

— Pas du tout. Je ne saurais l'expliquer. C'est une jeune fille très fiable en temps ordinaire.

Pitt sentit plutôt qu'il n'entendit Stoker s'agiter derrière lui.

— Vous êtes certain qu'elle n'est pas à la maison ?

— Je ne vois pas où elle pourrait être, répondit Kynaston, troublé. Tout cela est fort regrettable et nous devrons la congédier, mais j'espère qu'elle n'est pas sérieusement blessée. Je vous autorise bien entendu à fouiller la propriété vous-même et à interroger qui vous plaira.

— Merci, monsieur. Peut-être pourrais-je m'entretenir avec Mrs. Kynaston ? Je suis sûr qu'elle en saura davantage sur les domestiques. Comme vous le dites, c'est probablement une dispute qui s'est envenimée. Dès que nous aurons retrouvé Kitty Ryder et que nous nous serons assurés qu'elle est indemne, l'affaire sera close.

Kynaston hésita.

Pitt s'interrogea. Essayait-il de protéger sa femme ou craignait-il qu'elle ne commette une indiscrétion, dût-elle n'avoir aucun rapport avec les cheveux et le sang trouvés sur les marches ? Au cours d'une enquête, on finissait souvent par découvrir des secrets d'une tout autre nature. L'intimité, une fois violée, n'était plus jamais la même. Il éprouva un élan de compassion à l'égard de Kynaston et regretta de ne pouvoir y céder.

— Mr. Kynaston ?

— Oui… oui, naturellement, soupira celui-ci.

Il se pencha et appuya sur la sonnette placée à côté de la cheminée. Le majordome apparut, son visage paisible marqué par l'anxiété.

— Norton, voudriez-vous, je vous prie, demander à Mrs. Kynaston de venir au salon ?

À l'évidence, il n'avait nullement l'intention de laisser Pitt lui parler en tête à tête.

Norton se retira et ils attendirent en silence jusqu'à ce que la porte s'ouvre et qu'une femme entre dans la pièce. Elle était de taille moyenne et, au premier abord, d'apparence assez quelconque. Elle avait les cheveux châtains, un visage agréable, des yeux ni gris ni bleus. Lorsque Pitt y songea par la suite, il fut incapable de se souvenir de ce qu'elle portait.

— Je suis désolé de vous déranger, ma chère, murmura Kynaston. Mais il semble que le commissariat du quartier ait appelé la Special Branch au sujet de l'incident de cette nuit.

— Doux Jésus ! s'écria-t-elle, surprise.

Elle regarda Pitt avec un brusque intérêt.

— La sécurité de la nation est-elle si peu menacée que vous ayez le temps d'enquêter sur la conduite d'une domestique ?

Sa voix, riche et harmonieuse, était la seule chose mémorable la concernant. Pitt ne put s'empêcher de penser que si elle chantait, elle devait le faire superbement, avec un timbre rauque et plein d'émotion.

Kynaston était interdit.

— Nous ignorons s'il s'agit des cheveux de Miss Ryder, madame, répondit Pitt. Ou de son sang.

Elle parut décontenancée.

— Je croyais savoir que les cheveux retrouvés étaient brun-roux, comme ceux de Kitty. Mais j'imagine que ce doit être vrai de bien des gens. Peut-être cet incident n'a-t-il rien à voir avec cette maison, après tout ? N'importe qui aurait pu se trouver sur les marches de la courette.

Le visage de Kynaston se crispa momentanément. Puis il remarqua que Pitt l'observait et son expression redevint sereine.

— Bien sûr. Encore qu'en général nous ne soyons guère importunés par les passants. Nous avons peu de voisins.

En effet, la demeure était entourée de verdure. Un peu plus loin, au-delà du bouquet d'arbres, s'étendaient les vastes carrières de gravier qui séparaient le village de Blackheath du parc de Greenwich.

— Enfin, Dudley, insista Rosalind Kynaston calmement, les gens trouvent toujours un endroit où conter fleurette. Et à cette époque de l'année, il doit être tentant de se mettre à l'abri du vent dans la cour.

Pitt s'autorisa un sourire.

— C'est certain. Mais une de ces personnes pouvait-elle être Kitty Ryder ?

— Je suppose que oui, admit-elle avec un haussement d'épaules presque imperceptible. Elle se promène avec un jeune homme de temps en temps. Un menuisier ou quelque chose de ce genre.

— Vraiment ? s'exclama Kynaston, médusé. Vous ne m'en avez jamais parlé !

Elle le regarda, dissimulant visiblement son impatience.

— Bien sûr que non. Pourquoi l'aurais-je fait ? J'espérais que cela passerait. Il n'est pas particulièrement attirant.

Kynaston fit mine de vouloir répondre, puis se ravisa et attendit que Pitt prenne la parole.

— Vous n'aimez guère ce jeune homme, semble-t-il. Croyez-vous qu'il aurait pu mal réagir si elle avait décidé de mettre un terme à leur relation ?

Elle réfléchit longuement.

— À vrai dire, non. Il n'a rien d'un bon parti, mais je pense qu'il a de l'affection pour elle. De plus, pour être franche, je crois que Kitty aurait eu le bon sens de ne pas choisir pareil lieu pour le lui annoncer.

— Elle aurait dû être en sécurité à deux pas de la porte de la cuisine ! protesta Kynaston.

Son visage s'assombrit.

— Est-il vraiment peu recommandable ?

— Il est convenable, Dudley, seulement elle aurait pu mieux faire, expliqua-t-elle. Kitty est une très belle fille. Elle aurait pu trouver une place en ville si elle l'avait souhaité.

— Elle ne le souhaitait pas ? s'étonna Pitt. A-t-elle de la famille par ici ?

Pourquoi diable une jolie fille serait-elle restée à Shooter's Hill si elle avait pu vivre dans un beau quartier au centre de Londres ?

— Non, affirma Rosalind. Elle vient du Gloucestershire. J'ignore pourquoi elle n'a pas tenté sa chance en ville. Je suis sûre qu'elle a reçu des propositions.

Kynaston se tourna vers Pitt.

— Il semble que nous vous ayons fait perdre votre temps. Je m'en excuse. S'il y a matière à s'inquiéter, ce qui est peu probable, c'est une affaire qui relève de la police. Si Kitty ne réapparaît pas ou que nous avons des raisons de supposer qu'on lui a fait du mal, nous le signalerons.

Il sourit, inclinant la tête pour leur signifier qu'ils étaient congédiés.

Pitt hésita, réticent à lâcher prise aussi vite. Quelqu'un avait été blessé, peut-être grièvement. S'il s'était agi de la fille des propriétaires et non d'une simple servante, personne n'aurait traité l'incident à la légère.

— Pourriez-vous me décrire Miss Ryder, monsieur, s'il vous plaît ? demanda-t-il sans bouger.

Kynaston cilla.

— Quelle taille fait-elle ? insista Pitt. Quelle carrure ? Quel genre de teint a-t-elle ?

Ce fut Rosalind Kynaston qui répondit.

— Elle est plus grande que moi, de cinq bons centimètres, et elle a une silhouette fort bien tournée.

Elle esquissa un sourire ironique, comme si quelque chose l'amusait.

— Elle est très jolie. J'irais même jusqu'à dire que, si elle appartenait à la bonne société, on n'hésiterait pas à la qualifier de beauté. Elle a le teint clair et d'épais cheveux auburn qui ondulent naturellement.

— Vous êtes trop généreuse, ma chère, intervint Kynaston d'une voix où perçait la tension. Nous parlons d'une femme de chambre qui était courtisée par un jeune homme d'un milieu douteux.

Il se tourna de nouveau vers Pitt.

— Vous savez, j'imagine, que les bonnes ont une demi-journée de congé en fin de semaine, néanmoins ce genre de conduite est inacceptable – c'est pourquoi, naturellement, elle agissait en secret. Peut-être même s'est-elle enfuie avec cet individu.

Son épouse s'apprêtait à répondre quand la porte s'ouvrit, livrant passage à une nouvelle venue. Plus grande que Rosalind, elle possédait une belle chevelure d'un blond vénitien et attirait immédiatement l'attention, non par sa beauté, somme toute ordinaire, mais par la vivacité de son expression et ses yeux d'un bleu vif.

— Avez-vous retrouvé la bonne ? demanda-t-elle en s'adressant directement à Kynaston.

— La femme de chambre, rectifia Rosalind. Non.

— Bonjour, Ailsa, dit Kynaston, avec plus de douceur que Pitt ne s'y attendait, compte tenu des circonstances. Malheureusement, non. Mr. Pitt est le chef de la Special Branch.

— La Special Branch ? répéta-t-elle, incrédule. Dudley, vous n'avez tout de même pas appelé la Special Branch, si ? Enfin, mon cher, ces gens ont d'autres chats à fouetter !

Elle se retourna, fixant Pitt avec une curiosité nouvelle.

— N'est-ce pas ?

— Je vous présente ma belle-sœur, Mrs. Bennett Kynaston, déclara Kynaston.

Une ombre traversa ses traits, avant d'en être chassée aussitôt, au prix d'un effort visible.

Pitt se souvint que Bennett Kynaston était mort neuf ans auparavant. Apparemment, sa veuve ne s'était pas remariée. Pourtant, elle était assez séduisante pour en avoir eu l'occasion.

— Enchanté, Mrs. Kynaston.

Elle continuait à le dévisager, les yeux écarquillés, aussi répondit-il à sa question.

— Une jeune femme est introuvable et tout porte à croire qu'un incident assez violent a eu lieu dans la courette. Compte tenu des fonctions de Mr. Kynaston et de la gravité d'une menace potentielle à son endroit, le commissariat du quartier a préféré nous avertir. S'il s'agit d'une simple querelle d'amoureux qui a mal tourné, nous remettrons l'affaire entre ses mains. Mais pour le moment, Miss Ryder semble avoir disparu.

Ailsa secoua la tête.

— Il vous faut la remplacer, Rosalind. Qu'elle revienne ou non, ce n'est pas une vertu, comme on dit.

Une lueur de colère traversa le regard de Rosalind, si fugace que Pitt ne fut même pas certain de l'avoir réellement vue. L'avait-il imaginée parce qu'il savait comment sa propre épouse, Charlotte, aurait réagi à pareille ingérence de la part de quiconque – et même de sa sœur, Emily, pourtant très proche d'elle ?

Avant que Rosalind ait eu le temps de formuler une réponse, il s'adressa à Kynaston :

— Nous garderons le dossier jusqu'à ce que Kitty Ryder soit retrouvée ou que vous ayez reçu de ses nouvelles. D'après la gouvernante, elle n'a pas emporté d'effets personnels. Même ses chemises de nuit et ses brosses à cheveux sont toujours dans sa chambre. Nous devons donc en conclure qu'elle n'avait pas l'intention de partir. Si vous découvrez que des objets de valeur ont disparu, informez le commissariat du quartier, je vous en prie. Je ne saurais trop vous conseiller de veiller à ce que les portes soient bien fermées la nuit et d'alerter votre majordome quant à un risque éventuel de cambriolage…

— Je suppose que c'est de cela qu'il s'agit, renchérit Kynaston. Fort déplaisant. Elle avait de bonnes références. Mais vos conseils sont sensés et je vais les suivre. Je vous en sais gré.

— Je ne crois pas que Kitty soit mêlée à un cambriolage ! protesta Rosalind avec une certaine véhémence, tandis qu'une légère rougeur colorait ses joues.

— Bien entendu, il est tout à fait naturel que vous refusiez de le penser, dit Ailsa gentiment en faisant un pas vers sa belle-sœur. C'est votre femme de chambre, et vous avez confiance en elle. C'est tout à fait normal, mais il arrive parfois que l'on se trompe. J'ai cru comprendre qu'elle s'était amourachée d'un individu douteux et nous savons tous que ces gens-là peuvent manipuler autrui – même dans les meilleures familles, sans parler d'une jeune bonne loin des siens.

L'observation était juste, mais l'incrédulité se lisait toujours sur le visage de Rosalind, accompagnée d'une évidente frustration.

— En effet.

Kynaston hocha la tête en direction d'Ailsa, puis se tourna vers sa femme.

— Peut-être pourriez-vous employer Jane dans l'immédiat ? Vous l'appréciez et elle paraît assez capable. Elle fera l'affaire en attendant que nous trouvions quelqu'un d'autre.

— Et Kitty ? demanda Rosalind d'un ton sec. Enfin, Dudley, elle n'a disparu que depuis quelques heures ! Vous parlez comme si elle était morte et enterrée !

— Même si elle revient, ma chère, il est évident qu'elle n'est pas fiable, répondit-il, radouci. Je crois que la meilleure chose à faire sera de la congédier.

Il se tourna vers Pitt.

— Encore merci pour votre promptitude et pour vos conseils. Nous ne vous retiendrons pas plus longtemps. Au revoir.

— Au revoir, monsieur. Mesdames.

Stoker et lui s'en allèrent par la porte principale et se retrouvèrent dans la rue déserte. La pluie commençait à tomber sur l'étendue morne de la lande.

— Que pensez-vous de tout cela, monsieur ? demanda Stoker d'un ton à la fois dégagé et empreint de scepticisme tout en remontant le col de sa veste.

« Vu la quantité de sang sur ces marches, reprit-il avec une indignation croissante, si quelqu'un a frappé cette fille, il n'y est pas allé de main morte. Il aurait fallu qu'elle soit idiote pour suivre de son plein gré un homme qui l'aurait traitée de la sorte.

— Peut-être s'est-elle coupée toute seule, observa Pitt, songeur.

Il abaissa le rebord de son chapeau et resserra les pans de son écharpe alors que la pluie redoublait.

— Heureusement que vous aviez fait un croquis avant qu'il se mette à pleuvoir. Dans vingt minutes, tout aura disparu.

— Du sang sur les éclats de verre, des mèches de cheveux arrachées... Kynaston est peut-être important pour la marine, mais il cache quelque chose... monsieur.

Pitt sourit, habitué à l'insolence subtile, délicate, de Stoker. Elle ne lui était pas destinée personnellement, elle visait plutôt leurs maîtres politiques. Il avait beau savoir qu'ils déplaisaient parfois à Pitt autant qu'à lui, il redoutait que ce dernier ne leur fût soumis, car il n'était pas absolument certain de l'attitude qu'avait eue son prédécesseur à leur égard. En apparence du moins, Victor Narraway était un autre genre d'homme, un gentleman, qui avait commencé sa carrière comme lieutenant dans l'armée avant d'étudier le droit à l'université. Il était aussi insaisissable qu'une anguille. Stoker, qui n'avait jamais été à l'aise avec lui, lui vouait un respect sans bornes.

Pitt, pour sa part, était fils de garde-chasse, et s'était élevé grâce à son seul mérite dans les rangs de la police métropolitaine. Il avait été transféré à la Special Branch contre son gré, après avoir offensé certaines personnalités haut placées et perdu son poste de commissaire à Bow Street. Pour Stoker, il était aussi transparent que l'eau d'une source.

— C'est exact, Stoker. La question est de savoir si nous devrions nous en inquiéter.

— Eh bien, s'il se passe quelque chose de louche dans cette maison et qu'une bonne paie les pots cassés, nous devrions certainement nous en inquiéter, répliqua Stoker avec vigueur. C'est une situation parfaitement propice à un brin de chantage.

— Vous pensez que Dudley Kynaston avait une liaison avec la femme de chambre de son épouse, et qu'il l'a assommée sur ses propres marches en pleine nuit ?

Stoker rougit et regarda droit devant lui.

— Présenté comme ça, non, monsieur. S'il était fou à ce point, il faudrait le mettre à l'asile, dans l'intérêt de tous y compris du sien.

Pitt ouvrit la bouche pour dire que les apparences étaient sûrement trompeuses, mais quelles apparences au fond ? Les domestiques n'avaient pas identifié d'objet manquant qui eût pu correspondre aux fragments de verre. On ne savait même pas si le sang était celui d'un être humain, encore moins s'il appartenait à la femme de chambre disparue – apparemment partie sans même emporter un peigne. Quant aux cheveux, là non plus, rien n'était sûr.

S'agissait-il d'une simple querelle d'amoureux ?

— Nous demanderons aux policiers du coin d'ouvrir l'œil et de nous avertir si elle revient. Ou si elle réapparaît ailleurs.

Stoker répondit par un grognement. Il n'était pas satisfait, mais ils ne pouvaient rien faire de plus pour l'instant. Ils continuèrent à cheminer sous la pluie, en silence, tête baissée, les pieds baignant dans les flaques d'eau.

Pitt arriva relativement tôt à Keppel Street, mais, à cette époque de l'année, il faisait déjà nuit noire. Les réverbères, tels des phares dans la tourmente, dégageaient de brefs halos de lumière entre lesquels tourbillonnait l'obscurité.

Il gravit les marches du perron et s'apprêtait à fouiller ses poches encombrées à la recherche de sa clé quand la porte s'ouvrit. Il s'engouffra à l'intérieur, savourant la douce chaleur du feu de cheminée qu'on avait allumé dans le salon.

— Bonsoir, monsieur, lança Minnie Maude, souriante. Vous voulez un thé avant que le dîner soit servi ? Seigneur, vous êtes trempé comme une soupe !

Elle secoua la tête d'un air compatissant.

— Il doit pleuvoir des cordes, dites.

— En effet, confirma-t-il, dégoulinant sur le sol de l'entrée alors qu'elle refermait le battant derrière lui.

Il regarda son visage criblé de taches de rousseur, ses cheveux brun-roux coiffés en chignon, et, l'espace d'un moment, songea à la servante disparue des Kynaston. Minnie Maude aussi était séduisante, à sa manière, grande et féminine ; avisée, compétente dans les questions domestiques, et pleine de confiance naïve. Le cœur serré, il imagina Kitty Ryder seule au-dehors, blessée peut-être, transie, cherchant désespérément un abri. Que diable lui était-il arrivé ?

— Ça va, monsieur ?

La voix soucieuse de Minnie Maude interrompit ses réflexions. Il retira son manteau mouillé et ses bottines gorgées d'eau, puis lui tendit son chapeau.

— Oui, merci. Je prendrai un thé avec plaisir. Et quelque chose à grignoter. Je ne sais plus si j'ai déjeuné.

— Bien, monsieur. Deux crumpets ? Avec du beurre ?

Elle avait dix-neuf ans environ, quatre ans de plus que sa propre fille, Jemima, qui se transformait trop vite en femme. Par chance, Jemima ne serait pas une servante vivant dans le foyer de quelqu'un d'autre, entourée d'inconnus.

— Oui, merci. Apportez-les au salon, s'il vous plaît.

Il aurait voulu ajouter quelque chose, mais il n'y avait vraiment rien à dire qui fût approprié.

Après le dîner, lorsque Jemima et son jeune frère, Daniel, furent partis se coucher, il prit place dans son fauteuil favori, en face de Charlotte qui, ayant abandonné sa broderie, avait retiré ses bottines et allongé les jambes sur le repose-pied. Les appliques à gaz diffusaient une lueur tamisée qui adoucissait les contours des objets familiers : les livres rangés sur les étagères de chaque côté de l'âtre, les quelques bibelots, tous associés à un souvenir particulier. Les rideaux étaient tirés devant la porte-fenêtre qui donnait sur le jardin. Pitt ne pouvait imaginer de lieu plus confortable.

— Qu'y a-t-il ? demanda Charlotte. Tu es en train de te demander si tu dois m'en parler, par conséquent ce n'est pas un secret.

Par le passé, lorsqu'il travaillait dans la police, il évoquait ses enquêtes avec elle. De fait, elle avait soupçonné avant lui que certaines étaient de nature criminelle. Elle avait été une sorte de détective, elle aussi, à la fois observatrice et intrépide.

À présent, à son grand regret, nombre de dossiers étaient confidentiels. Il était souvent tenté de lui en parler, mais le prix à payer l'en dissuadait. Trahir la confiance donnée le diminuerait à ses propres yeux, et aux yeux de Charlotte aussi.

Elle attendait une réponse. Aucun secret d'État n'était en jeu. Jusqu'ici, il ne s'agissait que d'un incident domestique malheureux.

— Une altercation a eu lieu devant une maison de Shooter's Hill. On a retrouvé du sang, des cheveux et des éclats de verre sur les marches… et une domestique a disparu. Elle fréquentait quelqu'un, par conséquent il est possible qu'elle se soit enfuie avec lui.

Charlotte esquissa un petit froncement de sourcils.

— J'ignorais qu'il y avait des maisons sur Shooter's Hill. Pourquoi t'occupes-tu de cette affaire ? ajouta-t-elle, intriguée. Si un crime a été commis, la police du quartier ne devrait-elle pas… ? Oh !

Une lueur de compréhension traversa son visage.

— C'est quelqu'un d'important.

— Oui. Et tu as tout à fait raison, c'est la police qui devrait s'en charger. Tu disais que Jemima a besoin d'une robe neuve ?

Elle remonta un peu ses pieds. Les boulets de charbon se tassèrent dans l'âtre, provoquant une pluie d'étincelles.

— Oui, s'il te plaît… au moins une.

Il haussa les sourcils.

— Au moins ?

— Elle va assister à une réception chez les Grover, expliqua-t-elle. Ce sera assez chic.

— Je croyais qu'elle ne voulait pas y aller ? demanda-t-il, perplexe.

Le regard de Charlotte s'assombrit.

— Non, admit-elle, mais Mary Grover a été très gentille envers elle et Jemima a promis de l'aider.

Pitt se souvenait fort bien des réticences de Jemima à ce sujet.

— Ne crois-tu pas… ?

— Elle ne veut pas y aller parce que les Hamilton aussi organisent une soirée. Et comme Robert Hamilton lui plaît, elle préférerait se rendre à la leur.

— Dans ce cas…

— Thomas, elle a une dette envers Mary Grover. Elle va l'honorer. Et ne me dis pas qu'elle pourra le faire plus tard. « Plus tard » ne fera pas l'affaire.

— Je sais, murmura-t-il.

— Tant mieux.

Elle eut un brusque sourire qui illumina son visage tout entier et l'emplit de douceur.

— Je ne veux pas me quereller avec vous deux. Du moins, pas en même temps.

— Bien.

Il se détendit à son tour, sachant parfaitement qu'elle n'aurait pas hésité à le faire s'il l'y avait forcée.

2

Trois semaines plus tard, janvier tirait à sa fin et Pitt déjeunait dans la chaleur de la cuisine quand le téléphone se mit à sonner. Il réprima un soupir. Ce merveilleux instrument lui avait rendu de grands services, mais il lui arrivait parfois de déplorer son existence. À sept heures et quart un matin d'hiver, avant qu'il ait terminé son toast, par exemple. Néanmoins, il se leva, gagna l'entrée et décrocha, sachant pertinemment que personne ne l'appellerait sans raison valable.

La voix de Stoker résonna à l'autre bout du fil, assourdie par l'émotion.

— On a retrouvé un corps, monsieur.

Il prit une inspiration, et Pitt entendit des pas et des voix autour de lui.

— Je suis au commissariat de Blackheath, reprit-il. C'est une femme… une jeune femme, d'après ce que nous pouvons en juger… assez grande…

Il déglutit avec peine.

— Les cheveux auburn…

La gorge de Pitt se noua et une bouffée de tristesse l'envahit.

— Où ?

— Dans une carrière de gravier. Sur la route de Shooter's Hill, juste derrière la maison de Kynaston.

— J'arrive.

Pitt n'avait nul besoin de dire à Stoker qu'il lui faudrait une bonne demi-heure pour accomplir le trajet. Keppel Street se trouvait seulement à un kilomètre et demi environ de son bureau à Lisson Grove, mais bien à l'est de Blackheath et plus encore de Shooter's Hill, au sud de la Tamise.

En replaçant l'appareil sur son socle, il se tourna et vit Charlotte debout au pied de l'escalier. Sans doute avait-elle déjà compris, à son expression, et même à sa posture, que c'étaient de mauvaises nouvelles.

— Un corps, dit-il tout bas. Une jeune femme a été retrouvée dans une des carrières de gravier de Shooter's Hill.

— Je suppose que tu dois partir…

— Oui. Stoker est déjà là-bas. C'est lui qui m'a téléphoné. J'imagine que le commissariat du quartier l'aura averti.

— Pourquoi ?

Il eut un sourire morose.

— Soit parce que les policiers locaux sont très consciencieux, soit – et je penche pour cette hypothèse – parce qu'il les appelle régulièrement pour savoir s'il y a du nouveau. En fait, je pense qu'ils flairent une sale affaire et qu'ils espèrent s'en débarrasser.

— Peuvent-ils s'en décharger aussi facilement ? demanda-t-elle, sceptique.

— Oui, puisque l'incident s'est déroulé sur les marches de Kynaston et qu'il s'agit probablement de son employée. Si c'est bien elle, l'affaire reviendra à la Special Branch de toute façon.

Elle acquiesça lentement, les traits empreints de tristesse.

— Je suis désolée. La pauvre.

Elle ne posa pas de questions, ne chercha pas à savoir qui pouvait avoir eu un motif de la tuer ou si Kitty avait commis une erreur, telle qu'une tentative de chantage, qui eût pu lui coûter la vie. En seize ans de mariage, elle avait appris que les tragédies étaient complexes. L'injustice la révoltait toujours autant, mais à présent, elle était moins prompte à juger – la plupart du temps.

Il retourna dans la cuisine qui embaumait le pain et le linge frais, pour manger une dernière bouchée de toast et terminer son thé, s'il n'avait pas refroidi. Il détestait le thé froid. Ensuite, il sortirait dans la matinée glaciale et hélerait un fiacre. Le temps qu'il arrive au bord de la Tamise, ce serait le lever du soleil, et il ferait jour lorsqu'il gravirait la colline pour gagner la carrière.

Charlotte le précéda, prit sa tasse sur la table et alla en chercher une propre sur le vaisselier.

— Tu as le temps de la boire, déclara-t-elle fermement, devançant ses protestations.

Elle souleva la bouilloire, remit de l'eau dans la théière et attendit un instant avant de le servir.

Pitt la remercia et buvait son thé avec reconnaissance – il était bien chaud même s'il n'était pas tout à fait assez fort – quand Minnie Maude entra, chargée d'un sac de pommes de terre et d'un filet d'oignons. Comme toujours, Uffie, le petit chien orphelin qu'elle avait adopté un an plus tôt, était sur ses talons. Au départ, on lui avait interdit d'entrer dans la cuisine, mais cette règle n'avait pas fait long feu. Si Charlotte avait eu un peu de bon sens, elle ne se serait jamais imaginé le contraire !

Pitt sourit, puis pensa à la cuisine de Kynaston et à l'atmosphère qui y régnerait.

— Je ne sais pas à quelle heure je serai de retour, murmura-t-il en partant.

Quand il arriva à la carrière, un jour blafard se répandait sur la fosse désaffectée. De minuscules flocons glacés, apportés par le vent d'est, lui picotaient le visage et se faufilaient jusqu'au creux de son cou. Par le passé, il aurait porté un long cache-nez en laine pour se protéger du froid. À présent, son rang exigeait une tenue plus formelle, aussi arborait-il une écharpe en soie à la place. Il était déjà assez difficile d'impressionner les gens. Ses prédécesseurs avaient tous été des gentlemen par la naissance, et souvent, comme Narraway, des officiers haut placés dans la marine ou dans l'armée, qui trouvaient tout naturel que les autres leur obéissent.

— Bonjour, monsieur.

Stoker s'avança vers lui d'une démarche tranquille, l'herbe givrée crissant sous ses pas. Il marchait droit comme un i malgré le vent.

— Elle est par là.

Il indiqua un petit groupe d'hommes à une quarantaine de mètres. Ils se tenaient près les uns des autres, les pans de leurs manteaux se soulevant un peu autour de leurs jambes, les chapeaux bien enfoncés sur leur crâne. L'éclat rond des lanternes brillait d'un jaune vif dans la grisaille, créant une illusion de chaleur.

— Qui l'a trouvée ?

— Comme d'habitude, répondit Stoker avec l'ombre d'un sourire. Un homme qui promenait son chien.

— À quelle heure donc ? s'étonna Pitt. Qui diable promène son chien ici à l'aube en plein hiver ?

Stoker haussa les épaules.

— Un passeur qui travaille sur les quais de Greenwich. Il commence à transporter des passagers avant sept heures. Il a l'air honnête.

Pitt se reprocha de ne pas avoir songé à cette possibilité. Venu en bac lui-même, il avait à peine prêté attention à l'homme qui maniait les rames tant il était perdu dans ses pensées. Il avait enquêté sur des crimes pendant le plus clair de sa carrière, pourtant chaque nouveau meurtre l'affectait tout autant que le précédent.

— Il l'a signalé à la police du quartier, qui s'est souvenue de l'intérêt que vous portez à cette affaire ?

— Oui, monsieur. On a appelé mon commissariat et un agent a été envoyé chez moi.

Stoker paraissait mal à l'aise, comme s'il passait aux aveux sachant que la vérité allait éclater de toute manière.

— Je suis venu avant de vous téléphoner au cas où cela n'aurait rien eu à voir avec nous, monsieur. Je ne voulais pas vous faire déplacer pour rien.

Pitt comprit qu'il se justifiait d'être venu le premier. Il aurait pu demander à son propre commissariat de l'avertir, toutefois il avait choisi de n'en rien faire.

— Je vois, répondit-il avec un mince sourire. Où avez-vous trouvé un téléphone par ici ?

Stoker se mordit la lèvre mais ne baissa pas les yeux.

— Je suis allé chez les Kynaston, monsieur, histoire de vérifier que la bonne n'avait pas réapparu sans qu'on ait oublié de nous en informer.

Pitt hocha la tête.

— Très prudent, observa-t-il, d'un ton presque dénué d'expression.

Il se dirigea vers les hommes qui frissonnaient visiblement maintenant que le vent avait forci. Ils étaient trois : un agent, un sergent, et un troisième individu que Pitt supposa être le médecin de la police.

— Bonjour, monsieur, lança vivement le sergent. Désolé de vous avoir fait faire tout ce chemin de si bonne heure, mais je crois que cette affaire est pour vous.

— Nous verrons.

Pitt se refusait à s'engager. Cette enquête ne le tentait pas plus que son interlocuteur. Même si le corps était celui de Kitty Ryder, sa mort n'avait probablement aucun rapport avec Dudley Kynaston, mais le risque de scandale existait bel et bien, et avec lui la pression, la curiosité du public, la possibilité d'une injustice.

— Oui, monsieur, acquiesça le sergent sans s'émouvoir.

Il désigna le plus âgé de ses compagnons, un homme plus petit que Pitt, à la faible carrure, aux cheveux châtains saupoudrés de gris.

— Voici le Dr Whistler.

Il ne prit pas la peine d'expliquer qui était Pitt. Peut-être avaient-ils parlé de lui avant son arrivée.

Whistler inclina la tête.

— Bonjour, Mr. Pitt. Un crime affreux, j'en ai peur.

La tension de sa voix n'était pas due qu'au temps maussade, et on n'aurait pu se méprendre sur la pitié qui se lisait sur ses traits. Il recula d'un pas tout en parlant, révélant derrière lui le corps recouvert d'un drap en coton grossier.

Pitt inspira une bouffée d'air froid et pur avant de se pencher pour soulever le linge. En été, il y aurait eu une odeur, mais pas par ce vent et ce froid glacial. Le cadavre avait subi d'épouvantables mutilations : le nez était fendu, les lèvres avaient été découpées, peut-être au moyen d'un couteau. Les yeux n'étaient plus là, sans doute dévorés par des charognards. Seul le dessin du sourcil demeurait. La chair des joues avait été arrachée, en revanche, la mâchoire et les dents étaient intactes.

Elle était presque aussi grande que Charlotte, et bien faite : une poitrine généreuse, une taille fine, de longues jambes. Les vêtements avaient préservé son corps des ravages des animaux et la décomposition n'avait pas encore fait son œuvre. Pitt se força à examiner les cheveux, mouillés et poisseux après l'exposition aux éléments : si on retirait les épingles qui les retenaient, ils lui arriveraient à mi-dos. Secs, ils avaient dû être épais et d'une belle couleur châtain-roux.

Était-ce Kitty Ryder ?

Il se retourna vers le médecin.

— Avez-vous pu déterminer la cause de la mort ?

Whistler secoua la tête.

— Je crois qu'elle a plusieurs fractures, mais il faudra attendre qu'elle ait été ramenée à la morgue pour que je puisse vous en dire plus. En tout cas, il n'y a ni blessure par balle ni coups de couteau apparents, ni dégâts visibles au crâne. Et elle n'a pas été étranglée.

— Rien qui permette de l'identifier ? insista Pitt, d'un ton un peu sec.

Pourvu que cette femme ne soit pas Kitty Ryder ! Il serait très soulagé si le corps n'avait aucun lien avec la demeure des Kynaston hormis d'avoir été découvert à proximité. Surtout, il priait pour que la morte soit une inconnue dont il ignorait tout, même si, bien sûr, il faudrait qu'il se renseigne à son sujet. Aucun être humain ne devait mourir seul et de manière anonyme, comme s'il n'avait pas la moindre importance.

— Peut-être, répondit Whistler en plantant son regard dans le sien. Elle avait sur elle une très belle montre. Je l'ai examinée avec attention. Elle est originale et assez ancienne, me semble-t-il. Et c'est indubitablement une montre d'homme.

— Volée ? demanda Pitt à regret.

— Je le pense. Récemment, sans doute, sinon elle ne l'aurait pas eue sur elle.

— Autre chose ?

Le médecin pinça les lèvres.

— Un mouchoir brodé de fleurs et portant une initiale, et une clé. On dirait le genre de clé qui ouvre un placard ou un tiroir. Trop petite pour une porte d'entrée.

Il désigna le sergent d'un geste.

— Je la lui ai remise. Je crains qu'il n'y ait rien d'autre pour le moment.

Pitt considéra de nouveau le cadavre.

— Ce sont des animaux qui ont fait cela, ou l'a-t-on défigurée exprès ?

— Exprès. C'est l'œuvre d'un couteau et non de dents. Pour le reste, attendez que je l'aie examinée de plus près, et non à la lueur d'un fanal et en grelottant au bord d'une carrière. On dirait que c'est la fin du monde ici !

Pitt hocha la tête sans répondre. Il se tourna vers le sergent, la paume tendue. L'homme y déposa un petit carré de batiste blanc, une clé longue d'environ trois centimètres et une belle montre ancienne.

Pitt l'interrogea du regard.

— C'est une montre de gentleman, monsieur. Si on l'a volée à quelqu'un, il aura porté plainte, sauf... Tout dépend de l'endroit où il se trouvait, si vous voyez ce que je veux dire ?

— Je vois, oui.

— Ou bien, il aurait pu la lui donner, en guise de paiement pour ses services.

Pitt le toisa.

— Pour une femme de chambre, c'est l'équivalent d'un an de gages. Et le mouchoir ?

— Aucune idée pour l'instant, monsieur. L'initiale sur le mouchoir est un R. Comme le prénom de Mrs. Kynaston commence par un R, j'ai pensé que je devrais vous laisser vous charger de ça.

— Il n'y a que vingt-six lettres dans l'alphabet, sergent, lui fit remarquer Pitt. Il doit y avoir des dizaines de noms qui commencent par R. Ce n'est pas comme si c'était un Q ou un X.

— C'est bien ce que je me suis dit. Et je suis sûr que Mr. Kynaston me l'aurait fait remarquer, avec un certain mécontentement, au cas où j'aurais demandé si ce mouchoir appartenait à son épouse.

Il sembla sur le point d'ajouter quelque chose, puis se ravisa et se tourna vers l'agent qui se tenait à quelques pas de là, dos au vent, le col de sa veste remonté pour se protéger du froid.

— Je suppose que Mr. Pitt voudra que vous restiez ici jusqu'à l'arrivée de son propre agent – en dehors de Mr. Stoker, je veux dire. Quant à moi, il faut que je rentre au commissariat.

Il adressa à Pitt un mince sourire.

— Ça vous va, monsieur ?

Pitt acquiesça. Ils revinrent sur leurs pas, cheminant sur le sol creusé d'ornières en direction de la route.

— Qu'est devenu l'homme qui l'a trouvée ?

— On a pris sa déposition, il l'a datée et signée, et on l'a laissé partir. Le pauvre diable était un peu secoué, mais il faut qu'il gagne son pain quand même.

— Vous le connaissez ?

— Oui, monsieur. Il s'appelle Zeb Smith.

— Je voulais dire, personnellement ?

Le sergent accéléra l'allure.

— Oui, monsieur. Il habite dans un cottage à Hyde Vale, à un peu plus d'un kilomètre, par là.

Il indiqua le nord, le port de Greenwich et la Tamise.

— Il lui est arrivé de boire un peu trop – il y a quelques années de ça à présent. Il s'est rangé après son mariage.

— Zebediah..., dit Pitt, songeur.

— Oui. Sa mère était très croyante. Nous savons où le trouver en cas de besoin. Franchement, monsieur, les passeurs sont en général de bons témoins. Je ne voudrais pas m'attirer la réputation de leur causer des problèmes sans raison.

— Entendu. Mr. Smith vous a-t-il dit quoi que ce soit d'utile ? Se promène-t-il souvent ici ? À quand remonte la dernière fois ? A-t-il vu quelqu'un d'autre ici ce matin, ne serait-ce qu'une silhouette au loin ? Ou des empreintes de pas ? Il y a assez de boue et de givre pour qu'on les remarque. Et son chien ? Comment a-t-il réagi ?

Le sergent esquissa un sourire satisfait.

— Il ne nous a pas dit grand-chose, monsieur. Sauf qu'il est venu hier matin, comme d'habitude, et que le corps n'était pas là. Même si lui ne l'avait pas remarqué, son chien l'aurait senti. C'est un ratier, apparemment. Il n'a vu personne d'autre, je lui ai posé la question plusieurs fois.

Il enjamba une touffe d'herbe drue, suivi de Pitt.

— Pas âme qui vive. Aucune empreinte reconnaissable. On dirait qu'il est passé toute une armée ici, mais pas ces jours-ci. C'est à cause du temps. Il n'y avait rien de plus à voir il y a deux heures que maintenant.

Il baissa les yeux, esquissant une moue.

— Rien d'utile, ajouta-t-il en regardant la terre dure et craquelée, encore gelée par endroits, qui se transformait en bourbier ailleurs.

— Et le chien ?

— Il n'a rien senti d'autre. N'a pas aboyé. Il a trouvé le corps et s'est mis à hurler à la mort.

Pitt imagina la scène, le chien frissonnant parmi les broussailles dégoulinantes et les arbres flous qui ressemblaient à des squelettes, rejetant la tête en arrière pour lâcher une longue plainte de désespoir face à la mort rencontrée dans le brouillard gris de l'aube.

— Merci, sergent. Je vous tiendrai au courant, au cas où je devrais vous charger de la poursuite de l'enquête.

— Ah… oui… monsieur, répondit ce dernier, gêné.

Pitt sourit malgré son humeur morose. Pour rien au monde, il n'aurait voulu déranger de nouveau les Kynaston, mais il n'avait pas le choix. C'était à la fois la démarche la plus efficace et la plus charitable. Mieux valait ne pas laisser cette triste nouvelle, qui parviendrait inévitablement à leurs oreilles, peser telle une épée de Damoclès au-dessus de leur tête.

Parvenu à l'entrée de la carrière, il prit congé du sergent, puis se dirigea vers la propriété des Kynaston.

Compte tenu de l'heure matinale, il se rendit à la porte de service. Il ne désirait pas être annoncé, encore moins avoir à solliciter la permission d'interroger les domestiques.

Les marches de la courette avaient été récurées. On n'y voyait plus désormais qu'une fine pellicule de verglas, luisante sur la pierre mouillée. Il descendit avec précaution et frappa à la porte de l'arrière-cuisine.

Celle-ci s'ouvrit au bout de quelques instants, et Maisie apparut. Tout d'abord, elle resta perplexe. À l'évidence, Pitt n'était pas un livreur et pourtant elle avait l'impression de le connaître.

— Bonjour, Maisie, dit-il à voix basse. Je suis Thomas Pitt, le chef de la Special Branch. Tu te souviens ? Puis-je entrer ?

— Oh ! oui ! s'écria-t-elle avec un sourire, avant de se souvenir brusquement de la raison de sa première visite. Vous avez retrouvé Kitty, c'est ça ?

Elle était terrifiée, envahie par des pensées trop terribles pour être formulées.

— Je ne sais pas, murmura-t-il, afin de ne pas attirer l'attention des autres domestiques. Vous allez apprendre très vite, sans doute par le premier garçon de courses qui se présentera, qu'on a découvert le corps d'une femme dans la carrière de gravier, non loin d'ici. Il est difficile de l'identifier.

Maisie déglutit avec peine et resta silencieuse.

Il tira le mouchoir et la clé de sa poche.

— As-tu déjà vu ce mouchoir ou un autre qui lui ressemble ?

Elle le prit avec précaution, comme si elle redoutait d'être mordue. Avec des gestes très lents, elle le déplia.

— Il est joli, observa-t-elle en frissonnant. Si elle a un mouchoir pareil, monsieur, c'est une dame. Il y a quelque chose de brodé dans le coin, ici...

— Oui, c'est la lettre R. J'imagine qu'il appartient à quelqu'un dont le nom commence par cette lettre.

— Kitty ne commence pas par un R, déclara-t-elle avec certitude. Je ne sais pas lire, mais ça, je le sais.

— Cependant, répondit-il d'un ton aussi neutre que possible, il ne s'agit peut-être pas de son propre mouchoir. Comme tu dis, les dames possèdent des mouchoirs de ce genre. Il est possible qu'on le lui ait donné...

Une lueur de compréhension se lut aussitôt sur le visage de Maisie.

— Vous voulez dire que ça pourrait être Kitty quand même ?

— C'est possible. Si nous pouvons établir à qui appartient cet objet, cela nous aidera peut-être à le savoir.

— Elle s'est noyée dans la carrière ? demanda Maisie, horrifiée.

— Je ne sais pas encore.

Il n'avait pas d'autre choix que de dire la vérité. Être évasif ne ferait qu'aggraver les choses.

— Avez-vous des clés de ce genre à la maison ?

Elle la prit, fronçant les sourcils. À regret, elle se dirigea vers un placard et la glissa dans la serrure, mais elle était trop grande. Elle tenta un second, puis un troisième meuble, en vain. Au quatrième essai, la clé tourna sans difficulté.

— Là, conclut Maisie, livide. Tout le monde a des buffets comme celui-ci. Ça ne veut rien dire. Monsieur, vous ne pouvez pas faire quelque chose pour savoir si c'est notre Kitty ?

La démonstration était efficace. On trouvait certainement des clés du même modèle dans toutes les maisons du quartier et d'ailleurs. Elle servait davantage de poignée que de gage de sécurité.

— Nous allons faire tout notre possible, dit-il gentiment. Quelques questions suffiront sans doute. Si tel n'est pas le cas, nous devrons l'identifier. En attendant, il faut continuer à espérer que Kitty est vivante et en bonne santé. Peut-être est-elle trop gênée pour expliquer pourquoi elle s'est sauvée sans dire au revoir à personne.

Maisie prit une profonde inspiration, puis lâcha un soupir tremblant.

— Oui… oui. Vous voulez un thé ? Il fait drôlement froid dehors. Un froid à…

Elle s'interrompit net.

— … à se cailler les miches, acheva-t-il à sa place, car il connaissait parfaitement l'expression.

Elle rougit jusqu'aux oreilles.

— Ce n'est pas moi qui l'ai dit.

— Et je n'aurais pas dû. Je te demande pardon.

— Oh ! De rien ! protesta-t-elle en lui décochant un sourire éclatant. Je vais vous faire un thé et dire à Mr. Norton que vous êtes là.

Et, avant qu'il ait eu le temps de protester, elle avait tourné les talons et s'engouffrait dans la cuisine.

Un quart d'heure plus tard, réchauffé par une bonne tasse de thé, Pitt se trouvait dans l'office, face à un Norton qui faisait grise mine. La pièce, assez vaste, était peinte en crème et marron, et des placards vitrés, qui renfermaient la porcelaine et le cristal destinés à l'usage quotidien, étaient alignés le long des murs. Outre divers séchoirs à serviettes et torchons, une table à repasser ou à presser, voire à plier des journaux, Pitt remarqua les ustensiles habituels – clés, entonnoirs, tire-bouchons – et, comme il était de rigueur dans la plupart des maisons, un portrait de la reine.

— Oui, monsieur. Mrs. Kynaston a des mouchoirs identiques à celui-ci. Cela dit, je ne peux pas affirmer que ce soit le sien. Il lui arrive parfois d'en faire cadeau, quand elle en achète des neufs ou qu'ils ne sont plus… en très bon état. Par exemple, s'ils s'effilochent ou qu'ils ont été tachés d'une manière ou d'une autre. Ils ne durent pas éternellement.

Il regarda de nouveau le carré de batiste.

— Dans l'état où il est, on a peine à l'imaginer lavé et repassé.

— En effet. Mais le monogramme est clairement un R.

— Beaucoup de dames ont un nom qui commence par R, répliqua Norton, d'un air pincé. Quant à la clé, elle est d'une facture très ordinaire. La moitié des maisons de Londres doivent contenir des placards qu'elle ouvrirait. J'ai peur que nous ne puissions vous aider.

— Je souhaite sincèrement que cette pauvre femme ne soit pas Miss Ryder, expliqua Pitt avec conviction. Mais je suis obligé de faire tout ce que je peux pour l'identifier. Elle mérite un enterrement décent et sa famille a le droit de savoir ce qu'il lui est arrivé.

Il se leva.

— J'ai préféré venir en personne plutôt que d'envoyer un sergent d'aussi bonne heure.

Norton se leva à son tour.

— Excusez-moi, monsieur, murmura-t-il avec gêne. J'ai été injuste. C'était gentil de votre part de vous donner cette peine. J'espère que vous découvrirez qui est cette malheureuse. Hormis le mouchoir et le fait que la carrière se trouve à proximité, y a-t-il autre chose qui vous ait incité à penser qu'il s'agissait de Kitty Ryder ?

— Sa taille, sa carrure et ses cheveux correspondent à la description qui m'a été faite d'elle.

Le désarroi se lut sur le visage de Norton.

— Oh ! Seigneur !... je suis désolé. Je... c'est absurde. Elle mérite notre pitié, qui qu'elle soit. Seulement, savoir que c'est quelqu'un de connaissance rend tout cela plus... réel.

Il s'éclaircit la voix.

— Je vais informer Mrs. Kynaston de votre visite, monsieur, et lui transmettre votre considération. Puis-je vous raccompagner ?

Zebediah Smith confirma les dires du sergent. Pitt ne fut guère surpris de ne rien apprendre de nouveau. Il était surtout venu pour s'assurer que le passeur était aussi honnête qu'il y paraissait. Encore secoué, l'homme lui relata les faits : alors qu'il faisait sa promenade quotidienne, son chien avait flairé quelque chose et s'était éloigné dans le noir. Puis il s'était mis à hurler et avait attendu que Smith le rejoigne. Là, à la lueur de sa lanterne, il avait vu la pitoyable dépouille.

Il secoua la tête.

— Qui ferait ça à une femme ? soupira-t-il, accablé. Quel genre de... je suppose qu'il faut bien dire un homme, mais ça, ce n'était pas humain. Même les animaux ne tuent pas les leurs pour rien.

— Il y a une raison, Mr. Smith. Mon travail consiste à la découvrir – lorsque nous l'aurons identifiée.

Zebediah leva les yeux et rencontra son regard.

— Il ne peut pas y avoir de raison de faire ça à quelqu'un, m'sieu. Qui que vous soyez – de la police, du gouvernement ou quoi –, attrapez-le, et que Dieu vous vienne en aide pour ce que vous allez lui faire !

Pitt ne protesta pas.

Dans l'après-midi, il alla voir le Dr Whistler à la morgue, l'endroit qu'il abhorrait le plus au monde. Dehors, le vent avait forci. Tantôt, la pluie tombait en rafales dures et glacées, tantôt, dans les lieux abrités, dégouttait avec tant de force que les meilleurs manteaux en étaient transpercés ; de temps à autre, de brefs pans de ciel d'un bleu éclatant apparaissaient avant de s'évanouir tout aussi vite.

À l'intérieur de la morgue, on avait toujours l'impression d'être en hiver. Les fenêtres étaient haut placées, peut-être pour dissimuler aux badauds ce qui s'y passait. Le froid était nécessaire à la préservation des corps qu'on transportait d'une salle à l'autre afin de les examiner. Ceux qu'on gardait un certain temps étaient conservés en chambre froide et la température glaciale s'insinuait partout. Quant à l'odeur d'antiseptique, il était impossible d'oublier ce qu'elle tentait de masquer.

Whistler reçut Pitt dans son bureau, une pièce bien chauffée qui, n'importe où ailleurs, aurait été assez plaisante. Le médecin était vêtu d'un complet gris.

Rien ne trahissait sa macabre profession, hormis une légère odeur de produit chimique.

Pitt prit place dans un fauteuil rembourré, mais inconfortable, qui semblait avoir été conçu pour obliger son occupant à s'asseoir d'une façon anormalement droite.

— Je ne vais guère pouvoir vous aider, déclara d'emblée le médecin.

— Le moindre détail peut parfois se révéler utile.

Whistler haussa les épaules.

— Elle est morte depuis deux semaines au moins, mais j'imagine que vous vous en doutiez, d'après l'état où elle est, la malheureuse. Comme je vous l'ai dit, elle a été défigurée au moyen d'une lame de couteau propre, très aiguisée.

Pitt garda le silence.

— Ce qui est sûr, c'est qu'elle a été déplacée après sa mort. Mais vous avez dû parvenir à cette conclusion aussi. Si elle avait été là deux semaines durant, quelqu'un l'aurait trouvée bien avant, que ce soit Mr. Smith ou un autre promeneur.

— Comme vous le disiez, cela ne m'est pas d'une grande aide jusqu'ici. J'ai vu Mr. Smith. Il m'a confirmé qu'elle n'était pas là hier. Si elle est morte depuis tout ce temps, où était-elle ? Pouvez-vous hasarder une hypothèse ?

— Au froid, sinon le corps se serait détérioré davantage.

— Fantastique, ironisa Pitt. À cette époque de l'année, il fait froid partout en Angleterre, sauf dans les maisons où on peut faire du feu dans toutes les pièces. Même alors, le corps aurait pu être dans une dépendance.

— Pas tout à fait, objecta Whistler. Ses vêtements étaient relativement propres, si on excepte un peu de boue et de sable, qui proviennent probablement de l'endroit où elle gisait. Où qu'elle ait été conservée, c'était dans un lieu bien tenu. Concernant les mutilations, elles ont été infligées après la mort, alors que le processus de décomposition avait déjà commencé. Cela pourrait peut-être vous être utile ?

Il haussa les épaules.

— Cela veut dire au moins qu'elle n'était pas dehors.

— Pas seulement, répondit Pitt en se redressant. Vous êtes sûr qu'elle n'a pas été rongée par des rats ? Absolument sûr ?

Whistler comprit où il voulait en venir.

En ville comme à la campagne, il y avait des rats presque partout, dans les égouts, les caves, les abris de jardin et les dépendances de toutes sortes. On ne les voyait pas souvent, mais ils dénichaient le moindre morceau de nourriture et ils auraient certainement flairé un corps en décomposition.

— Oui, affirma Whistler en plantant son regard dans le sien. Vous pouvez en conclure qu'elle se trouvait dans un lieu froid et fermé, à l'abri des insectes et des rats. Cela réduit le champ des possibilités.

— Savez-vous comment elle a été transportée jusqu'à la carrière ?

— Impossible de le dire. Le corps est trop abîmé pour y déceler des marques de liens, ou de planche par exemple. C'est vraiment une sale affaire.

Pitt lui lança un regard froid.

— J'étais aussi parvenu à cette conclusion par moi-même.

— Si je découvre autre chose, je vous le ferai savoir, conclut Whistler avec un mince sourire.

— S'il vous plaît.

Pitt se leva.

— Par exemple, si vous pouviez déterminer son âge ou trouver un signe distinctif qui me permettrait de l'identifier, d'anciennes blessures, des cicatrices, une tache de naissance, que sais-je ? Mais avant tout, j'aimerais connaître la cause de la mort.

Whistler acquiesça.

— Croyez-moi, je tiens moi aussi à ce que vous découvriez qui a fait cela et à ce qu'il subisse le châtiment permis par la loi, même si ça ne suffira pas à payer pour son crime.

Pitt le dévisagea avec plus d'attention. Derrière la colère de cet homme se cachait un vif sentiment d'impuissance et de pitié. Gêné par son émotion, Whistler la dissimulait sous l'apparence du détachement. Pitt se demanda s'il devait souvent y avoir recours et pourquoi il avait choisi cette profession au lieu de soigner les vivants.

— Merci, dit Pitt gravement. Si j'apprends quoi que ce soit qui puisse vous être utile, je veillerai à ce que vous en soyez informé.

Une fois dehors, il s'éloigna d'un pas rapide, inspirant avec soulagement l'air froid et mordant. Tant pis s'il sentait la suie et la fumée, le crottin de cheval et le caniveau.

Une foule de questions se bousculaient dans son esprit. Qui était cette jeune femme ? S'agissait-il de Kitty Ryder, ou d'une autre qui lui ressemblait, fût-ce superficiellement ? Comment avait-elle péri ?

Où avait-elle été mise en lieu sûr, avant d'être emportée à la carrière ? Et pourquoi avait-il fallu le faire ?

À la première intersection importante, il remarqua les journaux exposés. Les gros titres étaient déjà sortis : « Corps mutilé sur Shooter's Hill. La police se tait ! »

Comme une meute attirée par l'odeur du sang. La réaction de la presse était inévitable, voire nécessaire, mais il accusa le coup tout de même.

Il désirait de tout son cœur que la morte ne fût pas Kitty Ryder – sans pour autant se bercer d'illusions.

3

Il était cinq heures passées quand Pitt se retrouva chez les Kynaston, cette fois dans le petit salon, face au maître de maison en personne. La nuit était déjà tombée, mais le feu avait été allumé toute la journée et il faisait bon dans la pièce. En d'autres circonstances, Pitt aurait admiré l'élégance du mobilier, les rayonnages de livres et le charme des tableaux, pour l'essentiel des paysages enneigés, qui, à en juger par l'échelle et la magnificence des sommets, ne représentaient pas des montagnes de Grande-Bretagne. Une beauté quasi mystique émanait d'eux et pourtant ils regorgeaient de détails, comme si l'artiste avait des lieux une connaissance personnelle. Il se demanda vaguement pourquoi Kynaston les avait choisis, mais il était trop préoccupé pour leur accorder plus d'un bref regard.

Debout au centre de l'épais tapis persan, le visage tendu, perplexe, Kynaston attendait qu'il parle.

— Je suppose que vous avez déjà appris la nouvelle, commença Pitt. Un corps a été retrouvé ce matin à l'aube dans la carrière de gravier située à l'est d'ici. Il s'agit d'une jeune femme, dont la dépouille est si abîmée qu'il n'a pas encore été possible de l'identifier. Je suis désolé, mais je ne peux affirmer qu'il s'agit ou non de Kitty Ryder – tout au moins pas encore.

Kynaston dut faire un effort visible pour dominer son émotion.

— Votre phrase donne à penser qu'il pourrait s'agir d'elle. Le croyez-vous ?

— Je crois que c'est probable, en effet, avoua Pitt, avant de se demander aussitôt s'il n'aurait pas dû être plus circonspect.

Son hôte prit une profonde inspiration.

— Si cette malheureuse est méconnaissable, pourquoi pensez-vous que ce soit Kitty ?

Ce n'était pas la première fois que Pitt voyait quelqu'un lutter contre l'inévitable. L'instinct poussait à nier la tragédie le plus longtemps possible. Il l'avait fait lui-même, avant d'être contraint de s'incliner devant la réalité.

— La taille et la silhouette correspondent, répondit-il à voix basse. Ses cheveux sont brun-roux.

Kynaston se raidit de plus belle, sa mâchoire se crispa.

— Elle avait dans sa poche un mouchoir bordé de dentelle et brodé d'un R. D'après votre majordome, Mrs. Kynaston possède des mouchoirs similaires, et il lui arrive d'en distribuer à son entourage quand elle en achète des neufs.

Il y eut un long silence. Enfin, Kynaston se redressa légèrement.

— Il est… fort probable qu'il s'agisse d'elle, en effet. Néanmoins, évitons de tirer des conclusions hâtives. Je vous serais obligé de ne pas dire au personnel que c'est Kitty… avant d'en avoir la certitude. Nous aviserons alors. Le majordome et la gouvernante sont des gens très compétents. Ils soutiendront les employés les plus affectés.

Pitt tira de sa poche la montre en or. Aussitôt, Kynaston écarquilla les yeux et blêmit.

— Cet objet a été retrouvé sur la morte. Je vois que vous le reconnaissez.

— Ce… c'est la mienne.

La voix de Kynaston était étranglée, comme s'il avait soudain la bouche et les lèvres sèches.

— On me l'a dérobée il y a deux semaines. Dans la rue – maudits pickpockets ! Le médaillon et la chaîne ont disparu aussi. Ce n'est pas Kitty qui l'a prise – si c'est ce que vous croyez !

Pitt acquiesça.

— Je vois. Ce sont des choses qui arrivent, malheureusement. J'aimerais parler à votre épouse ainsi qu'à votre belle-sœur, si possible. Je comprends qu'elles soient bouleversées, mais l'une ou l'autre sait peut-être quelque chose qui pourrait nous aider.

— J'en doute, rétorqua Kynaston avec une moue de dégoût. Je pense que vous en apprendriez davantage en parlant aux autres bonnes… à supposer que quelqu'un sache quoi que ce soit. Les jeunes femmes bavardent entre elles, elles ne se confient pas à leur maîtresse. Vous ne vous imaginez tout de même pas que Kitty aurait parlé à ma femme de… son idylle… si tant est que nous puissions qualifier ainsi pareille liaison.

— Je ne songeais pas à des confidences. Plutôt à des observations que votre épouse aurait pu faire. La mienne est très bon juge en matière de caractères. J'imagine que la vôtre aussi. Les femmes remarquent toutes sortes de détails chez les autres, quel que soit leur milieu social. Et aucune maîtresse de maison n'est indifférente à la personnalité de ses employés.

Kynaston sourit.

— Oui, naturellement, vous avez raison. Je désirais lui épargner du chagrin, mais peut-être n'est-ce pas possible.

Pitt eut un mince sourire, imaginant la réaction de Charlotte s'il avait tenté de lui dissimuler un événement aussi tragique.

— Si vous pouviez avoir la bonté de lui demander de me consacrer une demi-heure…

— Et les autres domestiques ? rétorqua Kynaston sans bouger. Ou la gouvernante ? C'est elle qui veille sur le personnel féminin.

— Je prierai le sergent Stoker de les interroger quand il en aura terminé avec la scène… de la découverte, et avec la police du quartier.

— Je vois, murmura Kynaston, songeur. Je vois.

Il hésitait toujours.

Cette fois, Pitt ne lui vint pas en aide. Il avait appris bien longtemps auparavant que le silence peut trahir quelqu'un aussi bien que des paroles, parfois de la manière la plus subtile qui soit.

— Je…

Kynaston s'éclaircit la gorge.

— J'aimerais assister à votre entretien avec mon épouse. Elle est… très émotive. Si vraiment il s'agit de Kitty, ce sera une dure épreuve pour elle.

Bien que contrarié, Pitt ne voyait guère quel argument avancer pour refuser sa présence. Si ç'avait été Charlotte, à l'époque où Gracie Phipps vivait chez eux, elle aurait été bouleversée de savoir celle-ci blessée, ou, pire encore, morte. Pitt aussi, d'ailleurs. Même leur nouvelle bonne, Minnie Maude Mudway, occupait déjà une grande place dans leurs affections.

— Bien entendu, acquiesça-t-il. Je serai aussi délicat que possible.

Sur le point de poursuivre, il se ravisa, comprenant qu'il se montrait plus compatissant que sage. Si le cadavre était celui de Kitty Ryder, cela provoquerait inévitablement une grande détresse, voire un certain embarras.

Kynaston s'excusa et revint une vingtaine de minutes plus tard, accompagné non seulement de Rosalind Kynaston, mais aussi de sa belle-sœur, Ailsa. Toutes les deux très élégantes, elles s'apprêtaient visiblement à se rendre à une soirée.

Rosalind arborait une tenue bleu marine, à la coupe superbe. Le coloris, bien qu'assez froid pour un jour d'hiver, était rehaussé par un col en dentelle claire et lui allait plutôt bien. Son attitude était digne, mais elle avait les traits tirés et, quand son regard croisa celui de Pitt, sa main chercha instinctivement un appui. Kynaston lui offrit son bras, qu'elle ignora.

À côté d'elle, Ailsa était magnifique dans des déclinaisons de gris. Pitt n'aurait su expliquer au juste comment, mais il reconnut la dernière mode en matière de jupe ample, assez courte désormais pour ne pas toucher le sol et risquer d'être mouillée. Il ne lui manquait qu'un chapeau pour être parfaite, et elle allait à n'en pas douter en porter un. Elle prit le bras de Rosalind sans lui en demander la permission, la guida vers le canapé et la fit asseoir doucement, prenant place en même temps qu'elle. Enfin, elle toisa Pitt, un vif reproche dans ses yeux bleus.

Kynaston demeura debout. Craignait-il que s'asseoir ne l'incite à baisser sa garde ?

— Nous ne savons pas encore ce qu'il est arrivé à Kitty, Mr. Pitt, lâcha Ailsa d'un ton brusque. Ma belle-sœur vous avait dit qu'elle vous avertirait au cas où nous aurions des nouvelles.

— Oui, Mrs. Kynaston, je m'en souviens.

Cette femme l'irritait. Il dut faire un effort pour se rappeler que, même si elle n'en donnait pas l'impression, elle était sans doute effrayée, plus pour sa belle-sœur que pour elle. Il songea fugacement qu'elle était peut-être mieux informée des réalités domestiques que Rosalind, plus jeune et, apparemment, plus délicate. Il eut soudain la froide vision de Kynaston avec la jolie femme de chambre : avait-il eu une liaison avec elle ? Y avait-il eu des querelles, une tentative de chantage, un moment de violence inouïe, incontrôlable ?

Était-ce cela qu'il lisait dans le regard perçant d'Ailsa, et la peur des conséquences d'une révélation ? D'un côté, le scandale, de l'autre la désillusion ? Mais il allait trop vite, et peut-être se trompait-il.

Ailsa attendait, non sans impatience.

— Je suis au regret de vous dire que nous avons découvert le corps d'une jeune femme dans une carrière voisine. Nous ne savons pas qui elle est, mais nous aimerions nous assurer et vous assurer qu'il ne s'agit pas de Kitty Ryder.

Du coin de l'œil, il vit que Kynaston se détendait quelque peu. Ce ne fut qu'un léger changement dans sa posture, comme s'il respirait mieux.

Ailsa esquissa l'ombre d'un sourire. Rosalind, elle, continuait à le dévisager.

— Pourquoi ne commencez-vous pas par l'identifier ? Ainsi vous n'auriez pas à déranger ma belle-sœur, objecta la première, une pointe de critique dans la voix.

À l'évidence, elle ne l'appréciait guère et elle ne cherchait pas à s'en cacher. Au fond, cela n'avait aucune importance, mais il s'interrogea néanmoins sur les raisons de cette hostilité. Rosalind ne semblait pas éprouver les mêmes sentiments. Peut-être était-elle trop choquée pour réagir. Avait-elle généralement besoin de la protection d'Ailsa ?

Si la victime était bien Kitty Ryder, il faudrait démêler tout un écheveau d'émotions. Chacun avait des secrets, de vieilles blessures à vif, des êtres aimés ou haïs, parfois les deux en même temps.

— Vous l'auriez su de toute façon, affirma Pitt. Si nous n'écartons pas très vite la possibilité qu'il s'agisse d'elle, ce sera beaucoup plus éprouvant pour votre personnel et pour vous.

— Mais enfin, pourquoi ne le savez-vous pas déjà ? s'exclama Ailsa. C'était une jeune femme aisément reconnaissable. Chargez le majordome ou quelqu'un d'autre d'aller la voir. N'est-ce pas votre travail ? Pourquoi diable venez-vous nous importuner ?

Rosalind posa une main apaisante sur le bras de sa belle-sœur.

— Ailsa, donnons-lui le temps de s'expliquer. Je suis sûre qu'il a ses raisons.

Pitt éluda la question, sentant le regard de Kynaston sur lui, et une tension soudaine dans l'air.

Il s'adressa à Rosalind.

— Mrs. Kynaston, j'imagine que, comme la plupart des dames, vous avez un grand nombre de mouchoirs brodés à votre initiale ?

— Oui, en effet, répondit-elle avec un froncement de sourcils.

— Quelle importance cela a-t-il ? demanda Ailsa d'un ton cassant.

Kynaston ouvrit la bouche pour intervenir, mais se ravisa. Il semblait de plus en plus mal à l'aise.

Pitt tira le mouchoir de sa poche et le tendit à Rosalind, qui le prit et le laissa échapper aussitôt, blanche comme un linge. Ailsa le ramassa et l'examina, puis leva les yeux vers Pitt.

— C'est un mouchoir assez ordinaire, en batiste. J'en ai plusieurs moi-même.

— Un R est brodé sur celui-ci, lui fit remarquer Pitt. Le vôtre porte aussi votre initiale ?

— Bien entendu. Il y a des milliers de mouchoirs semblables. Elle a facilement pu le dérober à quelqu'un.

— Kitty Ryder vous l'a-t-il volé, Mrs. Kynaston ?

Rosalind haussa presque imperceptiblement les épaules : un geste subtil mais indéniable. Elle n'en avait pas la moindre idée. Tenant avec précaution le mouchoir entre le pouce et l'index, elle le lui rendit.

— Ce sera tout, Mr. Pitt ? demanda Kynaston.

Pitt remit le carré de tissu dans sa poche.

— Non. Elle avait aussi une petite clé.

Nul ne lui répondit. Ils attendaient avec raideur, sans se regarder.

— Elle ouvre un des placards de l'arrière-cuisine, reprit-il.

— Un seul ? ironisa Ailsa. Ou n'avez-vous pas essayé les autres ?

Était-ce de la colère, ou bien de la peur, que manifestait Ailsa ? Ou encore le désir de voler à la défense d'un être plus vulnérable qu'elle ?

— Je sais que ce modèle est relativement courant.

— En concluez-vous que... la malheureuse retrouvée dans la carrière n'est autre que Kitty Ryder ? insista Ailsa, impassible.

— Non, Mrs. Kynaston. J'espère bien prouver le contraire.

Kynaston se racla la gorge.

— Désirez-vous que j'essaie d'identifier cette pauvre femme ?

— Non, monsieur, répondit Pitt avec douceur. Si vous me permettez d'emmener votre majordome, Norton, il sera mieux à même de la reconnaître et de nous dire s'il s'agit d'elle.

— Oui... oui, bien sûr, acquiesça Kynaston avec un soupir. Je vais l'avertir immédiatement.

Il sembla sur le point d'ajouter quelque chose, mais jeta d'abord un coup d'œil en direction d'Ailsa, puis de Rosalind, et se contenta de saluer Pitt d'un signe de tête avant de sortir.

— Nous ne pouvons rien faire de plus pour vous, Mr. Pitt.

Ailsa ne s'était pas levée, mais il était clair qu'elle le congédiait.

— Merci pour votre considération, ajouta Rosalind tout bas.

Pitt et Norton se rendirent en fiacre à la morgue. Norton était assis très droit, les mains sur les genoux, les jointures de ses doigts toutes blanches. Ni l'un ni l'autre ne parla. On n'entendait que le claquement des sabots du cheval, le chuintement des roues sur la chaussée mouillée et les éclaboussures provoquées de temps à autre par une flaque plus profonde que les autres.

Pitt ne chercha pas à rompre le silence. Qu'avait éprouvé Norton envers la jeune fille qu'il allait peut-être identifier ? De l'indifférence, voire de l'agacement, de l'hostilité, ou du respect et de l'affection ? À moins que l'émotion intense qui l'habitait à présent ne fût tout à fait impersonnelle, comme peut l'être la peur de la mort ? Toute disparition nous rappelle à tous qu'elle est la seule réalité inéluctable de l'existence.

Avait-il lui-même perdu un proche, foudroyé dans la fleur de l'âge ? Sa mère, sa sœur, sa fille ? Cela arrivait à tant de gens. Pitt avait de la chance d'avoir été épargné – tout au moins jusque-là. Plaise au Ciel qu'il continue à l'être !

Ou Norton redoutait-il que le meurtre de Kitty, si c'était bien elle, ne fût imputé aux Kynaston ou à leur personnel ?

Une autre possibilité s'imposa à Pitt : comme dans n'importe quelle maison, une enquête de police serrée mettrait au jour toutes sortes de secrets, de faiblesses, de ces petites tromperies qui contribuent à préserver la vie privée. Chacun a besoin de garder ses illusions ; ce sont elles qui cachent la nudité de l'âme. Ne pas voir trop de choses ne relève pas que de la gentillesse : c'est une forme de pudeur, un filet de sécurité pour soi-même et pour autrui.

Il incombait à Pitt d'observer la réaction de cet homme face au corps qu'on allait lui montrer. Il ne pouvait parvenir à la justice ni protéger les innocents sans la vérité. Néanmoins, il avait le sentiment de commettre une intrusion.

Il lui incombait aussi de l'interroger dès maintenant, alors qu'il était en proie à l'émotion, et vulnérable.

— Kitty sortait-elle souvent avec le jeune menuisier ? demanda-t-il. C'était très indulgent de la part de Mrs. Kynaston de le lui permettre. Ou bien le voyait-elle sans permission ?

Norton se raidit.

— Certainement pas. Elle sortait parfois avec lui durant sa demi-journée de congé. Ils se promenaient dans le jardin public ou allaient prendre le thé. Elle était toujours de retour avant six heures. Enfin… presque toujours.

— Aviez-vous une bonne opinion de lui ?

Pitt le dévisageait avec attention.

Les épaules du majordome se crispèrent – il regarda droit devant lui.

— Il était assez agréable.

— Avait-il un caractère emporté ?

— Pas que je sache.

— L'auriez-vous engagé, si vous aviez eu besoin de ses compétences ?

Norton réfléchit.

— Oui, dit-il enfin. Je crois que oui.

Un léger sourire traversa son visage puis s'évanouit, indéchiffrable.

Ils atteignirent la morgue et descendirent. Après avoir réglé la course, Pitt précéda Norton à l'intérieur, restant près de lui car celui-ci était sur le point de défaillir. Il était blême et marchait gauchement, luttant pour conserver son équilibre.

Comme toujours, l'endroit sentait le désinfectant et la mort. Pitt n'aurait su dire laquelle des deux odeurs était la pire. De toute façon, le désinfectant lui rappelait toujours la mort, le deuil et la douleur. Il se hâta malgré lui et dut attendre Norton au bout du couloir, devant la porte de la chambre froide.

L'employé, tenant à la main le drap qui avait dissimulé la victime, semblait se fondre dans la grisaille des murs. À présent, seules les parties intimes du corps étaient cachées. La jeune femme paraissait encore plus brisée et plus seule que lorsqu'elle gisait dans l'herbe couverte de givre de la carrière.

Norton retint une exclamation et faillit suffoquer. Pitt le prit par le bras pour le soutenir.

On n'entendait aucun bruit hormis celui d'un robinet qui gouttait quelque part. Norton fit un pas en avant, les yeux rivés sur le visage ravagé, les orbites creuses, la chair boursouflée et corrompue qui se détachait des os. Les cheveux auburn étaient tout emmêlés, mais on voyait les endroits où des touffes en avaient été arrachées.

Enfin, il recula, titubant légèrement. Pitt continuait à le soutenir.

— Je ne sais pas, avoua-t-il d'une voix rauque. Je ne pourrais rien affirmer. Que Dieu lui vienne en aide, qui qu'elle soit.

Il se mit à trembler de tous ses membres, comme si le froid venait de le transpercer.

— Je ne m'attendais pas que vous la reconnaissiez, assura Pitt. J'espérais juste que vous puissiez dire que ce n'était pas elle. Que les cheveux ou la taille n'étaient pas les mêmes…

Norton déglutit avec peine.

— Non… les cheveux ont l'air de correspondre. Elle… elle avait des cheveux superbes. Peut-être un peu plus foncés que cela… Elle… en prenait grand soin.

Il se tut brusquement, incapable de maîtriser le chagrin qui s'entendait dans sa voix.

Pitt n'insista pas. Ils regagnèrent le couloir carrelé qui menait à la sortie. Au-dehors, la pluie pénétrante et régulière leur parut presque réconfortante.

Le lendemain matin, Stoker entreprit de mener l'enquête à son terme dans le quartier et, en quittant le commissariat de Blackheath, gravit la colline de Shooter's Hill. Il marchait avec précaution, veillant à ne pas glisser sur le verglas. Pitt ne lui avait pas encore expliqué comment il comptait aborder le sujet de Kitty Ryder avec le personnel des Kynaston. Pour sa part, Stoker était surpris de constater combien il désirait la retrouver en vie.

Sans en avoir conscience, il accéléra l'allure et faillit trébucher. Le sentier était traître. Si seulement il pouvait mettre le doigt sur un détail, un fait tout simple qui prouverait que la femme retrouvée dans la carrière n'était pas Kitty ! Qu'elle ne pouvait pas l'être, à cause d'une tache de naissance ou de la forme des mains, d'un épi rebelle dans ses cheveux…

Naturellement, il était ridicule d'attacher autant d'importance à l'identité de cette femme. Il le savait. La vie d'un être humain en valait bien une autre. Elle était tout aussi unique. Il ignorait tout de la femme de chambre de Mrs. Kynaston, hormis ce qu'on lui avait rapporté. S'il l'avait rencontrée, il l'aurait peut-être jugée quelconque, parfaitement insignifiante. Seul un piètre détective laisse ainsi s'emballer son imagination. Il le savait aussi. Les faits, rien que les faits. C'étaient eux qui devaient le guider.

Maisie vint lui ouvrir. Son visage s'éclaira aussitôt.

— Vous êtes venu nous dire que vous avez retrouvé Kitty et que ce corps là-haut n'est pas le sien ? s'écria-t-elle avec espoir.

Puis elle fronça les sourcils et le dévisagea avec plus d'attention.

— C'est ça… hein ? ajouta-t-elle d'une voix étranglée.

Elle n'était qu'une enfant et soudain, Stoker, âgé d'une bonne trentaine d'années, se sentit très vieux.

— Je ne crois pas que ce soit elle.

Il avait voulu la ménager, mais il n'était pas accoutumé à embellir la vérité.

Le visage de Maisie se décomposa.

— Qu'est-ce que vous voulez dire, je ne crois pas ! C'est elle, oui ou non ?

Non sans mal, il résista à la tentation de mentir.

— Nous ne pensons pas que ce soit elle. Mais il faut qu'on en ait le cœur net. Je dois vous poser des questions à tous.

Elle ne s'effaça pas pour le laisser entrer.

— Mr. Norton ne l'a pas vue ?

— Elle est en piteux état. Ça n'a pas servi à grand-chose. Puis-je entrer ? Vous laissez pénétrer le froid avec cette porte ouverte.

— Je suppose que oui, grommela-t-elle en reculant enfin d'un pas.

— Merci.

Il referma avec soin le battant derrière lui. La chaleur soudaine lui donna envie d'éternuer et il se moucha.

Maisie se mordit la lèvre pour l'empêcher de trembler.

— Je suppose que vous voulez un thé, hein ?

Sans attendre la réponse, elle le précéda dans la cuisine où la cuisinière étalait de la pâte pour une tourte aux fruits.

— Ces carottes sont épluchées, Maisie ? demanda-t-elle d'un ton sec avant de remarquer que la jeune fille était accompagnée. Vous êtes revenu, vous ? lança-t-elle d'un ton réprobateur. On vient de se débarrasser de votre chef. Il a passé la moitié de la journée ici hier, et tout le monde était retourné. Qu'est-ce qu'il y a encore ?

Stoker savait que les gens détestaient être interrompus en plein travail et qu'ils étaient d'autant moins enclins à vous dire ce que vous aviez besoin de savoir. Il voulait les mettre à l'aise, au contraire, pour qu'ils ne se contentent pas de répondre à ses questions, mais qu'ils ajoutent des détails, des anecdotes, le genre d'informations qu'il ne pouvait chercher directement.

— Je suis désolé de vous déranger, dit-il d'un ton empreint de respect. J'aimerais seulement que vous me parliez un peu plus de Kitty.

La cuisinière leva les yeux, le rouleau à pâtisserie encore à la main.

— Pourquoi ? Elle est partie avec ce petit vaurien qu'elle avait, non ?

Son visage se plissa de colère.

— Quelle idiote ! Elle aurait pu faire bien mieux dans la vie. En fait, elle aurait difficilement pu faire pire !

Elle renifla bruyamment, puis recommença à abaisser la pâte.

L'émotion était palpable dans sa voix, dans la raideur de sa posture et le soin qu'elle mettait à dissimuler son visage. Elle avait eu de l'affection pour Kitty et la peur qu'elle éprouvait pour elle s'exprimait par la colère, plus facile et moins douloureuse. Il savait, par des parents et quelques vieux amis qui étaient domestiques, que ces derniers voyaient rarement les leurs. S'ils restaient assez longtemps à la même place, les autres serviteurs, à force de partager loyautés, secrets et chamailleries, finissaient par leur tenir lieu de famille. Cette femme penchée sur sa pâtisserie avait peut-être vu en Kitty le substitut d'une fille bien à elle.

Stoker voulait procéder avec douceur, et c'était presque impossible.

— Sans doute, acquiesça-t-il. Mais nous ne l'avons pas retrouvée, si bien que nous n'en avons pas la preuve. C'est pourquoi nous tenons à identifier la femme de la carrière. Je voudrais avoir la certitude que ce n'est pas elle.

— Vous voulez dire que cet… imbécile… ce monstre… lui a fait ça ? s'indigna-t-elle, les yeux pleins de larmes.

— Non, madame, je dis que j'aimerais prouver que ce crime n'a aucun rapport avec cette maison, et empêcher la police de continuer à vous importuner.

Elle renifla de plus belle et chercha un mouchoir dans la poche de son tablier. Lorsqu'elle se fut mouchée, elle lui accorda toute son attention.

— Eh bien, qu'est-ce que vous voulez savoir sur Kitty ? À part qu'elle s'est dégoté le gars le plus niais qu'elle pouvait trouver ?

Elle le foudroya du regard, le mettant au défi de protester.

— Comment l'a-t-elle rencontré ?

— Il est venu faire un travail ici. Et après, il n'a pas arrêté de revenir, juste pour la voir.

— Avait-elle peur de lui ? demanda-t-il, s'efforçant de maîtriser la brusque colère qui montait en lui.

— Sûrement pas ! Si vous voulez mon avis, il lui faisait pitié. Quelle idiote ! Il en a profité. Qui n'aurait pas fait la même chose ?

— Elle était douce ? s'étonna-t-il.

Dans son esprit, il s'était imaginé une femme forte, belle et sûre d'elle. Peut-être la cuisinière connaissait-elle à Kitty un côté vulnérable qui avait échappé à sa maîtresse ?

La cuisinière éclata de rire et secoua la tête.

— Vous êtes bien un homme ! Vous pensez que, parce qu'une femme est jolie et qu'elle a de la personnalité, elle ne peut pas souffrir ni pleurer le soir quand personne ne la voit, comme tout le monde. Elle valait dix fois mieux que lui, et il le savait.

Elle dut se moucher une fois de plus pour dissimuler ses larmes.

— Il lui en voulait pour ça ?

— Je ne crois pas, riposta-t-elle avec véhémence. Vous pensez que je me trompe ?

Il ne répondit pas. Il avait besoin d'en savoir davantage : par exemple, si c'était bel et bien Kitty à la morgue, comment avait-elle eu en sa possession la montre en or dérobée à Dudley Kynaston ?

— Qui d'autre connaissait-elle ? Y avait-il quelqu'un qui lui faisait des cadeaux coûteux ?

— Non ! rétorqua la cuisinière d'un ton mordant. Si elle avait été aussi bête, vous croyez qu'elle aurait été femme de chambre ?

Il y avait du mépris dans sa voix, et elle était trop blessée pour le cacher. Il n'était qu'un policier comme un autre, après tout, et elle n'avait rien à se reprocher, aucune raison d'avoir peur de lui.

— Quand on veut rester dans une maison respectable comme ici, il ne faut jamais être tenté de chaparder, asséna-t-elle d'un ton sans réplique. Vous croyez qu'elle était sotte, juste parce qu'elle avait un faible pour un jeune gars qui ne lui arrivait pas à la cheville ? Eh bien, non. Si elle était née dans une autre famille et qu'elle avait appris à se conduire comme une dame, elle aurait pu faire un beau mariage et ne jamais rien faire de ses dix doigts. Mais voilà : on prend ce que la vie vous donne et on fait avec ! C'est pareil pour vous !

Stoker sourit, ce qui lui arrivait rarement lorsqu'il était en service. Son travail était souvent déprimant – et, la plupart du temps, il le faisait seul. Peut-être était-il trop sérieux ? Il songea que Kitty Ryder lui aurait plu.

— Vous avez tout à fait raison, admit-il. Bref, hormis pour son admirateur, elle était sage dans le choix de ses amis.

— Je ne dis pas qu'elle n'ait pas eu des idées farfelues, concéda la cuisinière, radoucie. Elle avait des rêves qu'elle ne pourrait jamais réaliser. Évidemment. Comme toutes les jeunes filles. Mais elle était de taille à se défendre quand elle l'avait décidé. Et contrairement à d'autres, elle était capable de reconnaître ses erreurs… de temps en temps, du moins.

— Merci, tout cela m'a été très utile. J'aimerais parler au reste du personnel, s'il vous plaît.

Il ne s'attendait pas à apprendre grand-chose de plus, mais il était possible que les plus jeunes connaissent d'autres détails. La situation avait évolué depuis la première fois qu'il les avait interrogés. À présent, il y avait la question de la montre en or, qui appartenait indéniablement à Kynaston. Or, sa mission consistant à protéger ce dernier, il était essentiel de prouver au-delà de tout doute raisonnable que la femme de la carrière n'était pas Kitty. Cela fait, la présence de la montre n'apparaîtrait plus que comme une coïncidence !

Plus tard le même après-midi, Pitt reçut un message l'informant qu'il était convoqué au ministère de l'Intérieur le plus tôt possible. Vers sept heures, peut-être ?

La note lui parvint à six heures et quart, et il savait qu'il n'avait d'autre choix que de s'y rendre. Après s'être changé – il portait encore sa veste trempée et ses bottines maculées de boue –, il héla un fiacre. Il était sept heures dix quand il pénétra dans un bureau agréable, où étaient accrochés des portraits de ministres des siècles passés, aux visages austères, parfois arrogants, sortis tout droit des livres d'histoire.

Des journaux étaient posés sur une table près de l'âtre et Pitt y jeta machinalement un coup d'œil. Les gros titres attirèrent son regard : « Le mystère du cadavre mutilé : la police toujours muette ! »

Il détourna délibérément la tête.

Il dut patienter une bonne vingtaine de minutes avant d'être rejoint par un jeune gentleman d'aspect très soigné, qui referma la porte derrière lui.

— Navré de vous avoir fait attendre, Mr. Pitt, déclara-t-il avec un léger sourire, comme s'il tenait à faire remarquer qu'il avait de bonnes manières en dépit de son importance.

Plusieurs réponses cinglantes vinrent à l'esprit de Pitt, qui les repoussa aussitôt. Malheureusement, il ne pouvait se les permettre.

— J'étais en retard, Mr. Rogers, répliqua-t-il tout aussi poliment. Je ne pouvais pas venir couvert de boue.

— De boue ?

— Il pleut, se contenta de dire Pitt, comme si son interlocuteur ne s'en était pas aperçu.

Rogers baissa les yeux sur les bottines impeccablement cirées de Pitt, puis les releva.

— Nous avons découvert un corps dans une carrière de Shooter's Hill hier. Il a fallu que j'y retourne.

— Oui… oui… à ce propos…

Rogers s'éclaircit la gorge.

— Une affaire navrante, assurément. Avez-vous pu identifier cette femme ?

— Il est possible qu'il s'agisse de la bonne disparue chez Dudley Kynaston, mais le majordome n'a pas été en mesure de le confirmer ou de l'infirmer.

— Vraiment ? s'étonna le jeune homme. J'ai peine à le croire. Ment-il, d'après vous ? J'imagine qu'il a regardé le corps ? Il ne s'est pas… dérobé ? Détourné ? Ni évanoui ?

— Elle est morte depuis un certain temps, et le cadavre est en piteux état. Sans parler de très graves plaies au visage, la chair commence à se décomposer. Je peux vous donner des détails, si vous le désirez. Elle a eu les yeux arrachés, mais…

— Je vois, se hâta de dire Rogers. Voilà qui rend l'identification difficile. J'apprécie que… le…

Il s'interrompit.

— Quoi qu'il en soit, l'important, c'est que vous ne puissiez affirmer catégoriquement qu'il s'agit de la bonne de Kynaston, c'est bien exact ?

— C'est exact.

Les épaules de son interlocuteur se détendirent visiblement. Lorsqu'il reprit la parole, sa voix était plus conciliante.

— Excellent. Cela étant, le mieux est de confier cette affaire à la police du quartier. C'est sans doute une prostituée qui a fait un choix malheureux de client. Un fait divers triste et sordide, certes, mais qui ne saurait concerner la Special Branch, et encore moins Kynaston. Le ministre de l'Intérieur m'a prié de vous dire qu'il apprécie votre discrétion et la promptitude de votre intervention. La police locale aurait pu faire preuve de maladresse et causer un embarras à la famille Kynaston et, par conséquent, au gouvernement. Nous avons des ennemis qui n'hésiteraient pas à tirer parti de la moindre apparence de… d'une relation inappropriée.

Il inclina légèrement la tête. Pitt était congédié.

Il songea à protester, à faire remarquer à cet homme que l'affaire n'était pas encore résolue et qu'il était trop tôt pour la considérer comme telle. Cependant, pour avoir passé toute sa vie d'adulte à enquêter sur des crimes, il ne mesurait que trop bien le poids des ragots et celui de l'autorité. Il avait appris à s'en servir, pas toujours avec succès. La raison était du côté de ce jeune homme, même si son instinct lui donnait tort.

Sans en avoir l'air, on venait de lui donner un ordre. Son nouveau rôle exigeait de lui qu'il obéisse sans discuter.

— Certes, murmura-t-il. Bonsoir.

Le jeune homme sourit.

— Bonsoir, monsieur.

Pitt rentra chez lui plus tard qu'il ne l'eût désiré, et apprit que les enfants avaient déjà dîné. Charlotte, en revanche, l'avait attendu. Elle lui donna le choix entre la cuisine et la salle à manger, et il opta pour la première. La pièce était plus chaude, au sens propre et aussi parce qu'elle était au cœur de la vie de sa famille. Leurs plus proches amis avaient été assis autour de cette table, tantôt angoissés, aux prises avec des défis désespérés, tantôt bouleversés, lorsque tout semblait perdu, et tantôt au comble de la joie, quand la victoire avait été au rendez-vous.

Charlotte lui servit un ragoût de bœuf accompagné de légumes, d'oignons et de *dumplings*[1].

1. Petites boulettes confectionnées avec de la farine et du blanc de bœuf, cuites dans le ragoût.

— Est-ce la femme de chambre ? demanda-t-elle, sans toucher à son assiette.

La découverte du corps avait été rapportée dans les journaux. Naturellement, comme toujours, les rares faits connus s'accompagnaient d'une multitude de conjectures.

— Je donnerais cher pour le savoir, avoua-t-il.

— Vont-ils l'admettre, si c'est elle ? insista-t-elle en le regardant bien en face.

Il ne put réprimer un sourire. Il aurait dû savoir qu'elle dirait quelque chose dans ce genre. Avec les années, elle avait appris à tenir sa langue en société, mais jamais avec lui.

— Seulement s'ils ne peuvent pas faire autrement.

— Vas-tu te plier à cela ? persista-t-elle. Je suppose que tu n'auras guère le choix. Kynaston est-il si important ? Thomas, je t'en prie, sois prudent.

Il décela dans sa voix une gravité soudaine. Elle s'inquiétait sincèrement pour lui. Elle avait été fière de lui lorsqu'il avait été promu, n'avait jamais douté de sa capacité à succéder à Narraway. Cependant, jusqu'à cet instant, elle lui avait caché à quel point elle saisissait les dangers inhérents à son poste, bien qu'il ne lui eût jamais révélé le pire. Il y avait des pans entiers de son travail dont il ne pouvait parler.

— Ma chère, une domestique a disparu, voilà tout, dit-il gentiment. Il semble qu'elle se soit enfuie avec son soupirant, un jeune homme assez déplaisant. Si c'est son cadavre qui a été retrouvé, c'est tragique, mais pas plus tragique que s'il s'agissait de n'importe qui. Bien sûr, cela risque d'attirer sur Kynaston une attention qu'il serait préférable d'éviter, mais rien de plus.

Elle resta silencieuse un moment, puis se détendit.

— J'ai vu Emily aujourd'hui, annonça-t-elle en souriant.

Emily était sa sœur cadette, désormais mariée à Jack Radley, député depuis quelques années.

— Elle connaît un peu Rosalind Kynaston. D'après Emily, elle ne parle guère et elle est franchement plutôt ennuyeuse.

Pitt enfourna une autre bouchée avant de répondre.

— Emily s'ennuie vite. Comment va-t-elle ?

Il ne l'avait pas vue depuis Noël, six semaines plus tôt. Par le passé, Charlotte et elle l'avaient aidé lors de certaines enquêtes, surtout celles qui impliquaient des membres de la bonne société, dont elles faisaient partie. Tout cela semblait remonter à une éternité.

Charlotte haussa les épaules.

— Tu sais comment c'est, en hiver.

Il attendit qu'elle précise sa pensée. Au lieu de quoi elle se leva, gagna le fourneau, sortit un pudding à la mélasse de sa casserole fumante et le retourna sur une grande assiette, regardant avec satisfaction couler le sirop fondu, à la riche couleur ambrée. Elle savait que c'était un de ses desserts préférés. À la fin d'une longue journée froide et humide, il n'y avait rien de meilleur. Il se surprit à sourire, l'eau à la bouche, tout en étant parfaitement conscient qu'elle avait éludé sa question au sujet d'Emily, ce qui signifiait que quelque chose n'allait pas.

4

Deux jours plus tard, Pitt reçut un message de la police de Shooter's Hill – ou, plus précisément, du Dr Whistler. Il s'agissait d'une brève missive, dans une enveloppe scellée, délivrée par un coursier qui ne prit pas la peine d'attendre la réponse.

Pitt la relut.

Cher Mr. Pitt,

J'ai procédé à un nouvel examen du corps retrouvé dans la carrière. J'ai découvert un certain nombre de faits nouveaux, qui changent fondamentalement la situation. Il est de mon devoir de les signaler à la Special Branch, de sorte que vous puissiez agir de la manière que vous jugerez appropriée dans l'intérêt de l'État et de la justice.

Je serai à mon bureau à la morgue toute la journée, et me tiens à votre disposition.

Avec mes meilleures salutations,

Dr George Whistler

La première pensée de Pitt fut que Whistler avait trouvé le moyen d'identifier Kitty Ryder et que le meurtre était lié à la famille Kynaston.

Rien ne le retenait à Lisson Grove. Toutes les affaires en cours entraient dans le cadre de la routine, et d'autres que lui étaient parfaitement capables de s'en charger. Il partit sur-le-champ.

Un quart d'heure plus tard, il était assis dans un fiacre qui roulait à travers les rues de Londres, plus encombrées que d'habitude à cause des plaques de verglas qui ralentissaient la progression des véhicules. Ils franchirent la Tamise au pont de Westminster, avant de tourner vers l'est, en direction de Greenwich et de la morgue. Pour Pitt transi, mal installé, le trajet fut interminable.

Enfin, il se retrouva dans le bureau de Whistler, son manteau accroché à une patère près de la porte. La chaleur revint lentement en lui, ramenant à la vie ses mains et ses épaules engourdies.

Whistler n'avait plus la mine agressive de l'autre jour. Il paraissait contrarié, comme s'il ne savait par où commencer.

— Eh bien ? l'encouragea Pitt.

Le médecin était debout, lui aussi, à côté du poêle. Il enfonça les mains dans les poches de son pantalon.

— Il y a pas mal de choses, j'en ai peur. Il semble qu'elle soit décédée bien plus tôt que je ne l'avais pensé sur le moment…

— N'avez-vous pas estimé l'heure du décès d'après l'état du corps ? coupa Pitt, perplexe.

— Pourriez-vous me laisser terminer ? rétorqua le médecin avec humeur.

Pitt comprit que l'homme n'était pas seulement irrité contre lui-même d'avoir fait une erreur. Quelque chose le troublait plus profondément, voire l'emplissait d'une sorte de crainte.

Il s'éclaircit la gorge.

— Des températures très froides, au-dessous de zéro, peuvent ralentir considérablement le processus de décomposition, voire l'arrêter, si elles persistent sans interruption. C'est pourquoi les gens ont des glacières où conserver leur viande.

Il hésita, mais, cette fois, Pitt ne l'interrompit pas.

— Ce corps a été maintenu à une température inférieure à zéro pendant un certain temps, de ce fait la décomposition était peu avancée. Par conséquent, cette femme a été gardée dans un lieu non seulement très froid mais complètement fermé. Vous me suivez jusque-là ?

— Vous voulez dire qu'elle était dans une glacière ?

— Précisément. J'avais supposé qu'elle avait été déplacée la veille du jour où nous l'avons trouvée – peut-être un jour ou deux, voire une semaine, après avoir été tuée.

Il observait Pitt avec attention.

— Il me semblait logique qu'on l'ait tuée, peut-être sans l'avoir prémédité, et puis qu'on ait dû réfléchir à la manière de se débarrasser du corps. Je me disais que le meurtrier avait dû mettre quelques jours à trouver le moyen de l'emporter à la carrière sans être vu et, compte tenu des circonstances, sans être aidé de quiconque.

— Une supposition raisonnable, commenta Pitt. Qui ne vous paraît plus tenir ?

Whistler lâcha un grognement suivi d'un long soupir.

— J'ai examiné le corps de très près pour déterminer la cause du décès. Ce faisant, je me suis rendu compte que la décomposition était beaucoup plus avancée que je ne l'avais supposé en me fondant sur son aspect. De plus…

Il prit une profonde inspiration avant de poursuivre.

— … elle avait été lavée avec soin après avoir subi les blessures qui ont causé la mort…

— Quoi ?

Whistler le foudroya du regard.

— Vous m'avez bien entendu. Quelqu'un a lavé le corps, puis, au lieu de s'en débarrasser, l'a gardé au froid, dans une pièce close, à l'abri des charognards. Par conséquent, il ne s'agissait pas d'une dépendance ordinaire, même par ce temps. La plupart des plaies, surtout au visage, ont été causées par une lame très aiguisée, y compris l'ablation des yeux… et des lèvres. Et ne venez pas me demander une explication. Je ne peux que vous donner les faits. C'est à vous de les comprendre, Dieu merci !

— Et la cause du décès ? murmura Pitt, de nouveau glacé en dépit du feu qui pétillait dans l'âtre.

— Une extrême violence, répondit Whistler. Des coups assez forts pour lui briser les os, à savoir l'omoplate, quatre côtes, l'humérus gauche et le bassin à trois endroits. Mais cela a eu lieu quelque temps avant les mutilations au visage. Voilà où je voulais en venir !

Il toisa Pitt, brûlant d'indignation.

— Dix jours avant, au moins.

Pitt était atterré. Ce crime avait été d'une effroyable sauvagerie. Celui qui l'avait commis devait être complètement dément. Pas étonnant que Whistler ait si mauvaise mine. S'il s'agissait d'une prostituée, elle n'avait pas été victime d'une querelle ordinaire. Et si un fou avait pu commettre un tel crime, combien de temps s'écoulerait-il avant qu'il recommence ?

La pièce cessa brusquement d'être un havre de chaleur et de confort, protégé des éléments. Il s'y sentait suffoquer, prisonnier, et il avait hâte de s'en échapper, de sentir sur son visage les flocons de neige fondue, pure et froide.

— Avec quoi l'a-t-il tuée ? demanda-t-il, d'une voix qui tremblait un peu. Qu'a-t-il utilisé ?

— Franchement, répondit Whistler en secouant la tête, je dirais qu'il lui est passé sur le corps avec une voiture et quatre chevaux. Certaines blessures ont pu être causées par des roues ou par des sabots. Un impact considérable, venant de plusieurs directions, comme si des chevaux s'étaient affolés.

Une bouffée de fureur submergea Pitt. Le médecin n'aurait-il pu lui dire cela dès le début ? Des accidents atroces se produisaient. La souffrance causée était la même que si un être humain avait infligé ces blessures délibérément, mais l'horreur n'était pas comparable. Il éprouva la brusque envie de frapper Whistler, une réaction puérile qui l'emplit de honte. Il serra les poings et se força à parler d'un ton égal, même si sa voix était rauque et tendue.

— Êtes-vous en train de dire que la mort de cette femme pourrait être due à un accident de la circulation et qu'il ne s'agit pas d'un crime, Dr Whistler ?

— Il pourrait s'agir d'une foule de choses !

Whistler criait presque.

— Mais si c'était un accident de la circulation, pourquoi au nom du Ciel n'a-t-il pas été signalé à la police ?

Il agita les bras, manquant de peu de heurter la bibliothèque.

— Où diable a-t-elle passé deux ou trois semaines ? Pourquoi l'a-t-on jetée en pâture aux renards et aux blaireaux dans une carrière ?

Il prit une profonde inspiration.

— Et pourquoi ces terribles mutilations si longtemps après ? Pour la défigurer ? Pour que personne ne puisse l'identifier ?

Ce fut au tour de Pitt de rester silencieux.

Embarrassé d'avoir donné libre cours à son émotion, Whistler évita son regard et soupira, luttant visiblement pour se reprendre. Peut-être estimait-il avoir manqué de professionnalisme, mais Pitt ne l'en apprécia que davantage.

— Pouvez-vous me dire autre chose à son sujet ? demanda-t-il enfin.

— Elle était en bonne santé, pour autant que je puisse en juger à ce stade, répondit Whistler. Pas de maladie apparente. Des organes en bon état, hormis la décomposition. Si vous trouvez celui qui lui a fait ça, j'espère que vous le pendrez haut et court ! Sinon, inutile de revenir me demander mon aide !

Ses yeux furieux se braquèrent sur Pitt avant de se détourner de nouveau. Une légère couleur lui monta aux joues.

— C'était sans doute une employée de maison. On voit ça à de menus détails, vous savez ? La dentition est saine. Elle n'était pas sous-alimentée. Les ongles sont propres, les mains lisses, mais portent quelques petites cicatrices de brûlures, comme chez une femme qui fait beaucoup de repassage. Difficile de ne pas se brûler de temps à autre avec un fer. Surtout si on repasse des tissus délicats tels que la dentelle, ou des manches froncées, des cols fragiles, vous voyez.

— Une femme de chambre…, murmura Pitt, prononçant l'inévitable conclusion.

— Oui… ou une lingère en général. Ce n'était ni une dame, ni une prostituée. Les dames ne font pas leur repassage, et elle était trop soignée et en trop bonne santé pour une prostituée. Je ne crois pas non plus qu'il s'agisse d'une jeune femme mariée qui faisait du repassage pour autrui. Par ici, les gens ont leurs propres domestiques pour ce genre de tâches.

Et elle n'avait pas eu d'enfants. En revanche, il m'est impossible de déterminer si elle était toujours vierge.

— Merci, dit Pitt par politesse, alors que c'était la dernière chose qui lui venait spontanément.

Il ne voulait pas de cette affaire, et il savait que Whistler aurait de loin préféré ne pas avoir à faire ces constatations. Les conséquences étaient inévitables désormais : une lente et sordide enquête allait s'ensuivre afin que cette tragédie soit éclaircie.

— Avez-vous informé la police du quartier ? demanda-t-il soudain.

Une lueur à la fois amère et amusée traversa le regard de Whistler.

— Oui.

Il n'en dit pas plus, cependant Pitt devinait sans peine la réaction de ses collègues. Sans doute étaient-ils ravis d'abandonner ce dossier à la Special Branch, au cas où il y aurait un lien avec Dudley Kinaston.

Pitt prit son manteau et son chapeau encore humides, salua Whistler et ressortit dans la rue froide. Il aurait pu héler un fiacre tout de suite pour retourner à Lisson Grove, mais il préféra gagner la Tamise à pied et embarquer à bord d'un bac. Sur l'eau grise et houleuse, seul avec le vent et la pluie, il réfléchirait à ce qu'il allait faire, et comment.

Trop de questions demeuraient sans réponse. Si le corps était celui de Kitty Ryder, le sang et les cheveux retrouvés sur les marches de la propriété des Kynaston étaient-ils aussi les siens ? Y avait-il eu une querelle ? Avait-elle fini par partir de son plein gré ou l'avait-on entraînée de force ? Pourquoi son petit ami aurait-il fait une chose pareille ? S'il l'avait tuée sur place, pourquoi personne n'avait-il rien entendu ? De fait, pourquoi n'avait-elle pas hurlé et ameuté toute la maisonnée ?

Et pourquoi ne l'avait-il pas laissée là ? S'il s'était enfui dans la nuit, il aurait eu de fortes chances de ne jamais être retrouvé. Dans une cité telle que Londres, on pouvait se perdre facilement, sans parler du reste du pays ! D'ailleurs, si on était au désespoir, des navires quittaient chaque jour le port de la capitale à destination du monde entier.

Pitt les regardait justement : les mâts élancés oscillaient contre le ciel au loin, côtoyant les bateaux à vapeur, plus lourds et plus massifs, tandis que péniches et allèges se faufilaient entre eux. Un homme pouvait disparaître là en une seule journée, à plus forte raison en trois semaines.

Les gestes silencieux du passeur et le clapotement régulier de l'eau contre les flancs de la barque l'aidaient à se concentrer.

Que s'était-il passé entre le moment où elle avait quitté la demeure des Kynaston et celui où on l'avait transportée jusqu'à la carrière ? Avait-elle été tuée immédiatement, ou plus tard ? Et pourquoi ne pas l'avoir enterrée, tout simplement ? C'était absurde. C'était presque comme si quelqu'un avait voulu qu'on la trouve.

Plus il y songeait, plus l'affaire lui semblait incompréhensible.

À Lisson Grove, Stoker avait appris qu'il avait été appelé par Whistler et guettait son retour. Pitt était rentré depuis dix minutes à peine lorsque son subordonné se présenta. Il referma la porte derrière lui et resta debout, attendant les nouvelles.

Pitt les lui donna brièvement.

Stoker écouta en silence. Son visage résolu demeura impassible, mais sa pâleur s'accrut au fur et à mesure que Pitt parlait. Il baissa les yeux, les épaules légèrement tassées, les mains dans les poches.

— Nous n'avons pas le choix, si ? Il subsiste trop de questions sans réponses.

Il releva la tête, une lueur d'excitation dans ses yeux gris-bleu.

— Peut-être que sa mort n'a rien à voir avec ce jeune homme, monsieur. Et si les Kynaston étaient en cause ? D'après ce que j'ai entendu dire, elle était intelligente et observatrice. Les femmes de chambre apprennent beaucoup de choses sur leurs employeurs, c'est pourquoi elles changent rarement de place. On ne peut pas se permettre de les laisser partir, et surtout pas chez quelqu'un du même milieu que vous.

— Qu'êtes-vous en train de suggérer ? Qu'elle faisait chanter quelqu'un dans la maison et qu'il ou elle a refusé de payer ? Ou qu'on l'a tuée simplement parce qu'elle savait ?

Stoker cilla.

— L'un ou l'autre, monsieur. Peut-être qu'elle a deviné leurs intentions, essayé de s'enfuir et que c'est à ce moment-là qu'on l'a attrapée.

— Et elle n'aurait pas crié ?

— Ne pourriez-vous tuer une femme sans lui laisser l'occasion de crier, monsieur ? Moi, si.

Pitt imagina la scène : Kitty terrifiée, se ruant dans la cuisine obscure, traversant à tâtons l'arrière-cuisine pour gagner la porte de service, bataillant avec les verrous, avant de sortir précipitamment dans l'âpre froidure et de grimper les marches. Savait-elle que son meurtrier n'était qu'à quelques pas derrière elle ? Ou était-il arrivé sans bruit, ses pas étouffés par les battements affolés du cœur de Kitty ? Puis une lutte brève, terrible, un coup – fatal – survenu plus vite que le tueur ne s'y attendait. Il avait continué à frapper, à cogner, jusqu'à ce que la rage reflue en lui et qu'il prenne conscience de ce qu'il avait fait.

Et après ?

Il s'était hâté de dissimuler le corps. Peut-être dans une cave ou une glacière, dans l'intention de s'en débarrasser au plus vite. Et quelque mésaventure l'en avait empêché.

Pitt considéra Stoker et lut dans son regard un raisonnement voisin du sien.

— Sans doute Kynaston, dit ce dernier. Il faut que nous en ayons le cœur net.

Aucune discussion n'était nécessaire. Ne restait plus qu'à élaborer un plan, et peut-être en apprendre davantage sur Dudley Kynaston avant de le mettre en œuvre.

— Oui…, acquiesça Pitt. Je commencerai dès demain. De votre côté, renseignez-vous sur Kitty Ryder.

Stoker entama ses recherches le soir même.

Pitt et lui avaient naturellement demandé à toutes les forces de police de la région si des agressions similaires avaient été signalées. Ils n'avaient rien trouvé.

Pour sa part, il n'avait pas eu plus de succès auprès des institutions abritant les criminels déments : aucune évasion n'avait été signalée ; nulle part on n'avait rapporté d'incident rappelant celui de Shooter's Hill.

Tout semblait les ramener à Kitty elle-même et à ses liens avec les Kynaston.

Stoker vivait seul dans un meublé. Il n'avait pas de parents à Londres. De fait, il n'avait plus que sa sœur, Gwen, laquelle habitait à King's Langley. Leurs deux frères étaient morts avant même d'être sortis de l'enfance et une sœur avait péri en donnant naissance à un bébé.

Le travail emplissait sa vie. Il en prit brusquement conscience alors qu'il cheminait, anonyme, sur le trottoir mouillé, tandis que la lumière des réverbères trouait la brume, créant de petits îlots de clarté au milieu de l'ombre.

D'autres que lui semblaient marcher plus vite, tête baissée, se hâtant vers un but quelconque. Attendaient-ils quelque chose avec impatience ou étaient-ils pressés d'échapper à ce qu'ils avaient laissé derrière eux ?

Stoker était entré dans la marine tout jeune. La rudesse de la vie à bord lui avait enseigné la valeur de la discipline. On pouvait discuter avec des hommes, les tromper, les manipuler, et même les soudoyer, mais nul n'était de taille à lutter contre la mer. Les squelettes de ceux qui avaient essayé jonchaient le fond des océans. Il avait appris à la fois à obéir et à commander, au moins à un niveau modeste, et avait cru sa voie toute tracée.

Cependant, un incident survenu dans un port avait mené à une enquête de la Special Branch, et il avait été recruté par Victor Narraway, qui en était le directeur à l'époque. Sa vie avait changé : elle était devenue plus intéressante ; d'une certaine manière plus exigeante, au moins pour ce qui était de l'imagination et de l'intelligence. À sa grande surprise, il s'était découvert des compétences en matière de détection.

Ensuite, Narraway avait été contraint à la démission. Seul Pitt lui était resté loyal et avait fini par sauver sa réputation, voire sa vie, sinon sa carrière. Il avait aussi hérité de son poste, ce qui l'avait à la fois embarrassé et consterné. Pas un instant, il n'avait songé à profiter du malheur de Narraway. D'ailleurs, il estimait sincèrement ne posséder ni les qualités ni l'expérience nécessaires pour réussir.

Bien sûr, il n'avait pas avoué cela à Stoker, ni peut-être à personne. Stoker l'avait deviné à une multitude de petits détails. Moins visibles à présent, au bout d'un an, ils subsistaient pourtant aux yeux de qui les avait reconnus.

Stoker aimait bien Pitt. Il devinait chez lui une intégrité innée. Néanmoins, il redoutait parfois que ce dernier ne soit, au moment de frapper, retenu par des scrupules. Le poste qu'il occupait exigeait un côté impitoyable et, par conséquent, la capacité à vivre avec ses erreurs, à se pardonner et à aller de l'avant, sans se laisser entraver par leur souvenir.

Malgré tout, il ne voulait pas que Pitt change. La pensée que c'était peut-être inévitable l'attristait. Peut-être même serait-il contraint de jouer un rôle dans cette évolution.

Pour sa part, il était troublé par Kitty Ryder. Lui qui n'avait jamais vu cette femme ni son portrait se la représentait cependant : dans son esprit, elle ressemblait à sa sœur Gwen, qui avait d'épais cheveux soyeux et un sourire facile, de jolies dents, dont l'une était un peu de travers.

Il ne la voyait guère plus d'une fois par mois, mais il se sentait proche d'elle. Gwen aurait fait une bonne femme de chambre si elle ne s'était pas mariée jeune et n'avait pas fondé une famille. Elle avait de la chance : son mari était un brave homme, même s'il était trop souvent parti en mer.

Il entra dans le pub où il avait coutume de dîner, et fut aussitôt enveloppé par le bruit et la chaleur. Tout en mangeant une tourte au bœuf et aux rognons, il continua à penser à Kitty Ryder. Quelle sorte de personne avait-elle été ? Qu'est-ce qui la faisait rire, et pleurer ? Pourquoi avait-elle apparemment aimé un homme que tout le monde estimait indigne d'elle ? Pourquoi une femme aimait-elle un homme ?

Et que faisait-il là, seul au pub, à méditer sur le sort d'une femme qu'il n'avait jamais rencontrée et qui ne ressemblait sûrement pas du tout à Gwen ?

Son repas terminé, il sortit dans la nuit froide et humide. Kitty – s'il s'agissait d'elle – avait été victime de mutilations atroces. Son devoir exigeait qu'il se renseigne à son sujet. Il prit un fiacre pour retourner dans le quartier de Shooter's Hill et se dirigea vers une taverne située à côté du *Pig and Whistle* sur Silver Street. Il n'était guère sociable de nature, mais cela faisait partie de son travail de se mêler aux gens, d'entamer des conversations anodines et de poser des questions sans en avoir l'air.

La soirée était bien avancée et il était sur le point de renoncer quand le serveur, venu remplir sa chope de cidre, mentionna Kitty.

— Pourvu que ce ne soit pas elle, la malheureuse qu'on a retrouvée là-haut, soupira-t-il avec un haussement d'épaules. On avait de la musique des fois. Elle chantait vraiment bien. Je n'aime guère les voix aiguës, haut perchées, mais la sienne était basse, douce. Elle faisait pas mal aux oreilles, si vous voyez ce que je veux dire. Elle chantait juste et elle pouvait nous faire rire aussi.

— Elle venait souvent ? demanda Stoker, d'un ton aussi dégagé que possible, en évitant le regard de son interlocuteur.

— Vous la connaissiez, vous ? s'enquit l'autre, curieux.

— Non.

Stoker se força à boire une gorgée avant de continuer.

— Un de mes amis l'aimait beaucoup. Il ne l'a pas vue depuis un bon mois. Peut-être qu'elle a trouvé une nouvelle place…, suggéra-t-il, laissant sa phrase en suspens.

— Faudrait qu'elle soit folle, répliqua le serveur d'un ton sec. Quand on a une bonne place, c'est idiot d'en changer. Elle n'a jamais dit qu'elle y songeait. M'enfin, elle était discrète, celle-là. Pas du genre à colporter des ragots.

Il secoua la tête.

— Elle et les bateaux… c'était une vraie rêveuse. J'espère qu'elle s'en est sortie.

Il se tourna.

— Finissez vos verres, messieurs. Je ne vais pas rester ouvert toute la nuit.

— Des bateaux ? le relança Stoker à voix basse. Quel genre de bateaux ?

L'homme sourit.

— Des bateaux en papier, mon gars. Des images de bateaux en tout genre : des grands, des petits, de drôles de barques qui naviguent en Orient, comme sur le Nil. Elle les découpait et les collait dans un cahier. Elle apprenait toutes sortes de choses dessus. Vous voulez une autre pinte ?

— Non, merci.

Stoker tira une pièce de sa poche.

— Voici pour la dernière et gardez la monnaie.

Le serveur l'empocha sans se faire prier et sourit.

— Merci, m'sieu. Vous êtes un gentleman.

Le vent s'était levé. Stoker descendit vers la Tamise pour prendre un bac. Quand il débarqua sur l'autre rive, le ciel s'était dégagé. Il grimpa les marches qui menaient à la route. La lune illuminait le fleuve, et les navires bien réels se balançaient au gré de la houle, coques sombres sur l'eau argentée, espars noirs contre le ciel plus pâle.

Le lendemain matin, Pitt se présenta chez les Kynaston à huit heures et demie. Il tenait à arriver avant le départ du maître de maison, sachant que Rosalind refuserait presque certainement de le recevoir en son absence.

À sa requête, l'entretien eut lieu dans le cabinet de travail. Malheureusement, il n'eut pas le loisir d'examiner les lieux seul. Cependant, tout en parlant, il s'efforça d'observer discrètement ce qui l'entourait.

Kynaston était assis derrière son vaste bureau, patiné par les ans et encombré à souhait. Le bac à sable, la cire, les porte-plumes et les encriers étaient à portée de main, là où il les avait laissés lors de leur dernière utilisation. Derrière lui, sur l'étagère, se trouvaient des ouvrages de référence, rangés par thèmes et non pas alignés selon leur taille, pour leur apparence. Plusieurs tableaux étaient accrochés aux murs, surtout des marines, mais aussi un magnifique paysage d'arbres sous la neige avec des montagnes à l'arrière-plan, qui rappela à Pitt les œuvres qu'il avait admirées dans le salon.

Kynaston suivit son regard.

— Superbe, se hâta de dire Pitt, fouillant dans sa mémoire pour trouver une remarque appropriée. Au début de sa carrière dans la police, il avait enquêté sur des vols d'œuvres d'art.

— La qualité de la lumière est extraordinaire.

Kynaston le dévisagea avec un intérêt soudain.

— Oui, n'est-ce pas ? C'est quelque chose qu'on voit dans le Grand Nord.

Pitt fronça les sourcils.

— Mais il ne s'agit pas de l'Écosse, si ? À moins que l'échelle…

Kynaston sourit.

— L'échelle est exacte. C'est la Suède. J'y suis allé, très brièvement. C'est mon frère, Bennett, qui a acheté ce tableau. Il…

Une ombre traversa son visage, comme si la douleur du deuil l'assaillait de nouveau. Il prit une inspiration avant de continuer.

— Il y a passé quelque temps et en est venu à adorer ce paysage, surtout la lumière. Ainsi que vous l'avez observé, elle est tout à fait particulière.

Une note de plaisir s'entendit dans sa voix.

— Il disait toujours que le grand art se reconnaît à son caractère universel, sa capacité à émouvoir toutes sortes de gens, en plus de la sensibilité et de la vision personnelles de tout artiste.

Il se tut, perdu dans ses souvenirs.

Pitt attendit, non parce qu'il espérait déduire quoi que ce fût de valeur des paroles de Kynaston, mais parce qu'une remarque triviale aurait détruit toute possibilité de compréhension entre eux.

Gardant le silence, il promena le regard sur les autres tableaux. À la meilleure place, au-dessus de la cheminée, trônait le portrait d'un homme d'une trentaine d'années. Sa ressemblance avec Kynaston était si marquée que Pitt crut un instant qu'il s'agissait de lui et que l'artiste avait abusé de sa liberté, peut-être pour créer un effet. Kynaston avait un visage remarquable, mais l'homme du portrait était réellement séduisant. On aurait dit une version idéalisée de lui, aux cheveux plus épais, au regard plus audacieux, à l'intensité de visionnaire. Ses yeux étaient foncés, tandis que ceux de Kynaston étaient bleus.

— C'est Bennett, déclara ce dernier tout bas. Il est décédé il y a quelques années. J'imagine que vous le savez.

— Oui, répondit Pitt sur le même ton. Je suis désolé.

Il ignorait tout des circonstances de la mort de Bennett Kynaston, sauf qu'elle avait été soudaine et tragique. Un homme au destin prometteur disparu apparemment à la veille de la gloire. Il avait contracté une maladie quelconque. Aucun parfum de scandale.

Kynaston paraissait meurtri, encore en proie au chagrin. Au prix d'un effort, il se ressaisit, leva la tête et regarda Pitt dans les yeux.

— Mais je présume que vous êtes revenu à cause de ce corps qu'on a retrouvé dans la carrière. Je n'ai absolument rien à vous apprendre, sinon qu'aucun autre de nos domestiques n'a disparu, soupira-t-il.

Pitt décida de ne pas prendre de gants. Trop de tact permettrait à Kynaston d'éluder ses questions.

— Nous en savons un peu plus long sur la victime, dit-il avec un léger sourire, comme s'ils évoquaient un sujet sans grande importance et aucunement déplaisant. Elle ne présentait aucun signe de maladie et ne semble pas avoir vécu dans la rue. Au contraire, elle était bien nourrie et soignée, très propre hormis la poussière due à son séjour dans la carrière. Elle avait néanmoins de petites brûlures aux mains, comme souvent chez les bonnes qui font beaucoup de repassage. Ce sont des brûlures qui ne ressemblent pas à celles d'une cuisinière ou d'une fille de cuisine.

Kynaston pâlit.

— Voulez-vous dire que c'est Kitty ? Comment serait-ce possible ? Cette femme vient tout juste d'être retrouvée !

— En effet, acquiesça Pitt. Mais le médecin de la police affirme qu'elle est morte voilà deux à trois semaines au moins et que son corps a été conservé au froid, à l'abri des animaux. Ce sont bien entendu des informations que vous préféreriez sans doute éviter de communiquer à Mrs. Kynaston…

— Seigneur, mon brave ! Que diable suggérez-vous ?

Le visage de Kynaston était de cendre. Il chercha ses mots en vain.

— Il est possible que le corps soit celui de Kitty Ryder et que sa disparition, voire son meurtre, devienne une affaire très délicate. Votre travail pour le gouvernement est des plus sensibles. Certains le désapprouvent. Et nous n'allons pas pouvoir expédier cette enquête avec rapidité et discrétion, ajouta Pitt, à moins de prouver que sa mort n'avait absolument rien à voir avec son emploi ou le fait qu'elle vivait dans cette maison. Or, le seul moyen d'y parvenir est de découvrir ce qui s'est passé – ce qui nous permettra peut-être de démontrer que la femme de la carrière n'est pas Kitty, en fin de compte. Pour ce faire, j'ai besoin de savoir tout ce que je peux à son sujet : non pas des chuchotements polis, mais des observations franches et vérifiables, en bien comme en mal.

Kynaston avait l'air d'un homme qu'on vient d'assommer et qui cherche encore à assimiler le choc.

— Pourquoi..., bégaya-t-il, pourquoi, au nom du Ciel, irait-on assassiner cette pauvre fille et laisser son corps dans la carrière... des semaines après...

Il s'interrompit.

— Je l'ignore. À l'évidence, il y a un grand nombre de choses que nous ignorons et que nous devons découvrir au plus vite. Stoker se renseigne sur Kitty et le jeune homme qu'elle fréquentait, dans l'espoir d'établir si elle est en vie et indemne, ou, dans le cas contraire, si c'est lui qui l'a tuée, ou un autre individu qu'elle aurait rencontré après son départ.

— Et vous ? demanda Kynaston d'une voix rauque.

— Je ferai ce que je peux ici, en partant de l'hypothèse inverse, à savoir que le corps est le sien et qu'elle a été tuée en raison de relations qu'elle avait ici même.

Il rencontra le regard de Kynaston et y lut de la peur.

— Je suis désolé, répéta-t-il, mais vous allez devoir affronter des questions précises – et désagréables. La seule défense est de s'y préparer.

Kynaston se laissa aller en arrière lentement et soupira.

— Très bien. Que désirez-vous savoir ? J'espère que vous aurez la décence de maintenir mon épouse à l'écart de tout cela autant que faire se peut.

C'était une affirmation, presque un ordre.

— Autant que faire se peut, acquiesça Pitt, songeant à quel point Rosalind était différente de Charlotte.

Charlotte lui en aurait voulu d'être laissée à l'écart, protégée de la réalité. Et elle aurait sans l'ombre d'un doute estimé que le meurtre d'une servante chez elle la concernait.

— Tout crime a un mobile, reprit Pitt. Et en général, il s'est produit un événement qui en a déterminé l'heure et l'endroit. J'aimerais consulter votre carnet de rendez-vous et celui de Mrs. Kynaston, pour les deux à trois semaines précédant la disparition de Kitty, s'il vous plaît, monsieur.

— L'emploi du temps de ma femme ne peut avoir eu un effet sur…

— Vous pensez que la mort de Miss Ryder a plus de rapport avec votre vie qu'avec celle de votre femme ? coupa Pitt, surpris, en haussant les sourcils.

— Je ne pense pas qu'elle ait de rapport avec quoi que ce soit dans cette maison ! aboya Kynaston. C'est vous qui le supposez.

— Non, monsieur. Ce que je suppose, c'est que la police et les journaux vont s'intéresser de très près à ces événements, et de la manière la plus tendancieuse qui soit. Par conséquent, nous devons être à même de répondre à chaque question, de préférence avec des preuves, avant que toutes sortes de rumeurs ne soient étalées dans la presse.

Kynaston rougit, attrapa un carnet relié en cuir sur le bureau et le lui tendit.

— Merci.

Pitt le prit et se leva.

— Je vous le rendrai avant de partir. Peut-être auriez-vous la bonté de me remettre l'agenda de Mrs. Kynaston également, de façon que je puisse le consulter en même temps ?

Les traits de son interlocuteur se crispèrent.

— Je ne vois pas en quoi cela pourrait vous être utile, mais j'imagine que vous savez ce que vous faites, répondit-il, d'un ton suggérant qu'il en doutait fort. Mes rendez-vous sont tout à fait publics.

Pitt se contenta de le remercier sans rien ajouter.

Norton le conduisit à une petite pièce qui, à en juger par l'ameublement, était un salon d'été, situé face au jardin et dépourvu de cheminée. Pitt feignit de ne pas avoir remarqué combien il y faisait froid.

Il parcourut les carnets, prenant des notes au fur et à mesure, cherchant d'éventuelles contradictions entre les deux. Il en trouva quelques-unes : un 5 pris pour un 8, une date ou une adresse erronée ici et là, mais elles s'expliquaient aisément par de l'inattention.

Les remarques de Rosalind le firent sourire : ses commentaires étaient plus libres, moins formels que ceux de son mari. Apparemment, elle savait que Kynaston évitait à dessein certaines invitations, trouvant des prétextes pour ne pas s'y rendre.

À la fin du carnet de ce dernier figuraient quelques listes d'achats et de cadeaux divers. Kynaston avait une prédilection pour le cognac et les cigares de qualité. Il était membre de clubs très exclusifs, achetait volontiers des places dans les meilleurs théâtres et à l'opéra les soirs de première, et s'habillait chez un très bon tailleur. Soucieux de son apparence, il n'hésitait pas à satisfaire ses goûts.

Pitt ne s'attarda pas sur les quelques erreurs ou omissions qu'il avait relevées. Elles semblaient naturelles. Trop d'exactitude aurait éveillé ses soupçons, au contraire.

Glacé à présent, mais résolu à n'en rien montrer, il rendit les documents à Norton et s'en alla.

Une fois dehors, il marcha d'un pas vif pour se réchauffer. Bien qu'irrité de n'avoir rien découvert d'important, il ne pouvait s'empêcher d'éprouver une certaine sympathie pour Dudley Kynaston. Quant à Rosalind, elle était plus intéressante que son apparence falote ne le suggérait.

5

Deux jours plus tard, Pitt était plongé dans la lecture de divers rapports quand on frappa à la porte de son bureau. Il eut à peine le temps de répondre que Stoker entra, la mine sombre, le visage rougi par la morsure du vent.

— Avez-vous vu les gros titres ce matin, monsieur ? demanda-t-il sans préambule.

Pitt sentit s'évanouir la chaleur de la pièce.

— Non, je suis venu en fiacre. Je voulais arriver de bonne heure pour m'occuper de cette histoire à Édimbourg. Pourquoi ? On n'a pas identifié le corps, si ?

— Non, monsieur.

Stoker n'était pas homme à exagérer son importance en le faisant languir, une qualité que Pitt appréciait.

— En revanche, un député a soulevé un certain nombre de questions concernant le cadavre, en demandant ce que nous faisions pour déterminer son identité.

— Un député ? répéta Pitt, incrédule. N'avait-il rien de mieux à faire ?

Une lueur traversa le visage de Stoker, trop vite disparue pour que Pitt puisse l'interpréter.

— Je cite : « Le Premier ministre peut-il nous assurer que tout a été mis en œuvre pour veiller non seulement à la sécurité, mais à la réputation de Mr. Dudley Kynaston, inventeur naval d'importance capitale pour la nation ? » Ou quelque chose comme ça.

Pitt lâcha un juron et écarta les papiers concernant Édimbourg.

— Tout à fait de votre avis, monsieur, commenta Stoker, pince-sans-rire.

— Qui a posé ces… questions ? demanda Pitt. Cet imbécile ne se rend-il pas compte qu'elles vont être rapportées dans la presse et qu'il va renforcer la vulnérabilité de Kynaston ? Parfois, je me demande qui diable élit ces gens ! Ne vérifient-ils pas à qui ils ont affaire ?

— Là est le problème, monsieur, observa Stoker d'un ton morose.

— Quoi ? Les élections ?

De nouveau, un sourire effleura les lèvres de Stoker puis s'évanouit.

— Non, monsieur, cela est un autre problème. Le député en question n'était autre que Somerset Carlisle, qui est quelqu'un de plutôt bien.

Pitt ouvrit la bouche pour répliquer, mais se contenta de pousser un soupir. Il n'aurait pas décrit Somerset Carlisle comme « plutôt bien ». Il était brillant, excentrique, d'une loyauté à toute épreuve, dût-elle s'appliquer à ses propres dépens. Il était aussi fantasque, imprévisible, déraisonnable et, pour autant que Pitt le sût, totalement incontrôlable. Lady Vespasia Cumming-Gould elle-même, dont il était l'ami depuis des années, ne semblait guère avoir d'influence sur lui.

Stoker attendait toujours, mais son visage reflétait ses pensées : il avait conscience de réveiller des fantômes. Pitt espérait avec ferveur que toute la question des supposés résurrectionnistes n'allait pas ressurgir – en fait qu'elle allait demeurer enterrée ! Ce lointain épisode de sa carrière impliquait Somerset Carlisle et des cadavres qui refusaient de rester enfouis[1]. Stoker n'était pas au courant de cette enquête ni du scandale qu'elle avait causé, et Pitt n'avait guère envie de la lui révéler. Mais si Carlisle était prêt à voir Pitt ou un autre s'y intéresser de nouveau, cette affaire devait être essentielle pour lui.

— Peut-être devrais-je aller voir Lady Vespasia.

Il se leva et se dirigea vers le portemanteau.

— Il est un peu tard pour prendre l'initiative, mais autant ne pas se laisser distancer.

— Êtes-vous sûr que vous voulez ne pas être au bureau quand on vous enverra chercher, monsieur ? demanda Stoker, impassible.

— Je suis fichtrement sûr que j'aimerais être à des lieues d'ici, répondit Pitt avec conviction. Mais je serai facile à joindre – à condition que Lady Vespasia soit chez elle. Si nécessaire, laissez-moi un message là-bas et j'irai directement à Whitehall.

Stoker parut sceptique.

— Je veux savoir de quoi il retourne ! lança Pitt en enfilant son manteau.

Vespasia était en train de prendre le petit déjeuner. Habituée aux visites inopinées de Pitt, elle se contenta de pincer les lèvres et pria la bonne de refaire du thé.

1. Voir *Resurrection Row*, 10/18, n° 2943. (*N.d.T.*)

Dans sa jeunesse, Vespasia Cumming-Gould avait été considérée comme la plus belle femme de sa génération. Aux yeux de Pitt, pour qui la beauté venait de l'esprit et du cœur autant que de la perfection physique, elle l'était toujours. Encadré d'une chevelure argentée, son visage reflétait des décennies de passion, de joies et de chagrins, et un courage qui lui avait permis de surmonter maintes pertes et de parvenir à bien des triomphes.

— Bonjour, Thomas. Vous paraissez fatigué et irrité, constata-t-elle, non sans surprise. Asseyez-vous, prenez du thé et dites-moi ce qui s'est passé. Voudriez-vous manger quelque chose ? Des toasts ? J'ai une excellente marmelade, acidulée à souhait.

— C'est exactement ce qu'il me faut.

Il tira une chaise et s'assit en face d'elle. Il avait toujours aimé cette petite salle à manger accueillante, peinte en jaune clair, où elle prenait souvent ses repas lorsqu'elle était seule, ou en compagnie d'un unique invité. On avait toujours l'impression que le soleil brillait là, quel que fût le temps au-dehors.

La bonne revint avec une tasse et une soucoupe, et Vespasia lui demanda de rapporter des toasts.

— Maintenant, dites-moi tout, pria-t-elle lorsqu'ils furent seuls.

Jamais il n'avait hésité à lui parler franchement, et jamais elle n'avait trahi sa confiance. Elle connaissait nombre de secrets et la discrétion dont elle avait toujours fait preuve ne faisait que confirmer la sûreté de son jugement. Brièvement, entre deux bouchées de toast tartiné d'une couche de marmelade aussi excellente qu'elle l'avait affirmé, il lui parla de la servante disparue et du corps découvert dans la carrière de Shooter's Hill.

— Je vois, dit-elle enfin. C'est un dilemme, mais je ne comprends pas pourquoi vous pensez que je peux vous aider. Vous êtes beaucoup mieux à même d'enquêter que je ne le suis.

— J'attends un coup de téléphone d'un moment à l'autre et je vous présente mes excuses pour avoir demandé qu'il me soit transmis ici sans votre permission préalable…

— Thomas ! Venez-en au fait avant que cela ne se produise, voulez-vous !

— Il émanera du cabinet du Premier ministre, et on me demandera ce que je sais et ce que je fais à ce sujet.

Les sourcils argentés de Vespasia se haussèrent d'un cran.

— Vous en avez parlé au Premier ministre ? Juste Ciel, Thomas !

Il enfourna sa dernière bouchée de toast.

— Non ! C'est précisément le problème. Il est au courant parce que des questions ont été posées à la Chambre hier soir.

— Doux Jésus !

Dans sa bouche, ces mots prenaient un caractère extraordinairement expressif, voire catastrophique.

— Par Somerset Carlisle, acheva-t-il.

— Doux Jésus ! répéta-t-elle, plus lentement cette fois. Je comprends pourquoi vous êtes venu me voir. Je crains de n'avoir aucune idée de la manière dont il a eu connaissance de cette affaire, ni de ses raisons pour la mentionner à la Chambre.

Elle parut inquiète.

— Et ce dossier vous concerne uniquement parce que le corps est peut-être celui de la malheureuse bonne de Dudley Kynaston ? Si tragique que soit sa disparition, elle ne serait pas du ressort de la Special Branch autrement, si ?

— Non. Et je continue à espérer qu'il ne s'agit pas de Kitty Ryder…

— Mais vous le redoutez ? coupa-t-elle. Et que sa mort ne soit liée aux Kynaston ou qu'on n'en donne à dessein l'impression ? Dans quel but ? Pour ruiner Kynaston ou pour mettre le gouvernement dans l'embarras ?

Elle souleva la théière en étain et le resservit.

— Je l'ignore, répondit-il. Je vois mal en quoi cela pourrait embarrasser le gouvernement. Si cette pauvre fille a été tuée à cause d'une liaison sentimentale, que ce soit avec un des domestiques ou avec Kynaston…

— N'y mettez pas tant de formes, Thomas, interrompit Vespasia d'un ton sec. S'il y a eu liaison, c'est avec Kynaston lui-même. Du moins, c'est ce qui sera suggéré. Franchement, cela me semble très peu probable et je ne crois pas Somerset Carlisle assez naïf pour se mêler d'un imbroglio de ce genre. Certainement pas dans l'intention de nuire au gouvernement.

— C'est aussi ce que j'en conclus.

Il but une gorgée de thé, brûlant et parfumé.

— Par conséquent, il s'agit d'autre chose, mais pourquoi ne s'est-il pas adressé directement à moi au lieu de poser des questions à la Chambre ? À supposer que cela le regarde !

— Je ne vois pas du tout, répondit-elle en lui tendant la corbeille de toasts. Cela dit, je ferai de mon mieux pour le découvrir.

— Merci.

Il s'apprêtait à mordre dans le toast quand on frappa à la porte. La bonne entra sans bruit.

— Excusez-moi, milady, mais on vient de laisser un message pour Mr. Pitt.

— Oui ?

La servante se tourna vers lui.

— On vous demande à Downing Street sur-le-champ, monsieur. Un représentant du gouvernement souhaite vous parler.

Vespasia soupira.

— Vous feriez mieux de prendre mon équipage, Thomas. Renvoyez-le-moi quand vous serez arrivé. Il n'y a pas d'endroit convenable où stationner et j'ai moi-même des visites à effectuer. Au revoir, mon cher, et bonne chance.

— Merci.

L'air morose, Pitt reposa sa tasse et se leva, terminant son toast dans le couloir.

Il ne patienta qu'un quart d'heure avant d'être introduit dans un bureau spacieux et agréablement chauffé, où l'attendait un des secrétaires du Premier ministre, un homme corpulent, à l'expression faussement engageante.

— Bonjour, Pitt. Je m'appelle Edom Talbot.

Son visage était quelconque, à l'exception de son regard pénétrant ; on n'aurait su dire si ses yeux étaient gris ou marron. Il aurait été tentant de le sous-estimer, et sans doute fort peu sage.

Deux confortables fauteuils en cuir étaient disposés devant la cheminée, mais Pitt ne fut pas invité à s'asseoir.

— Bonjour, Mr. Talbot, dit-il, s'efforçant de dissimuler sa lassitude.

L'homme ne perdit pas de temps en politesses.

— Certaines questions déplaisantes ont été posées, déclara-t-il en le toisant d'un air critique.

Je suppose qu'on pourrait dire qu'on nous a d'une certaine manière rendu service en portant l'affaire à notre attention. Dorénavant, nous ne serons pas pris au dépourvu.

Il fixa Pitt.

— J'attends des réponses de votre part, monsieur. Ou au moins une sacrément bonne explication !

Pitt soutint son regard sans faiblir.

— Oui, monsieur. À quelles questions ?

Talbot demeura impassible.

— Bien, dit-il d'un ton neutre. Affrontez les journalistes avec la même expression. Comme si vous ne saviez rien.

Soudain les muscles de son cou et de ses épaules se crispèrent et sa bouche forma un trait mince.

— Mais n'ayez pas l'audace de faire le malin avec moi, monsieur !

Une bouffée de colère monta en Pitt. Malgré tout, il se contrôla et garda le silence, attendant que Talbot continue.

— Vous avez un certain cran, je vous l'accorde, observa celui-ci. Ou alors, vous êtes trop stupide pour saisir ce qui est en jeu. Je suppose que je ne vais pas tarder à le découvrir. Qui est la femme retrouvée dans la carrière ? Que lui est-il arrivé et quel rapport a-t-elle avec Dudley Kynaston ? Ou quiconque chez lui ? Quand allez-vous élucider ce fichu gâchis ? Et surtout, comment comptez-vous étouffer la rumeur dans l'intervalle ? Si vous êtes incapable de faire votre travail, dites-le tout de suite et nous ferons revenir Narraway, maudit soit-il !

Sachant qu'il devait se montrer prudent, Pitt se fit violence pour se dominer et commença par le commencement.

— Nous ne savons pas qui elle est, répondit-il d'une voix extraordinairement calme. Le corps est trop décomposé pour être aisément identifiable. Tout ce qu'on peut dire, c'est qu'elle devait travailler comme lingère ou comme femme de chambre.

— Comment le savez-vous ? coupa Talbot, les sourcils froncés.

— Ses mains portent des traces de brûlures correspondant à celles d'un fer à repasser.

— Je vois. Poursuivez ! Comment vous proposez-vous de l'identifier, dans ce cas ?

— En éliminant la possibilité qu'il s'agisse de Kitty Ryder, la femme de chambre de Mrs. Kynaston. Je présume que c'est ce que vous voulez ?

Talbot répondit par un grognement qui semblait vaguement approbateur.

— Il est plus difficile de déterminer ce qu'il lui est arrivé, reprit Pitt. Nous ne le saurons peut-être jamais. Ce qui est sûr, c'est qu'elle n'est pas venue à la carrière à pied. Elle était morte depuis un certain temps quand on l'y a déposée. Sans doute a-t-elle été gardée dans un endroit extrêmement froid. Peut-être le moment est-il venu d'inspecter la glacière de Mr. Kynaston avec plus d'attention.

Un dégoût manifeste se lut sur le visage de Talbot.

— J'espère que nous pourrons prouver que ce crime n'a aucun lien avec lui. Si le corps n'est pas celui de Kitty Ryder, rien ne l'incrimine.

— S'il est aussi décomposé que vous le dites, comment diable comptez-vous prouver que ce n'est pas elle ? demanda Talbot, le front barré d'un pli.

— En la retrouvant, vivante et en bonne santé.

Talbot réfléchit longuement.

— Ce serait la meilleure solution, dit-il enfin. Et le plus tôt serait le mieux. Est-il probable que vous y parveniez ?

Pitt n'eut pas à réfléchir.

— Non, avoua-t-il d'un ton sombre. Il nous faudra peut-être nous contenter d'identifier le corps comme étant celui de quelqu'un d'autre.

Talbot acquiesça. Il s'en doutait.

— Si Kynaston est impliqué, prouvez-le mais n'allez pas plus loin. Faites-moi un rapport avant d'agir. C'est clair ?

— Je ne peux pas donner d'ordres à la police…, commença Pitt.

— C'est précisément pour cette raison que la Special Branch va s'occuper de cette affaire, rétorqua Talbot froidement. Dites ce que vous voulez à la police. Parlez d'espions, de documents secrets, n'importe quoi, mais laissez-la en dehors du dossier.

— Sans l'aide de la police, il nous sera beaucoup plus difficile de retrouver Kitty Ryder, observa Pitt, une pointe de sécheresse dans la voix.

Talbot le toisa froidement.

— Soyez réaliste, mon brave ! Cette femme est morte. Identifiez-la. Et prouvez, soit que Kynaston est coupable, soit qu'il n'a rien à voir avec cette affaire. C'est à moi que vous rendrez des comptes. Si la victime n'est pas son employée, montrez que son lien apparent avec elle relève de la malchance ou que quelqu'un a cherché à tirer parti d'une triste coïncidence. Ou, pire, qu'il s'agit d'une manœuvre délibérée pour le compromettre. Et si tel est le cas, nous devons en connaître l'auteur.

— Et ses raisons ? ajouta Pitt avec un soupçon de sarcasme.

— Je peux tirer mes propres conclusions, riposta Talbot. Faites-moi part de vos progrès, et discrètement. J'ai besoin de tous les détails. Poursuivez jusqu'à ce que vous les ayez obtenus.

— Que fait Kynaston de si important ?

— Cela ne vous regarde pas, rétorqua aussitôt Talbot, les traits durcis.

— Je dirige la Special Branch, protesta Pitt, gagné par la colère.

Comment pouvait-on lui ordonner d'enquêter tout en le maintenant dans l'ignorance ?

— Vous avez reçu des instructions. Si cette affaire n'est qu'une stupide mise en scène, nous la traiterons comme il se doit. Merci d'être venu aussi vite. Je vous souhaite une bonne journée.

Pitt ne bougea pas. Il écarquilla les yeux.

— Stupide ? répéta-t-il, comme si le mot n'avait aucun sens. Quelqu'un a battu une jeune femme à mort, dissimulé son corps pendant trois semaines, mutilé son visage jusqu'à la rendre méconnaissable et l'a jetée dans une carrière. Si le gouvernement de Sa Majesté qualifie cela de stupide, que faut-il faire pour être considéré comme criminel ?

Talbot pâlit, mais soutint son regard.

— Vous avez reçu des ordres, Pitt. Découvrez la vérité, le plus tôt possible, et faites-moi un rapport. Ce n'est pas à vous de rendre la justice.

— J'aimerais que ce soit vrai, répondit Pitt d'un ton amer. C'est trop souvent à moi, au contraire. Parce que le temps manque et que c'est la seule manière dont je puisse garder la conscience tranquille. Peut-être l'ignoriez-vous ?

Le visage de Talbot était livide, ses lèvres pincées.

— Kynaston représente un atout capital pour le gouvernement et son travail est à la fois secret et sensible. Peut-être même détient-il la clé de notre survie dans un futur conflit. C'est la seule information dont vous ayez besoin. Elle est aussi confidentielle. Si votre personnel ne vous obéit pas sans poser de questions, vous n'exercez pas sur lui l'autorité que vous devriez avoir. Maintenant, cessez de discuter. Faites votre devoir. Une fois de plus, Pitt, je vous souhaite une bonne journée.

— Bonne journée, Mr. Talbot ! lança Pitt avec une certaine satisfaction, qui fut cependant de courte durée.

En dépit des ordres de Talbot, il se promit d'obtenir toutes les informations disponibles sur le poste occupé par Dudley Kynaston. C'était essentiel pour découvrir non seulement ce qu'avait pu apprendre Kitty Ryder de si dangereux, mais à qui pourrait profiter la chute de ce dernier. S'il était innocent, qui s'était employé à le faire paraître coupable ? Un seul homme connaissait peut-être la réponse à cette question : Victor Narraway. Et Pitt préférait le consulter sans que d'autres, surtout Talbot, l'apprennent.

Narraway, tout comme lui, était une des rares personnes à posséder son propre téléphone. Après sa retraite forcée de la Special Branch, on lui avait offert un siège à la Chambre des lords, une sorte de lot de consolation plutôt qu'une occasion de se rendre réellement utile. Par le passé, on ne l'aurait pas trouvé chez lui à cette heure-ci, car il serait allé à la Chambre ou à un de ses clubs. Désormais, il s'y rendait moins souvent : de telles activités lassaient rapidement un homme de son intelligence. Et puisqu'il ne jouait aucun rôle politique, il se sentait mis à l'écart, ignoré par ceux qui, naguère, le craignaient et le respectaient. Il ne l'avait jamais dit, mais Pitt l'avait perçu dans ses silences.

Pitt dut patienter près d'une demi-heure car Narraway était parti faire une brève promenade. Compte tenu du temps qu'il faisait, Pitt conclut qu'il devait s'astreindre à cette discipline. Narraway avait commencé sa carrière en Inde, dans l'armée, et les vertus d'abstinence et de stricte maîtrise de soi ne l'avaient jamais vraiment quitté.

Le valet proposa à Pitt un déjeuner tardif, que celui-ci, se rendant compte qu'il mourait de faim, accepta avec reconnaissance. Il terminait une délicieuse part de tarte aux pommes accompagnée de crème quand il entendit la porte d'entrée se refermer et la voix de Narraway dans le vestibule.

Ce dernier entra dans le salon. Il avait retiré son manteau et son chapeau, et ses épais cheveux étaient encore un peu aplatis. Son visage maigre et sévère était rougi par le froid.

Il jeta un coup d'œil à l'assiette vide de Pitt.

— Vous n'êtes pas venu que pour déjeuner, j'imagine ? demanda-t-il avec une pointe de curiosité.

Il s'approcha de l'âtre, où le valet venait d'ajouter du charbon, pour se réchauffer les mains.

— Le déjeuner m'a semblé une bonne idée, répondit Pitt avec un sourire tendu. J'ai passé un mauvais moment à Downing Street, où je me suis fait taper sur les doigts par un individu assez pompeux nommé Talbot.

Narraway se redressa, oubliant le feu. Il regarda Pitt avec intérêt.

— J'imagine que vous êtes libre de m'en parler, sans quoi vous ne seriez pas venu… Et que c'est à la fois urgent et discret, sinon vous auriez suggéré un déjeuner au restaurant. Ne me décevez pas, je vous en prie…

Il avait ajouté ces mots d'un ton léger, mais Pitt saisit dans sa voix une émotion, une sincérité, aussitôt dissimulées.

— Il me semblerait dommage de ne pas vous laisser deviner de quoi il s'agit, commenta Pitt d'un ton ironique, en partie pour cacher le fait qu'il avait saisi cet instant de vulnérabilité.

Narraway s'assit en face de lui et croisa élégamment les jambes.

— Avez-vous tout votre temps ? interrogea-t-il, une lueur amusée dans les yeux.

Pitt lui rendit son sourire.

— Non. Avez-vous entendu parler de la jeune femme qu'on a retrouvée morte dans une carrière de Shooter's Hill ?

— Bien sûr. Pourquoi ? Ah ! Je vois, dit-il en se redressant. Est-ce à cela que Somerset Carlisle faisait allusion dans ses questions hier ? J'ai vu les gros titres dans la rue. J'avoue que je n'avais pas fait le lien. Pourquoi diable Carlisle pense-t-il que cette affaire pourrait menacer Kynaston ou sa famille ? Qui était cette femme ? Quel rapport a-t-elle avec lui ?

— Sans doute aucun. Mais la femme de chambre de son épouse a disparu et la morte répond à sa description.

— C'est un peu mince, non ? La moitié des jeunes femmes de Greenwich et de Blackheath n'y répondraient-elles pas aussi ?

Son ancien supérieur le dévisageait, attendant les faits manquants qui éclairciraient la situation.

— Plus grande que la moyenne, bien charpentée, de beaux cheveux auburn ? Disparue depuis trois semaines ? Non. Et la carrière est à deux pas du domicile de Kynaston.

Narraway acquiesça presque imperceptiblement.

— Je vois. Faut-il supposer que Kynaston avait une liaison avec elle ? Ou qu'elle a découvert sur lui ou son épouse des faits potentiellement si compromettants qu'il l'a tuée ? Cela semble un peu extrême, et, à vrai dire, assez peu probable. Mais j'imagine que ce sont ces crimes-là qui nous prennent par surprise.

— Pourquoi Carlisle s'y intéresse-t-il ? A-t-il changé au point de salir la réputation d'un homme dans le seul but de se faire entendre ? Qu'est-ce qui pourrait être si important à ses yeux ? Et pourquoi Kynaston ? Nous avons des membres du gouvernement beaucoup plus vulnérables que lui ! Je pourrais en citer une demi-douzaine dont la vie privée pourrait être mise en cause – si tel était son objectif.

Narraway esquissa un sourire moqueur.

— Seulement une demi-douzaine, commenta-t-il, le regard pétillant d'humour. Enfin, Pitt, ouvrez les yeux !

— D'accord, deux douzaines, admit ce dernier. Pourquoi Kynaston ?

— Parce que l'occasion s'est présentée, répondit Narraway. C'est lui qui habite à côté de la carrière.

Il pinça les lèvres.

— Je perds la main. Ce n'est pas une raison de mentionner l'affaire en public. La vraie question, c'est de savoir dans quel but il a agi. Que veut-il ?

Il réfléchit quelques instants avant de regarder Pitt de nouveau.

— Kynaston travaille pour le ministère de la Guerre. C'est on ne peut plus vague. S'il est exposé au chantage à cause d'une liaison idiote qui aurait mal tourné, il faut que nous en sachions davantage. Tout au moins, vous, rectifia-t-il. Vous devez en découvrir beaucoup plus long sur ses activités professionnelles.

— Ne savez-vous pas ce qu'il fait ? J'ai posé la question à Talbot et il m'a rétorqué que cela ne me regardait pas.

— Bien. Cela signifie qu'il y a quelque chose d'intéressant là-dedans. On va vous claquer la porte au nez. Laissez-moi solliciter quelques faveurs…

— Ou brandir quelques menaces, observa Pitt d'un ton empreint d'amertume. Je commence à saisir quel pouvoir confère ce poste.

— Le pouvoir repose sur les faveurs. Les menaces sont un pis-aller. Retenez cette leçon, Pitt – ne mettez jamais une menace à exécution à moins d'y être absolument contraint. Une fois que c'est chose faite, vous n'avez plus de moyen de pression.

— Si je ne le fais jamais, pourquoi quiconque croirait-il que je suis prêt à le faire ?

— Oh ! Vous y serez obligé, une fois ou deux, assura Narraway, tandis qu'une ombre traversait son regard. Seulement, retardez l'échéance autant que vous le pourrez. Il m'a déplu d'en arriver là – vous en souffrirez encore davantage.

Pitt se remémora une grande réception, une maison où résonnaient les rires et la musique, et le spectacle d'un homme gisant sur le carrelage, baignant dans son sang après que Pitt eut tiré sur lui[1].

— Je sais, souffla-t-il.

1. Voir *Dorchester Terrace*, 10/18, n° 4509.

Narraway le considéra avec une immense compassion.

— Je vais creuser du côté de Dudley Kynaston, promit-il. Il va peut-être me falloir deux ou trois jours. Continuez à essayer d'identifier le corps. Peut-être ne s'agit-il pas de la bonne, mais n'y comptez pas trop.

Pitt se leva.

— Je n'y compte pas, murmura-t-il. Je me prépare à l'étape suivante.

Tout se déroula exactement comme Pitt le redoutait. Rien de nouveau ne fut découvert sur la morte, et Stoker n'eut pas davantage de succès dans ses recherches. Deux jours plus tard, Pitt était de retour chez Narraway, qui l'avait invité à venir dans la soirée, après la tombée de la nuit. Il ne l'avait pas convié à dîner, devinant très justement que Pitt préférait être chez lui avec sa famille. S'il l'enviait, il le dissimulait si bien que Pitt n'en avait entrevu que de minuscules indices.

Narraway lui offrit un cognac. Exceptionnellement, Pitt accepta. Il avait froid et se sentait fatigué, et avait besoin de se réchauffer.

Son hôte alla droit au but.

— Kynaston est plus intelligent qu'il n'y paraît et – sur le plan professionnel au moins – beaucoup plus imaginatif qu'on ne pourrait le croire. Il travaille sur la conception d'engins sous-marins et, plus particulièrement, d'armes sous-marines, un domaine à part, très différent des armes utilisées à terre.

— Des engins sous-marins ? répéta Pitt, interloqué, brusquement conscient d'une lacune dans ses connaissances.

Il fronça les sourcils.

— Vous voulez dire comme dans *Vingt Mille Lieues sous les mers*, de Jules Verne ?

Narraway haussa les épaules.

— Peut-être pas des machines aussi sophistiquées, mais indéniablement les armes navales de l'avenir, voire de l'avenir proche. Les Français ont été les premiers à lancer un sous-marin à propulsion mécanique, baptisé *Plongeur* en 1863. Ils ont produit une version améliorée en 1867. Un certain Narcís Monturiol a construit un bateau de quarante-six pieds qui pouvait plonger à près de trente mètres et rester immergé deux heures durant.

Pitt écoutait, fasciné.

— Ensuite, les Péruviens ont construit un très bon sous-marin durant leur guerre contre le Chili en 1879. Et les Polonais en ont fabriqué un à peu près à la même époque.

— Et nous n'avons rien fait ? demanda Pitt, chagriné.

— J'y viens. George Garrett, le révérend inventeur, s'est associé à un industriel suédois, Thorsten Nordenfelt, et en a produit un qui a été vendu à la Grèce. En 1887, le modèle a été perfectionné et on y a ajouté des tubes à torpilles pour lancer des missiles explosifs sous l'eau. Celui-là a été vendu à la flotte ottomane et a été le premier à larguer une torpille alors qu'il était immergé.

Il ferma les yeux et sa mâchoire se crispa.

— On ne peut qu'imaginer les possibilités d'une telle arme pour une île comme la nôtre, qui dépend de sa flotte pour protéger non seulement ses voies commerciales mais ses côtes elles-mêmes.

Déjà, l'imagination de Pitt s'emballait, l'emplissant d'angoisse.

— Les Espagnols travaillent sur ce projet aussi. Et les Français en ont conçu un tout électrique. D'ici deux à trois ans à peine, ces engins seront monnaie courante.

— Je vois, murmura Pitt.

Il ne voyait que trop clairement, en effet. Privée de ses routes maritimes, la Grande-Bretagne pouvait être affamée en quelques semaines. L'importance des armes sous-marines ne devait pas être sous-estimée – et c'était pourquoi il fallait être reconnaissant aux Dudley Kynaston de ce monde et être prêt à aller très loin pour les protéger.

— Pourquoi Talbot a-t-il refusé de me le dire ? reprit-il, à la fois furieux et perplexe.

— Je l'ignore. Je suppose qu'il pensait que vous aviez déjà été informé.

Il hésita.

— Sauf que j'imagine que si vous l'aviez été, vous auriez posé beaucoup d'autres questions, et les réponses à celles-ci auraient été… plus délicates.

Narraway était inquiet. Il semblait être assis normalement, pourtant Pitt voyait le tissu de sa veste se tendre à hauteur des épaules, comme s'il était légèrement tassé sur lui-même.

— Délicates sur le plan technique, ou personnel ? insista-t-il.

— Personnel, bien entendu, répondit Narraway avec une petite moue. Comprendre la technique n'est pas de votre ressort et exigerait des études plus poussées que vous n'auriez le temps d'en faire. Savez-vous que Dudley avait un frère, Bennett, qui avait environ deux ans de moins que lui ?

— Oui. Son portrait est accroché dans le cabinet de travail de Kynaston. Derrière son bureau.

Pitt s'en souvenait très bien, revoyant les yeux de l'homme, les contours de son visage, aussi nettement que s'il était encore face à lui.

— Un curieux endroit, d'ailleurs, sauf qu'il bénéficie du meilleur espace et de la meilleure lumière, ajouta-t-il. Et que Kynaston le voit chaque fois qu'il entre dans la pièce. Il lui ressemblait, mais il était plus bel homme. Il est décédé depuis plusieurs années. Quel rapport pourrait-il avoir avec Kitty Ryder ou cette femme, qui qu'elle soit ?

— Probablement aucun, admit Narraway. Cependant, il y a eu un scandale le concernant voilà quelques années. Je n'ai pas réussi à découvrir de quoi il s'agissait, ce qui veut dire qu'on a pris grand soin de tout étouffer. Je ne sais même pas si Dudley est au courant. Apparemment, certains faits se seraient déroulés à l'étranger. Là encore, j'ignore où. La seule chose que j'ai pu obtenir des deux sources que j'ai essayées, c'est que Bennett n'était pas à blâmer. Bien sûr, cela pourrait ne pas être vrai.

— Cela s'est passé peu avant sa mort ?

— Non, quelques années plus tôt.

— Ce qui signifie que cette affaire remonte à une dizaine d'années au moins. Kitty Ryder n'était qu'une enfant.

— Mais cela pourrait expliquer la conduite de Dudley Kynaston, lui fit remarquer Narraway. Sa tendance instinctive à vouloir cacher des choses que d'autres ne dissimuleraient peut-être pas, même s'il est parfaitement innocent. Bennett et lui étaient très proches, comme vous l'avez déduit à partir de ce portrait.

Pitt réfléchit quelques instants, se remémorant le comportement de Dudley Kynaston, le malaise qu'il avait perçu, les minuscules erreurs et omissions dans son agenda.

— Oui, reconnut-il, soulagé.

Peut-être Kitty Ryder s'était-elle enfuie avec le jeune homme que le personnel de la maison n'appréciait pas. Et peut-être allait-il découvrir que la femme de la carrière n'avait aucun lien avec les Kynaston.

— Protégez-le tant que vous le pourrez, conseilla Narraway, lisant dans ses pensées. Nous traversons une époque troublée. L'Afrique s'agite, surtout dans le Sud. L'ordre ancien est en train de vaciller. Le siècle tire à sa fin, et la reine vieillit. Elle est seule, fatiguée et de plus en plus faible. En Europe, les peuples exigent des changements, des réformes. Nous nous croyons peut-être isolés, mais nous ne devons pas nous bercer d'illusions. La Manche n'est pas si large. Un nageur accompli peut la traverser, sans parler d'une flotte. Nous devons avoir la meilleure marine du monde.

Pitt le dévisagea. Narraway ne lui apprenait rien de nouveau, mais, résumé de la sorte, le tableau paraissait plus sombre qu'il ne s'était autorisé à le penser.

Il ne répondit pas. Narraway savait qu'il comprenait.

6

Plusieurs semaines s'étaient écoulées depuis la dernière fois que Charlotte avait vu Emily, et ce jour-là, elles n'avaient pas eu la possibilité d'échanger plus que des banalités. Elle décida donc d'écrire à sa sœur pour lui suggérer de déjeuner avec elle et, si le temps s'y prêtait, de faire ensemble une promenade à Kew Gardens. Même s'il faisait froid, les vastes serres remplies de plantes tropicales seraient chauffées et cela les changerait agréablement de ne pas être assises à l'intérieur.

Emily répondit aussitôt en déclarant que c'était une excellente idée. Elle avait fait un mariage prestigieux, qui toutefois ne lui avait pas apporté le bonheur escompté – peu de temps avant que Charlotte épouse Pitt. Son mari, George, était mort tragiquement, dans des circonstances auxquelles ni l'une ni l'autre ne faisaient jamais allusion. Emily s'était retrouvée veuve, mère d'un enfant qui devait un jour hériter du titre et de la fortune paternels.

Par la suite, elle était tombée amoureuse, follement et de manière tout à fait irréfléchie (se disait-elle), du séduisant Jack Radley, gentleman oisif et désargenté. Chacun s'était accordé à dire que cette relation serait un désastre et, les premières années de leur mariage, Jack s'était en effet contenté de prendre du bon temps et d'être d'excellente compagnie. Puis il avait été saisi par l'ambition d'accomplir quelque chose de valeur et s'était donné beaucoup de mal pour obtenir un siège de député au Parlement. Emily avait été extrêmement fière de lui, ainsi que Charlotte. Il avait plus que justifié leur foi en lui.

Emily, qui entretenait un équipage pour son usage personnel, vint chercher Charlotte à Keppel Street.

Celle-ci était encore dans la cuisine, occupée à donner des consignes à Minnie Maude. Elle lui demanda de surveiller Uffie, qui lorgnait discrètement les saucisses, en s'imaginant sans doute que personne n'allait le remarquer.

— Daniel et Jemima peuvent manger une bonne soupe en rentrant de l'école, mais pas de sucreries, ajouta-t-elle en remettant le petit chien dans son panier. Et ensuite, ils doivent monter dans leur chambre faire leurs devoirs.

— Bien, madame, acquiesça Minnie Maude en adressant à Uffie un regard sévère.

L'animal battit la queue gaiement en guise de réponse.

Emily était ravissante, vêtue d'une cape à la dernière mode, à revers croisés, dotée de deux rangées de gros boutons fantaisie. Le vêtement était très seyant et, à en juger par la manière dont elle marchait, Emily en avait conscience. Sa tenue combinait des tons de bleu et de vert, une association audacieuse, qui aurait fait froncer des sourcils un an plus tôt et qui était du tout dernier cri à présent. Quant à son chapeau, il était positivement osé. Plus jeune que Charlotte, elle approchait tout juste de la quarantaine et avait toujours été svelte. Ses cheveux blonds ondulaient naturellement, les mèches les plus fines esquissaient des boucles délicates. Avec son teint de porcelaine et ses grands yeux bleus, elle possédait un raffinement voisin de la beauté et ne manquait jamais d'en tirer le meilleur parti.

Charlotte se sentit un peu quelconque en comparaison, bien que sa jupe fût elle aussi coupée à la mode en vogue, avec un tombé des plus gracieux à l'arrière. En revanche, la couleur était un rouille ordinaire. Elle aurait aimé y ajouter une cape, mais n'avait guère les moyens de s'offrir des tenues dont on se souviendrait et qu'elle ne pourrait se permettre de porter de nouveau l'année suivante et celle d'après, et sans doute celle d'après non plus.

Elle embrassa Emily et recula pour l'admirer.

— Tu es superbe, dit-elle, sincère. Tu réussis à donner l'impression que l'hiver est plaisant.

Emily sourit. Son visage s'éclaira et seulement alors Charlotte se rendit compte que, l'instant d'avant, sa sœur avait paru fatiguée. Elle s'abstint de tout commentaire. La dernière chose au monde qu'une femme a envie d'entendre, c'est qu'elle n'a pas bonne mine. C'est presque aussi affreux que d'avoir l'air malade, et se rapproche du pire de tout – avoir l'air vieillie.

Charlotte attrapa son chapeau, un feutre ordinaire d'un brun chaud. Loin d'être aussi élégant que celui d'Emily, il convenait néanmoins à merveille à son teint plus foncé, et elle le savait.

Le déjeuner fut excellent. Comme toujours, ce fut un cadeau d'Emily. C'était devenu une habitude au fil des années et elles avaient cessé de se quereller à ce sujet. Certes, depuis la promotion de Pitt, Charlotte disposait de revenus beaucoup plus importants, mais ils n'évoluaient pas dans la même sphère qu'Emily.

Elles parlèrent de leur famille et de leurs enfants. Outre Edward, Emily avait une petite fille, Evangeline. Et les enfants changeaient si vite qu'il y avait toujours quelque chose de nouveau à raconter.

Elles évoquèrent aussi leur mère, Caroline Fielding, qui avait scandalisé tout le monde en se remariant après la mort de leur père – et à un acteur, encore ! Et nettement plus jeune qu'elle, qui plus est. Sa vie avait changé du tout au tout. Elle se consacrait à toute une série de nouvelles occupations dignes de son intelligence et de ses qualités humaines. Elle était plus heureuse qu'elle ne l'aurait cru possible.

— Et grand-maman ? demanda enfin Charlotte, alors qu'elles dégustaient le dessert.

C'était là un sujet qu'elle aurait préféré éviter, mais il restait comme un non-dit suspendu entre elles, si lourd qu'elle finissait par se résigner à l'aborder.

Emily sourit malgré elle.

— Fidèle à elle-même, dit-elle gaiement. Elle se plaint de tout, par habitude, je crois, plutôt que par conviction. D'ailleurs, la semaine dernière, je l'ai surprise à parler gentiment à la fille de cuisine. Je parie qu'elle va être centenaire.

— Elle ne l'est pas déjà ? demanda Charlotte, mesquine.

— Crois-tu que je lui aie posé la question ? Si tu l'as fait, je t'en prie, dis-moi la réponse. Il faut que je puisse m'accrocher à un espoir, si faible soit-il !

— Et si elle n'a que quatre-vingt-dix ans ?

— Alors, ne dis rien ! répliqua Emily aussitôt. Je ne pourrais pas le supporter – pas dix ans de plus !

Charlotte baissa les yeux sur sa serviette et son assiette vide.

— Peut-être vingt…

Emily lâcha un mot qu'elle nierait avoir prononcé par la suite, et toutes deux éclatèrent de rire.

Elles se levèrent, demandèrent leur équipage et convinrent d'un commun accord que rien ne leur ferait plus plaisir qu'une promenade à Kew Gardens.

L'air était froid et vif, mais il n'y avait pas de vent, aussi la journée était-elle plaisante. Une foule de gens semblaient avoir eu la même idée qu'elles.

— Je suppose que tu n'as plus l'occasion d'aider Thomas dans ses enquêtes, observa Emily alors qu'elles dépassaient un superbe bouquet d'arbres.

Ni l'une ni l'autre ne prit la peine d'aller lire les plaques indiquant leur nom et leur pays d'origine.

— C'est trop secret, j'imagine, ajouta-t-elle.

— En effet.

Une pointe de nostalgie perçait dans la voix d'Emily, et Charlotte la partageait en partie. Certaines de leurs aventures, qui avaient été dangereuses, parfois tragiques, étaient embellies par le passage du temps. Elles ne se souvenaient plus que des meilleurs moments.

— Mais tu sais tout de même certaines choses, n'est-ce pas ? insista Emily.

Charlotte jeta un coup d'œil furtif à sa sœur, et lut sur ses traits une sorte de désir, de besoin, qui disparut presque aussitôt. Elles croisèrent deux femmes élégantes à qui Emily adressa un sourire charmant, plein d'assurance. La vieille Emily était de retour, belle, drôle, intensément vivante, débordante de courage.

— Tout est… très vague, répondit-elle. Récemment, Thomas a été appelé parce qu'on a trouvé le corps d'une femme dans une carrière sur Shooter's Hill. Pendant un temps, ils ont craint qu'il ne s'agisse de la femme de chambre disparue de Dudley Kynaston…

Emily s'arrêta net.

— Dudley Kynaston ? Vraiment ?

Charlotte fut soudain assaillie par le doute. N'en avait-elle pas trop dit ?

— C'est un secret ! s'écria-t-elle d'un ton pressant. Si les gens commençaient à échafauder toutes sortes d'hypothèses, cela pourrait causer un affreux scandale et à juste titre. Tu ne dois pas le répéter ! Emily… je suis sérieuse…

— Bien sûr que non ! convint sa sœur tranquillement tout en se remettant à marcher. D'ailleurs, je sais quelque chose, moi aussi. D'après Jack, Somerset Carlisle a soulevé la question de la sécurité de Kynaston au Parlement.

— Somerset Carlisle ?

Ce fut au tour de Charlotte d'être intriguée. Le doigt glacé de la peur l'effleura. Elle non plus n'avait pas oublié Carlisle ni les résurrectionnistes.

— Qu'a-t-il dit de plus ? demanda-t-elle, s'efforçant d'adopter un ton neutre.

Emily pinça les lèvres et haussa élégamment les épaules, mais son geste était empreint d'une certaine raideur.

— Pas grand-chose. Je l'ai interrogé parce que je connais un peu Rosalind Kynaston. Mais Jack ne m'a pas répondu.

— Oh !

Interdite, Charlotte se demanda si elle avait bien compris. Jack avait-il ignoré la question parce qu'il ne savait rien de plus ou parce que ces informations étaient confidentielles ? Ou n'avait-il pas écouté Emily avec assez d'attention pour se rendre compte qu'elle désirait une réponse ?

Elles cheminèrent en silence quelques instants. Elles passèrent devant des arbres exotiques, des palmiers, totalement différents des chênes, des ormes et des bouleaux élancés, aux branches lisses, auxquels elles étaient habituées. Des fougères poussaient à leur pied, presque semblables aux plumes vertes qu'un cavalier[1] de la guerre civile aurait porté à son chapeau, mais beaucoup plus grandes. Emily enfouit les mains dans son manchon, et Charlotte regretta de ne pas en posséder un.

— Comment est Rosalind Kynaston ? demanda-t-elle, rompant le silence avant qu'il ne devienne trop pesant.

Emily esquissa un mince sourire.

— Assez quelconque, je suppose. Nous n'avons pas parlé de grand-chose. Elle est plus âgée que moi, et ses enfants sont mariés. Elle ne les voit pas très souvent. Ils sont dans l'armée, ou quelque chose comme ça, je crois.

— Mais il y a une foule de choses dont on peut parler ! protesta Charlotte.

— Des ragots ! rétorqua Emily d'un ton sec. Tu sais à quel point c'est ennuyeux ? Les gens inventent des sottises pour avoir quelque chose à dire. Et personne ne s'en soucie.

C'était le milieu de l'après-midi. Dans le ciel dégagé, le soleil déclinant brillait d'un éclat vif, un peu dur, sur leurs visages. Pour la première fois, Charlotte remarqua de fines rides sur celui naguère lisse d'Emily. C'étaient les marques du rire, de l'émotion, de la réflexion. Loin d'être cruelles, elles lui conféraient plus de caractère, mais c'étaient des

1. Royaliste, opposé aux partisans de Cromwell, les têtes-rondes. (*N.d.T.*)

rides néanmoins. Elle ne doutait pas une seconde qu'Emily les eût remarquées. Bien sûr, Charlotte en avait aussi – davantage, et légèrement plus prononcées –, peu lui importait. N'est-ce pas ?

Pitt, qui avait quelques années de plus qu'elle, avait désormais les tempes grisonnantes. Cela plaisait à Charlotte, qui commençait à trouver la jeunesse moins intéressante. L'expérience, en apportant profondeur et compassion, permet d'apprécier les bonnes choses à leur juste valeur. Le temps met le courage à l'épreuve et adoucit le cœur.

Emily partageait-elle ce point de vue ? Jack Radley était remarquablement séduisant, et il avait le même âge qu'elle. Pour certaines personnes, si les hommes entraient dans la maturité, les femmes, pour leur part, sombraient dans la vieillesse.

Comme si elle lisait dans ses pensées et les poussait plus avant, Emily reprit la parole.

— Crois-tu que Kynaston avait une liaison avec la femme de chambre et qu'il l'a mise enceinte, ou quelque chose de ce genre ? Et puis qu'il a dû se débarrasser d'elle ?

— C'est un peu excessif, non ? s'écria Charlotte, surprise. Il est beaucoup plus probable qu'elle se soit enfuie avec son soupirant.

— Dans une carrière, en plein hiver ? répliqua Emily, sarcastique. As-tu perdu ton imagination ? Ou est-ce une manière de me dire que tu ne peux pas en parler avec moi ?

Charlotte décela la blessure qui perçait sous l'apparente irritation. Elle réprima l'envie de se tourner et de dévisager Emily avec plus d'attention : un tel geste risquait de rendre la situation plus délicate encore.

— On ignore si c'est son cadavre qui a été retrouvé dans la carrière, se contenta-t-elle de répondre. Si ce n'est pas elle et qu'on accuse de meurtre un scientifique qui travaille pour le gouvernement, on ne sert guère l'intérêt de l'État. De fait, on ferait le travail de l'ennemi à sa place.

Emily s'arrêta, les yeux écarquillés.

— Voilà une réflexion très intéressante.

Le cœur manqua à Charlotte. Sans l'ombre d'un doute, elle en avait dit trop long. Comment se tirer de ce mauvais pas ? Jamais elle n'avait pu tromper Emily ; elles se connaissaient par cœur. La benjamine et la plus jolie des trois sœurs, Emily avait peut-être été gâtée à l'excès, et avait toujours cherché à rattraper les autres. Sur le plan social et financier, elle avait dépassé Charlotte depuis des années. Quant à leur aînée, Sarah, elle avait été assassinée lors de la terrible affaire de l'Étrangleur de Cater Street. Charlotte s'efforçait de ne jamais y penser. Subsistaient le chagrin, les regrets associés à des querelles idiotes, et un indéfinissable sentiment de culpabilité : elle était morte alors qu'Emily et Charlotte étaient vivantes, et heureuses. Il y avait tant de noirceur dans ces souvenirs, de ces ombres opaques et pesantes qui engloutissent la lumière.

— Ce n'est rien d'autre que cela ! répliqua-t-elle, plus sèchement qu'elle n'en avait eu l'intention. Une réflexion, voilà tout.

Emily sourit, une lueur d'amusement dans les yeux.

— Somerset Carlisle n'est pas un ennemi de la nation. Il n'est pas non plus naïf au point de ne pas savoir ce qu'il fait.

— Peut-être pourrions-nous le découvrir ? suggéra Emily.

Charlotte ne trouva rien à répondre. Elle cherchait en vain le moyen de s'extraire du piège dans lequel elle s'était jetée en abordant le sujet. Elle frissonna visiblement.

— Si nous recommencions à marcher ? Je gèle ici.

— Tu ne veux pas.

Emily repartit d'un pas vif, qui rendait la conversation difficile.

— Cesse de tourner autour du pot, Charlotte. Tu es exactement comme Jack.

Charlotte s'immobilisa, plus glacée encore qu'elle ne l'était un instant auparavant. De quoi s'agissait-il donc ? Emily regrettait-elle de ne plus participer à des enquêtes ? Était-elle lasse de se morfondre dans des réceptions sans intérêt qui ne servaient qu'à remplir la journée ? Ou de Jack ? À l'évidence, son insatisfaction n'avait pas grand-chose à voir avec Dudley Kynaston ni avec le corps de la carrière.

Emily s'éloignait toujours, bien qu'elle eût ralenti le pas. Charlotte se hâta pour la rattraper. Il ne servait à rien d'être subtile dorénavant : de fait, cela ne ferait qu'aggraver les choses.

— Connais-tu vraiment Rosalind Kynaston ? demanda-t-elle, hors d'haleine.

Elle voulait désespérément aider sa sœur et la moindre maladresse suffirait à mettre à mal leur relation, peut-être pour longtemps. D'un autre côté, mener l'enquête risquait d'être dangereux et Pitt désapprouverait sa conduite, mais elle savait à présent que ce qu'elle avait pris pour de la mauvaise humeur était en réalité de la douleur.

Elles se connaissaient depuis toujours, depuis aussi loin que remontaient leurs souvenirs. Elles avaient partagé leur enfance, leurs jouets, leurs leçons, leurs robes et leurs livres ; elles avaient bâti des souvenirs. Petites filles, elles avaient couru main dans la main. Adolescentes, elles avaient échangé des rires, des secrets, et parfois des mots vifs, cependant leurs querelles ne duraient jamais longtemps. Jeunes femmes, elles avaient connu l'aventure, l'espoir, l'amour et la déception. Désormais, à mi-chemin de leur vie, s'y ajouteraient la désillusion, l'acceptation de douleurs nouvelles, d'éternelles inégalités.

Emily secoua la tête.

— Pas très bien, mais cela pourrait s'arranger, surtout si Jack accepte un poste auprès de son mari. Il est probable qu'on va le lui offrir. C'est censé être une promotion.

Malgré tout, il n'y avait aucun enthousiasme, aucune excitation dans sa voix.

Charlotte hésita, puis décida que l'honnêteté était le seul choix sûr.

— Tu désapprouves ? Ou est-ce cette histoire de bonne disparue qui te tracasse ?

Emily continuait à regarder droit devant elle.

— Je ne vois pas pourquoi tu dis cela…

— Veux-tu que je m'explique ? Ou préfères-tu que nous parlions d'autre chose ?

Emily esquissa une moue.

— Je ne suis pas aussi sûre que lui qu'il s'agisse vraiment d'un pas en avant. Je pense que c'est plutôt un pas de côté. À vrai dire…

Elle émit un petit soupir et se détourna.

— Cette promotion entraîne certaines obligations. Il risque de s'absenter plus souvent… beaucoup plus souvent.

— Oh !

Charlotte se demanda aussitôt s'il allait manquer à Emily ou si sa sœur s'inquiétait davantage de ce qu'il pourrait faire loin de chez lui, et redoutait de ne pas lui manquer, elle. Pour autant que Charlotte le sût, Jack n'avait pas trompé Emily, mais avant son mariage il avait eu de nombreuses liaisons et ne l'avait jamais caché. La fidélité avait fait partie de l'aventure du mariage, avec le confort pécuniaire et la possession de deux splendides résidences. Autant de nouveautés pour lui qui, jusqu'alors, passait le plus clair de l'année en tant qu'invité chez autrui, accueilli pour son charme, sa conversation et sa compagnie, sans jouir de la moindre sécurité.

Désormais député, respecté par ses pairs, il ne devait qu'à son mérite les promotions qu'on lui proposait. Emily avait connu une vie de privilège ; Jack s'était fait son propre chemin. Avec une légère surprise, Charlotte songea que Pitt et elle étaient dans une situation assez similaire, sauf qu'elle n'avait possédé aucune fortune, seulement une excellente éducation et une entrée dans certains cercles de la bonne société. Les promotions de Pitt l'avaient comblée, surtout parce qu'elles avaient valu à ce dernier le respect de ceux qui l'avaient autrefois traité avec condescendance. Son seul regret était de ne plus pouvoir prendre part à ses enquêtes, de ne plus connaître l'excitation de jouer les détectives. Elle aussi, comprit-elle subitement, s'ennuyait un peu. Elle avait le sentiment de répéter sans cesse les mêmes tâches et celles-ci n'étaient pas vraiment aussi utiles ni aussi intéressantes qu'elle l'avait imaginé.

— Quoi, oh ? s'impatienta Emily.

— Je vois ce que tu veux dire. Une promotion apporte plus d'argent, plus de responsabilité, mais pas forcément plus de satisfaction. Et certainement pas plus de plaisir. Qu'en dit Jack ? se hâta-t-elle d'ajouter, craignant de n'en avoir trop révélé sur elle.

Emily haussa les épaules.

— Pas grand-chose. En fait, il n'en parle pas assez. Il affirme désirer ce poste, mais ce n'est pas tout à fait exact.

Elle jeta un coup d'œil à Charlotte, puis se détourna de nouveau et continua à marcher. Les environs ressemblaient à une forêt surnaturelle, la lumière crue de l'hiver se reflétant sur les dômes des serres tandis que des groupes d'inconnus passaient sous des arbres aux formes extraordinaires et de luxuriantes plantes grimpantes, feignant de ne pas s'être vus pour ne pas rompre le sortilège, l'impression d'évoluer dans un autre monde.

— Le problème, enchaîna Emily, c'est que je ne sais pas ce qu'il me cache, ni pourquoi. Est-ce une manière de se protéger, de sorte que, s'il n'obtient pas cette promotion, il puisse me dire qu'il n'y tenait pas vraiment ? Ou la désire-t-il pour une raison qu'il ne veut pas m'avouer ?

Ou peut-être ne consultait-il pas Emily autant que par le passé, mais Charlotte n'allait pas se hasarder à formuler cette hypothèse-là. D'un autre côté, peut-être voulait-il réellement ce poste et craignait-il qu'Emily ne se montre négative.

— Que sais-tu de l'offre qu'on lui a faite ?

— Peu de chose. Après le dernier désastre, dont Jack n'était nullement responsable, j'ignore si je dois l'encourager ou pas, et, de toute façon, il ne m'en dit pas assez pour que je puisse faire des commentaires intelligents. Je... je ne sais pas s'il n'a pas confiance en moi ou si mon opinion lui est indifférente...

La détresse s'entendait dans sa voix, elle semblait au bord des larmes.

Charlotte dit la seule chose qu'elle pouvait dire :

— Dans ce cas, nous devons le découvrir. Mieux vaut affronter le pire que gâcher une relation par des peurs et des soupçons injustifiés.

Elle regarda Emily bien en face.

— Je sais que c'est facile à dire et que tu penses que je n'en ai jamais fait l'expérience.

— En effet ! rétorqua Emily sèchement. Thomas ne regarderait jamais une autre femme, pas plus qu'il ne va lui pousser des ailes ! Si tu oses être condescendante avec moi, je te promets que je te pousserai, toi et ta belle robe, dans ce tas de terre mouillée là-bas – et que tu ne te débarrasseras pas de l'odeur de sitôt !

— Une excellente solution à tous les problèmes, commenta Charlotte d'un ton dégoûté. Les pousser dans le fumier. Ça nous fera un bien fou – pendant à peu près cinq minutes…

— Dix ! riposta Emily.

Elle éclata de rire malgré elle, mais les larmes qui roulaient sur ses joues n'étaient pas des larmes de gaieté.

Charlotte passa un bras autour d'elle et l'étreignit brièvement, puis recula d'un pas.

— Nous ferions mieux de commencer, déclara-t-elle fermement. Nous devons nous renseigner davantage sur Dudley et Rosalind Kynaston, et la possibilité que Jack devienne son collaborateur est le prétexte idéal.

Emily se redressa.

— Mettons-nous au travail. Je suis glacée ici. Moi qui pensais qu'il était censé faire chaud dans les jungles tropicales ! Rentrons à la maison prendre un thé au coin du feu, avec des crumpets bien croustillants.

— Excellente idée, acquiesça Charlotte. Alors il me faudra une nouvelle garde-robe, une taille au-dessus.

— Tu pourrais me donner celle-ci, observa Emily avec plaisir. Je la ferais reprendre pour qu'elle m'aille.

Charlotte feignit de la gifler et trébucha sur une branche cassée, parvenant tout juste à recouvrer l'équilibre avant de tomber. Cette fois Emily rit pour de bon, un son gai et pétillant, plein de joie.

— Comme c'est gentil ! marmonna Charlotte, avant de pouffer à son tour.

Le plan fut mis en œuvre trois jours plus tard, lorsque Charlotte et Pitt retrouvèrent Emily et Jack au théâtre. Aucun progrès n'avait été accompli concernant l'identification du corps de Shooter's Hill, et Kitty Ryder n'avait toujours pas été retrouvée. D'autres événements avaient pris le pas sur les questions soulevées par Somerset Carlisle au Parlement. Cependant, c'était seulement une question de temps avant qu'elles reviennent sur le devant de la scène. Pitt ne se faisait aucune illusion : l'affaire était loin d'être terminée et Charlotte avait pleinement conscience de la tension qu'il éprouvait, en plus des préoccupations habituelles de son poste.

C'était la première d'une nouvelle pièce, et par conséquent une occasion spéciale. Grâce à un mélange de chance et d'habileté, Emily avait pu obtenir quatre places. Une tenue de soirée était exigée, ce que Pitt détestait. En revanche, il prenait plaisir à contempler Charlotte, vêtue d'une superbe robe neuve dans les tons roux et corail, agrémentée d'une touche d'écarlate. La jupe, plate devant et autour des hanches, n'aurait pas convenu à tout le monde. Adroitement coupée, elle s'évasait en forme de cloche en bas. Elle était toute simple ; la beauté du tissu parlait d'elle-même.

Charlotte jeta un dernier coup d'œil dans la glace, satisfaite de son apparence malgré l'absence de bijoux coûteux. Elle n'avait pas les moyens de s'en acheter et ne voulait pas que Pitt dépense son argent pour lui en offrir. Elle ne portait pas de collier. Cette décision audacieuse soulignait la finesse de son cou et la délicatesse de son teint. Ses épais cheveux châtains étaient coiffés en un chignon tressé, ses boucles d'oreilles en perle parfaitement assorties à sa tenue.

Pitt ne fit aucun commentaire, mais son regard admiratif était plus que suffisant. Jemima elle-même fut impressionnée, bien que réticente à l'admettre.

— C'est une belle robe, maman, marmonna-t-elle alors que Charlotte descendait l'escalier. Elle est plus jolie que la verte.

— Merci, répondit Charlotte, acceptant le compliment de bonne grâce. Je la préfère, moi aussi.

Pitt se mordit la lèvre, réprimant un sourire.

— Vous êtes très beau, papa, ajouta l'adolescente, avec plus de conviction.

Pitt n'imaginait pas une seconde qu'il fût beau – distingué au mieux –, cependant il l'était aux yeux de sa fille et cela seul comptait. Il la serra brièvement contre lui, puis suivit Charlotte vers l'équipage qu'il avait loué pour la soirée.

Ils arrivèrent assez tôt, néanmoins le théâtre était déjà bondé. En gravissant les marches dans le demi-cercle baigné de lumière, Pitt remarqua quelques personnes de connaissance, qu'il ne fréquentait pas, mais avec qui il avait des relations professionnelles. Il en salua plusieurs, échangea un mot ou deux avec certaines, un sourire avec d'autres. C'étaient ses relations, non celles de Charlotte, et cela représentait un changement radical par rapport aux premières années de leur mariage. À l'époque, il n'était invité qu'à cause d'elle. Charlotte se surprit à sourire, redressant davantage la tête. Elle était fière de lui… très fière.

Elle fut la première à voir Jack et fut frappée une fois de plus par sa beauté. Les années lui conféraient une maturité, une profondeur qui dépassaient le charme physique. À la lumière crue des plafonniers, les rares rides qu'il avait autour des yeux et des commissures de ses lèvres ajoutaient à sa personnalité.

Emily, à deux pas de lui, conversait avec quelqu'un d'autre. L'éclat de ses cheveux blonds était quelque peu éclipsé par ses boucles d'oreilles en diamant. Elle portait une robe lilas surfilée d'argent et piquée de perles minuscules, splendide en soi et agrémentée de la parfaite jupe à la mode, pourtant la couleur lui seyait moins qu'une teinte plus fraîche. De plus, elle allait jurer au possible avec la tenue de Charlotte. Peut-être auraient-elles dû se consulter au préalable ? Mais Charlotte n'avait guère le choix, tandis qu'Emily avait une pièce pleine de robes. Le turquoise qui faisait rage ces temps-ci aurait été parfait pour elle !

Trop tard. Il ne restait plus qu'à faire face à la situation avec aplomb. Elle s'avança vers Emily en souriant, comme si elle n'était pas le moins du monde contrariée.

Emily se détourna de son interlocutrice et l'embrassa. Jack pivota à son tour vers elle, une lueur d'appréciation dans le regard. La soirée s'annonçait mal.

Ils échangèrent quelques politesses et propos sans intérêt, après quoi Jack les guida avec aisance vers un très beau couple : un homme élancé, aux traits décidés, doté d'une remarquable crinière de cheveux blonds, et une femme d'apparence plus quelconque, magnifiquement vêtue. Son visage était doux, mais dépourvu de passion. Sa robe, en revanche, était cousue – on aurait pu dire incrustée – de turquoises et de minuscules perles de cristal, et bien sûr elle arborait la nouvelle jupe à cinq épaisseurs, qui épousait étroitement la forme des hanches avant de s'évaser vers l'arrière en forme de cloche.

L'inconnu regarda Charlotte avec autant d'admiration que Jack venait de le faire. Cependant, comme il se tournait vers Pitt, il pâlit visiblement.

— Permettez-moi de vous présenter mon beau-frère et ma belle-sœur, Mr. et Mrs. Thomas Pitt, annonça Jack d'un ton courtois. Mr. et Mrs. Dudley Kynaston…

Kynaston déglutit avec peine.

— Mr. Pitt et moi nous sommes déjà rencontrés. Enchanté, Mrs. Pitt, ajouta-t-il en s'inclinant légèrement devant Charlotte.

— Ravie de faire votre connaissance, Mr. Kynaston, dit-elle en retour, s'efforçant de garder une expression neutre. Mrs. Kynaston.

Elle était fascinée. Ni lui ni elle ne correspondaient à l'image qu'elle s'était faite d'eux. Elle réfléchit à toute allure, cherchant quelque chose d'insignifiant à dire. Elle devait engager la conversation d'une manière ou d'une autre.

— Je crois savoir que la pièce est sujette à controverse, commença-t-elle. J'espère que c'est le cas et qu'il ne s'agit pas seulement d'une fable visant à éveiller notre intérêt.

Rosalind parut surprise.

— Vous aimez la controverse ?

— J'aime qu'on me pose une question à laquelle je n'ai pas de réponse. Une question qui me fait réfléchir, considérer sous un autre point de vue les choses que je crois bien connaître.

— Je crains que certains de ces points de vue ne suscitent votre colère ou votre perplexité, dit doucement Kynaston, jetant un coup d'œil à sa femme.

— Pour ce qui est de la colère, je n'ai aucun mal à le croire, commenta Pitt avec un sourire averti. La perplexité, en revanche, me paraît moins probable.

Quoique décontenancé, Kynaston s'efforça de cacher sa gêne.

Jack s'empressa de combler le silence qui suivit.

— Avez-vous lu des critiques, monsieur ? demanda-t-il à Kynaston.

— Elles se contredisent violemment, répondit celui-ci. C'est la raison pour laquelle toutes les places sont prises ce soir, j'imagine. Chacun souhaite se faire une opinion.

— Ou profiter de cet excellent prétexte pour s'offrir une soirée élégante, suggéra Emily. Il y a ici toutes sortes de gens intéressants.

— En effet.

Rosalind Kynaston lui rendit son sourire. Un instant, son visage afficha une étonnante vitalité, comme si elle était brusquement devenue une personne différente.

— Pour beaucoup d'entre eux, je crois que c'est la raison principale de leur présence.

Emily se mit à rire, son regard s'arrêtant sur une femme vêtue d'un vert excessivement criard.

— Et une excuse pour porter une tenue qu'on ne pourrait mettre ailleurs qu'au théâtre ! Cette robe continuera sans doute à nous éblouir même lorsque toutes les lumières auront été éteintes.

Rosalind étouffa un rire. Déjà elle voyait une complice en Emily.

Ils ne tardèrent pas à être rejoints par de nouveaux venus. Le visage austère de l'homme contrastait avec celui de sa compagne. Elle avait un teint de porcelaine, des yeux d'un bleu étonnant et des cheveux couleur de lin qui chatoyaient, telle de la soie. Elle le conduisit jusqu'à leur groupe comme si elle en faisait naturellement partie. L'homme resta en retrait et Charlotte sentit Pitt se raidir à côté d'elle.

La femme sourit, révélant une dentition parfaite.

— Mr. Pitt. Quelle agréable surprise !

Son regard glissa vers Charlotte, obligeant Pitt à s'acquitter des présentations.

— Mrs. Ailsa Kynaston, dit-il avec un léger embarras.

Une seconde, Charlotte se demanda s'il avait fait une erreur en employant le prénom de la jeune femme. Puis elle se souvint que Bennett Kynaston était décédé. Il s'agissait donc de sa veuve, la belle-sœur de Dudley. Elle la salua avec intérêt et se tourna vers son compagnon, qui s'approchait à son tour. Lui aussi semblait connaître Pitt, mais il s'inclina poliment devant Charlotte.

— Edom Talbot, madame.

— Enchantée, Mr. Talbot.

Elle rencontra son regard dur et ferme.

Dans quelles circonstances Pitt l'avait-il croisé ? Était-ce un allié ou un adversaire ? Quelque chose dans son attitude suggérait la seconde hypothèse.

La conversation se poursuivit, faite surtout d'observations polies et sans grand intérêt, en somme les banalités que l'on échange avec de nouvelles connaissances. Charlotte y prit part lorsque c'était nécessaire, consacrant le reste de son attention à Rosalind et Ailsa Kynaston. Ailsa devait être veuve depuis déjà un certain temps. Elle était d'une beauté remarquable, visiblement intelligente, très sûre d'elle. Sans doute aurait-elle pu se remarier aisément si elle l'avait souhaité. Avait-elle aimé Bennett Kynaston au point de ne jamais envisager cette possibilité ?

Mais… s'il arrivait quelque chose à Pitt… cette seule pensée suffit à glacer Charlotte. Sa gorge se noua. Elle ne pouvait imaginer épouser quelqu'un d'autre. Elle éprouva une brusque compassion pour la femme qui se tenait non loin d'elle, sans soupçonner l'intérêt qu'elle éveillait. Que lui coûtait son courage ? À l'observer, tandis que les autres discutaient des rumeurs concernant la pièce, elle décelait une tension dans le corps d'Ailsa, dans sa posture droite comme un i, dans le port altier de sa tête.

— … Mrs. Pitt ?

Talbot venait de lui adresser la parole, et elle n'avait pas la moindre idée de ce qu'il lui avait dit. Si elle répondait à côté, ce serait gênant pour Pitt. L'honnêteté était la seule option.

— Je vous prie de m'excuser, dit-elle en lui adressant un sourire aussi charmant qu'elle en était capable, bien qu'elle n'en eût pas la moindre envie. J'étais distraite. Je suis désolée.

Elle s'obligea à le regarder avec chaleur, comme si elle le trouvait sympathique.

Il fut flatté. Elle le devina à la manière dont ses traits se détendirent.

— Le théâtre est un cadre propice à la rêverie, observa-t-il. Je vous demandais si vous étiez d'accord avec votre sœur concernant le dernier rôle de l'actrice principale.

— Lady Macbeth, intervint Emily, volant à son secours.

Charlotte se souvint d'une critique qu'elle avait lue à ce sujet et hésita. Pouvait-elle se contenter de la citer ? Si elle était percée à jour, elle passerait pour une sotte, trop soucieuse d'impressionner autrui.

— J'ai lu quelque part qu'elle avait été un tantinet mélodramatique, répondit-elle, cependant je n'ai pas vu la pièce.

— À cause de la critique ? demanda Talbot, curieux.

— À vrai dire, cela ne m'aurait qu'incitée davantage à en juger par moi-même, déclara-t-elle sans hésiter. Mais Emily m'a dit que…

Elle haussa les épaules, laissant sa phrase en suspens pour ne pas répéter les propos critiques de sa sœur.

— Et bien sûr vous l'avez crue ? insista Talbot avec un sourire.

— J'ai eu une sœur, moi aussi, murmura subitement Ailsa, la voix altérée par une émotion qu'elle ne pouvait dissimuler. Mais elle était plus jeune que moi. Malgré tout, je l'aurais crue sur parole quoi qu'elle dise…

Charlotte lut le choc sur le visage d'Emily. Jack tressaillit, ne sachant que dire. Son embarras était visible.

Ce fut Pitt qui rompit le silence.

— Malheureusement, mon épouse a perdu sa sœur aînée il y a plusieurs années, dans des circonstances tragiques. C'est un souvenir douloureux, que nous n'évoquons guère.

— Il en est de même pour la mienne, répliqua Ailsa en le regardant avec intérêt, voire une pointe de défi. Pardonnez-moi de l'avoir évoquée. C'était une maladresse de ma part. Peut-être devrions-nous aller nous asseoir.

Le lendemain, Charlotte reporta un rendez-vous chez sa couturière pour aller rendre visite à sa grand-tante Vespasia, ou, plus précisément, la grand-tante du mari défunt d'Emily. Hormis Pitt et ses enfants, il n'y avait personne au monde pour qui elle eût plus d'affection, ou en qui elle eût davantage confiance. Elles s'assirent au coin du feu, regardant la pluie fouetter les vitres qui donnaient sur le jardin. On était encore en hiver, en dépit des jours qui rallongeaient. Charlotte approcha le plus possible ses pieds du pare-feu dans l'espoir de sécher ses bottines et le bas de sa jupe.

Vespasia versa le thé et lui tendit l'assiette de délicats sandwiches aux œufs et au cresson.

— Avez-vous pris plaisir à votre sortie au théâtre ?

Charlotte avait renoncé depuis fort longtemps à louvoyer avec Vespasia. De fait, elle était plus franche avec elle qu'avec quiconque. Leurs conversations n'étaient pas bridées par la retenue dont elle faisait preuve envers sa mère ou Emily. Même avec Pitt, elle était parfois un peu plus circonspecte.

— Non, admit-elle en acceptant le thé, tâchant de juger s'il était trop brûlant pour qu'elle en boive une gorgée tout de suite. La conversation a titubé au bord du précipice, et finalement, pour Emily, ç'a été la plongée dans l'abîme.

— J'ai l'impression que cette soirée a été désastreuse, en effet. Peut-être pourriez-vous m'expliquer la nature de l'abîme en question ?

— Elle craint de n'être plus drôle, sage ni belle. Et surtout, que Jack ne l'aime plus. Je suppose que c'est le genre de doute qui nous donne des cauchemars à toutes à un moment ou à un autre.

Vespasia paraissait grave.

— Peut-être, répondit-elle, ignorant son thé. Cependant, en général, nous sentons qu'il s'agit d'une phase et nous ne confions pas ces craintes à autrui. Quelque chose est-il arrivé à Emily ?

— Je ne sais pas. Mais elle est insatisfaite – elle s'ennuie, je crois. Nous faisions tant de choses ! Elles n'étaient pas toujours aussi excitantes ou aussi agréables qu'elles en avaient l'air, avec le recul. Je le sais, et il me semble qu'Emily aussi. Seulement, la situation d'épouse dans la bonne société, de mère attentive pour des enfants qui ont de moins en moins besoin de vous, ne stimule guère l'imagination…

Elle lut la compréhension sur le visage de Vespasia et se tut.

— Je suppose qu'au fond elle voit approcher ses quarante ans et elle sent que la vie lui échappe.

— Et Jack ?

— Jack est plus séduisant que jamais. Il vieillit bien. Il paraît moins… superficiel.

Vespasia cilla presque imperceptiblement.

Charlotte rougit.

— Je suis désolée.

— Il n'y a pas de quoi.

Enfin, Vespasia prit sa tasse et but une gorgée, puis offrit de nouveau les sandwiches à Charlotte avant de se servir à son tour.

— Dans quel précipice êtes-vous tombée hier soir ?

— Quelqu'un a supposé qu'Emily était ma sœur aînée.

— Oh !

Vespasia but une nouvelle gorgée de thé.

— La rivalité entre frères et sœurs est un monstre que l'on ne peut jamais terrasser tout à fait. Je crains qu'Emily n'ait été trop longtemps habituée à être au premier plan. Elle a du mal à se faire à l'idée qu'elle est passée au second.

— Ce n'est pas le cas ! protesta Charlotte.

Vespasia se contenta de sourire.

— Eh bien… elle a besoin d'une occupation, je veux dire quelque chose qui compte. Comme quand nous aidions Thomas dans ses enquêtes, avant qu'elles ne soient secrètes.

— Soyez prudente !

Charlotte comprit que Vespasia faisait allusion à l'affaire Kynaston et songea à nier, mais jamais auparavant elle n'avait menti à sa grand-tante, et leur amitié était trop précieuse pour commencer maintenant, même pour défendre Emily.

— Je le serai, dit-elle.

C'était à mi-chemin de la vérité.

— Je parle sérieusement, ma chère, insista Vespasia, redevenue grave. Je sais que Thomas est enclin à penser que Dudley Kynaston n'avait pas de relation inappropriée avec cette servante disparue, et peut-être même que le corps retrouvé n'est pas le sien. Il est possible qu'il ait raison, ce qui ne signifie pas que Kynaston n'ait rien à cacher. Faites très attention à ce que vous entreprenez… et peut-être plus encore à la tâche que vous confiez à Emily. Elle a ses propres angoisses : sa peur de l'ennui, et par conséquent de devenir ennuyeuse elle-même. La beauté à laquelle elle était habituée commence à perdre son éclat. Elle va devoir apprendre à se reposer sur sa personnalité, son charme, son style et même son esprit. Ce n'est pas facile.

Elle sourit avec affection.

— Surtout quand votre sœur aînée, qui ne s'est jamais fiée à son apparence, est déjà pleine d'esprit et de charme et que maintenant, à l'âge où d'autres se fanent, elle commence à s'épanouir. Soyez douce avec elle, bien sûr, mais pas faible. Nul ne peut se permettre de commettre des erreurs par négligence ou par désespoir.

Charlotte garda le silence, et réfléchit avec soin en achevant son thé. En dépit des sages conseils de Vespasia, elle allait faire participer Emily.

Il le fallait.

7

Stoker se tenait devant Pitt, le visage défait, curieusement meurtri.

— Comment l'avez-vous retrouvé ? demanda Pitt, regardant l'amas détrempé de feutre et de ruban posé sur son bureau.

On reconnaissait à peine un chapeau. Sa couleur d'origine aurait été indéfinissable, n'eût été le soupçon de rouge qui demeurait sur ce qu'il restait d'une plume.

— Un tuyau anonyme, monsieur, murmura Stoker. J'ai essayé de savoir d'où il venait, sans succès jusqu'à présent. C'était juste un message arrivé par la poste.

— Que disait-il précisément ?

Pitt posait la question par acquit de conscience, sans vraiment espérer glaner le moindre indice de valeur.

— Seulement que l'expéditeur était sorti de bon matin et qu'il avait vu cet objet bizarre qui ressemblait à du tissu. En le poussant avec un bâton, il s'est rendu compte que c'était un chapeau. Comme il savait qu'un corps avait été retrouvé non loin de là, il s'est demandé s'il pouvait y avoir un lien.

— C'était la formulation exacte ? s'étonna Pitt.

— Non, je brode un peu, grimaça Stoker. Mot pour mot, c'était plutôt : « J'étais assis sur une bûche à la carrière où on a retrouvé la femme. J'ai vu ça et j'ai pensé que ç'avait peut-être un rapport avec, que c'était peut-être le sien. »

— Sur quel genre de papier était-il écrit ? A-t-on utilisé un porte-plume ou un crayon ? Comment était l'écriture ?

Stoker pinça les lèvres.

— Du papier ordinaire, bon marché. Le message est rédigé au crayon. L'écriture est un peu malhabile, mais parfaitement lisible. On n'a pas essayé de la déguiser.

— Et l'orthographe ?

— Il n'y a pas de fautes. Cela dit, il n'a pas utilisé de mots compliqués.

Pitt considéra les restes du chapeau, puis leva les yeux vers Stoker.

— Pourquoi pensez-vous que c'était celui de Kitty Ryder ?

— La plume rouge, monsieur, répondit Stoker d'un ton légèrement étranglé, comme s'il avait la gorge nouée et que les mots peinaient à sortir. Je connais une des serveuses au *Pig and Whistle* qui était une amie de Kitty… Apparemment, elles prenaient le thé ensemble quand elles avaient une demi-journée de congé. Kitty avait vraiment envie d'un chapeau comme celui-ci et elle économisait pour s'en acheter un. C'était la plume rouge qui lui plaisait, parce qu'elle sortait de l'ordinaire. Elle attirait le regard, le sourire des gens. Du moins, c'est ce que Violet a dit – Violet Blane, la serveuse.

— Je vois. Merci.

Stoker ne bougea pas.

— Nous allons devoir retourner chez Kynaston, monsieur.

— Je sais. Mais auparavant, je veux relire les déclarations qu'il a faites et ce que nous savons à son sujet. Je cherche les contradictions, tout ce qui pourrait suggérer qu'il ment. Jusqu'ici, ce que nous avons récolté, c'est que Kitty travaillait pour lui et que la femme dans la carrière avait sa montre. Cela ne signifie rien. Je vous rappelle que nous avons fouillé la maison de fond en comble, y compris les caves et la glacière, sans rien trouver. Et qu'aucun des domestiques ne sait quoi que ce soit d'utile.

— Oui, monsieur, répondit Stoker d'un ton neutre. J'ai fait un résumé de ce que Violet m'a dit. Le voici.

Pitt ouvrit un des tiroirs de son bureau et ressortit ses notes, puis tendit la main vers le carnet de Stoker.

— Pourquoi n'avons-nous pas remarqué ce chapeau quand nous avons fouillé les lieux ?

— Nous étions sans doute trop concentrés sur le corps. Il était à une dizaine de mètres de là. Il fallait voir la plume rouge pour distinguer le reste. On aurait dit des feuilles dans la boue.

C'était vrai. Seul le hasard avait permis qu'il soit retrouvé si longtemps après les faits.

— Merci. Je vais relire tout cela et puis je retournerai chez Kynaston ce soir, quand il sera rentré du bureau.

Pitt arriva avec un peu d'avance. Il lui déplaisait de harceler Kynaston. Sur le plan personnel, l'homme lui était sympathique, aussi avait-il l'intention d'en finir le plus vite possible avec cette histoire. Après leur rencontre au théâtre, cette entrevue allait être plus pénible encore.

Mal à l'aise, il attendit dans le petit salon, fixant les rayonnages de livres, incapable de se concentrer sur les titres. De temps à autre, il arpentait la pièce. Mrs. Kynaston l'avait invité à attendre dans le salon de réception, néanmoins il ne s'agissait pas d'une visite de courtoisie, et il se serait senti coupable d'accepter.

Il était arrivé depuis moins d'une demi-heure quand il entendit Kynaston dans l'entrée. Un instant plus tard, ce dernier ouvrait la porte en souriant.

Le cœur de Pitt lui manqua. La gorge nouée, il s'avança vers lui.

— Bonsoir, Mr. Kynaston. Je suis désolé de vous importuner, mais j'ai de nouvelles questions à vous poser.

Kynaston lui fit signe de s'asseoir et, quand Pitt eut pris place devant le feu, l'imita. Il paraissait perplexe, mais pas encore alarmé.

— Y a-t-il du nouveau ?

— Je crains que oui. Nous avons découvert un chapeau à la carrière, près de l'endroit où le corps a été retrouvé.

Tout en parlant, il observait le visage de Kynaston.

— Il est en piteux état, cependant il a une forme inhabituelle et une petite plume rouge glissée dans le ruban. Une amie de Kitty a déclaré qu'elle avait un chapeau comme celui-ci. Apparemment, elle tenait beaucoup à cette plume rouge et a économisé pour l'acheter.

Kynaston pâlit, mais ne détourna pas les yeux.

— Alors, c'était Kitty..., murmura-t-il. Peut-être était-il ridicule de continuer à espérer le contraire. Je suis tellement désolé.

Il prit une profonde inspiration, plutôt incertaine.

— Allez-vous chercher le jeune homme qu'elle fréquentait ? Je crois que c'était un menuisier itinérant. Il ne reste pas longtemps au même endroit.

Sa voix était tendue, mais Pitt n'y décelait ni peur ni colère. Kynaston était-il réellement si sûr de lui et de sa propre sécurité ?

— Naturellement. Nos recherches jusqu'à présent ont été limitées aux environs immédiats. J'avoue que nous étions tout aussi coupables d'espérer qu'il ne s'agissait pas d'elle.

— Mais maintenant… ?

Kynaston pinça les lèvres, un mélange de dégoût et de pitié sur ses traits.

— Ce jeune homme s'appelle Harry Dobson, expliqua Pitt. Nous allons demander aux forces de police de nous aider à le retrouver.

— S'il a le moindre bon sens, il sera allé aussi loin que possible, observa Kynaston avec une moue. À Liverpool ou à Glasgow, dans une ville où il pourra se perdre dans la foule. Enfin, j'imagine qu'il n'est pas difficile d'y parvenir à Londres. Il a pu prendre la mer…

— C'est une possibilité, admit Pitt.

— Merci de me l'avoir appris, murmura Kynaston avec un demi-sourire empreint de tristesse. Je vais informer mon épouse, et les membres du personnel. Ils seront émus, même si je suppose qu'ils s'y attendaient à demi.

Il se pencha en avant, faisant mine de se lever.

— Je suis navré, monsieur, se hâta de dire Pitt, j'ai autre chose à vous demander.

L'air étonné, Kynaston se rassit et attendit qu'il s'explique.

Pitt prit une inspiration, soutenant son regard.

— Il ne s'agit pas seulement d'arrêter ce misérable et de l'inculper, ce qui est du ressort de la police. La Special Branch a pour mission de veiller à la protection de l'État…

Kynaston était devenu livide. Ses mains s'étaient crispées sur les accoudoirs du fauteuil, et les jointures de ses doigts étaient toutes blanches.

— … et, par conséquent, de vous disculper. Ainsi que tous les occupants de cette demeure. Malheureusement, des questions ont été posées à la Chambre des communes quant à votre rôle dans cette affaire, et à votre sécurité personnelle. Je dois être en mesure de rassurer le Premier ministre et de lui affirmer qu'il n'a aucune raison de s'inquiéter.

Kynaston cilla. Un long silence s'écoula, ponctué par les secondes qu'égrenait l'horloge.

— Je vois, dit-il enfin.

— J'aimerais revenir sur les réponses que vous m'avez fournies précédemment, poursuivit Pitt, sachant déjà qu'il allait aborder un sujet personnel et douloureux.

Cela se voyait à l'expression de Kynaston, à la raideur de ses épaules. Il aurait aimé pouvoir mettre fin à cette conversation. Peut-être les faits en question n'avaient-ils rien à voir avec la mort de Kitty Ryder, mais peut-être que si, au contraire. Pitt ne pouvait se permettre d'ajouter foi aux dires de quiconque sans preuve.

— Je n'ai rien à ajouter.

— Vous avez quelques erreurs à rectifier, affirma Pitt. Et quelques omissions à compléter. Et plutôt que de vous mettre dans l'embarras par la suite, je préfère vous avertir que je vérifierai vos allégations. Cette affaire est trop grave pour que je me contente de déclarations inexactes, même si elles ne découlent pas d'une intention délibérée.

Il laissa en suspens l'autre possibilité, celle que Kynaston eût menti exprès, mais le sous-entendu était clair.

Ce dernier demeura muet. Il semblait au comble de la gêne.

Pitt aurait pu lui poser une série de questions pour le faire trébucher, le prendre au piège et le mettre face à ses mensonges – ou ses erreurs, si c'était de cela qu'il s'agissait –, cependant cette perspective lui répugnait. Le coup devait être à la fois rapide et décisif.

— D'après votre agenda, vous êtes sorti dîner avec Mr. Blanchard le 14 décembre..., commença-t-il.

Kynaston changea de position.

— Si je me suis trompé de date, cela a-t-il tant d'importance ?

— Oui, monsieur. Vous avez quitté la maison en tenue de soirée, mais, selon nos sources, vous n'avez pas vu Mr. Blanchard. Où êtes-vous allé ?

— Je n'étais pas avec la femme de chambre de mon épouse ! répliqua Kynaston sèchement. Peut-être le dîner a-t-il été annulé. Je ne m'en souviens plus. La Special Branch n'a-t-elle rien de mieux à faire ?

Pitt l'ignora.

— Une semaine plus tard, le 22 décembre, le nom de Mr. Blanchard figure de nouveau dans votre agenda, et là non plus, vous ne l'avez pas vu.

Kynaston était aussi immobile qu'une statue.

— Je n'ai pas la moindre idée de l'endroit où je suis allé, affirma-t-il. Là encore, il s'agissait d'un rendez-vous ayant trait à une société dont je suis membre. Cela n'a pas le moindre rapport avec la femme de chambre de mon épouse.

Il déglutit avec difficulté.

— Pour l'amour du Ciel, est-ce là votre manière de procéder ? Lisez-vous l'agenda des gens et les questionnez-vous à propos des personnes avec qui ils ont dîné ? Est-ce pour cela que nous vous payons ?

Une légère rougeur était montée à ses joues.

— Si cela n'a rien à voir avec Kitty Ryder, cette affaire n'ira pas plus loin, déclara Pitt, peut-être un peu vite.

Il se sentait vaguement souillé à l'idée d'insister sur un sujet qui était à l'évidence personnel et gênant. Si tel n'avait pas été le cas, Kynaston n'aurait pas continué à éluder ses questions.

— Bien sûr que cela n'a rien à voir avec elle ! aboya Kynaston en se penchant brusquement en avant. Si quelqu'un l'a tuée, c'est ce misérable qu'elle fréquentait. N'est-ce pas évident, même pour un sot ?

Il détourna les yeux.

— Excusez-moi. Mais vraiment, cet interrogatoire est absurde !

— Je l'espère, répondit Pitt sincèrement. Il y a quelques inexactitudes dans votre agenda, ce qui n'a rien de surprenant. Il nous arrive à tous de faire des erreurs ou des omissions. Je vous interroge seulement à propos des dates où vous n'êtes pas allé au rendez-vous indiqué. Il y en a une dizaine au cours de ces deux derniers mois.

Le visage de Kynaston s'était empourpré.

— Et je ne vous dirai rien, monsieur ! rétorqua-t-il avec indignation. Sauf que cela ne concernait absolument pas Kitty Ryder. Enfin, mon cher ! Croyez-vous que j'aille dîner en tenue de soirée avec une femme de chambre ? ajouta-t-il d'un ton incrédule, alors que sa voix s'étranglait.

— Ce que je crois, c'est que vous éprouvez le besoin de cacher l'endroit où vous allez. La conclusion évidente est que vous retrouvez une femme, néanmoins ce n'est pas la seule possibilité. Je préférerais penser cela plutôt qu'imaginer quelles autres raisons pourraient vous inciter à mentir à votre famille, à la police et à la Special Branch.

Kynaston devint écarlate. Il avait saisi l'allusion de Pitt. Celui-ci regrettait d'avoir dû en arriver là, mais son interlocuteur ne lui avait pas laissé le choix. Il attendit.

— J'ai dîné avec une dame, avoua Kynaston dans un murmure. Je ne vous révélerai pas qui, sauf que ce n'était ni Kitty Ryder ni… la servante de… quiconque.

Pitt sentit que c'était la vérité et que son interlocuteur n'avait nullement l'intention d'en dire davantage. Restait à savoir si Kitty Ryder avait deviné cette liaison et tenté de monnayer son silence. Cependant, il ne servait à rien d'interroger Kynaston là-dessus. Il avait déjà implicitement nié.

Pitt se leva.

— Merci, monsieur. Je suis navré d'avoir dû insister. Nous ne devons pas oublier qu'une femme est morte, et dans des circonstances épouvantables.

Kynaston cilla.

— Comparé à cela, vous comprendrez qu'il me paraisse secondaire de ménager les susceptibilités de quiconque.

Son hôte se leva à son tour. Les bonnes manières exigeaient qu'il salue Pitt, mais son ton était glacial.

La soirée était froide et humide, et aucune étoile ne brillait dans le ciel chargé de nuages. Des réverbères offraient ici et là une lueur blafarde. Pitt marcha d'un pas vif pendant un bon moment, espérant trouver un fiacre qui le ramènerait de l'autre côté du fleuve.

Que dire à Talbot ? Que Kynaston avait une liaison avec une dame avec qui il sortait en tenue de soirée ? Il ne s'agissait certainement pas d'une domestique. De l'épouse d'un autre ? C'était logique, sinon certain.

Rosalind Kynaston soupçonnait-elle cette liaison ?

Probablement. Il était concevable qu'elle n'y voie pas d'inconvénient à condition que son époux reste discret. Pitt connaissait des ménages qui se maintenaient grâce à de tels arrangements.

La question cruciale était de savoir si Kitty Ryder était au courant. Si oui, comment l'avait-elle su ? Que pouvait-elle avoir vu, entendu ou… écouté ? Avait-elle surpris une conversation au téléphone ? Lu une lettre restée ouverte ? Recueilli les commérages d'un cocher ?

Avait-elle vraiment eu un jugement si vif, si aiguisé ? Kynaston était-il à ce point désespéré, à ce point cruel, qu'il aurait roué de coups une servante parce qu'elle l'avait percé à jour ? Pitt n'avait pas vu de rage chez lui, pas la moindre suggestion de violence d'aucune sorte, physique ou verbale. Il n'avait pas proféré la moindre menace à son encontre.

Était-il nécessaire de rapporter cette conversation à Edom Talbot ?

Il avait atteint l'artère principale et héla un fiacre. Il était assis depuis un bon moment, à rouler à vive allure, quand il finit par arriver à la conclusion que oui, mais sans savoir précisément ce qu'il allait dire.

Le lendemain matin, il rassemblait encore ses notes sur l'affaire quand il reçut l'ordre de se présenter sur-le-champ à Downing Street. À coup sûr, le message émanait de Talbot. Comment pouvait-il déjà savoir ce que Pitt avait appris la veille au soir ? C'était impossible, sûrement ! À moins que Kynaston ne fût allé le voir avant lui dans le but de... quoi ? Se plaindre ? De nier ? D'avouer en privé à Talbot l'identité de sa maîtresse, au lieu de la révéler à un simple policier ? Avait-il plus d'influence au sein du gouvernement que Pitt ne l'avait imaginé ?

N'ayant d'autre choix que d'obéir, Pitt fourra ses documents dans une petite serviette afin de pouvoir montrer des preuves à Talbot si ce dernier l'exigeait. Puis il sortit dans la rue chercher un fiacre.

Il passa le trajet à se préparer mentalement à l'entretien. S'il était surpris en flagrant délit de mensonge, c'en serait fini de sa carrière. En revanche, peut-être pouvait-il se permettre quelques omissions...

Pourquoi envisageait-il seulement de dissimuler la vérité à Talbot ?

Parce qu'il ne croyait pas à la culpabilité de Kynaston. Le meurtre était un acte trop violent pour un homme qui ne semblait ni emporté ni particulièrement arrogant. Rien de ce que Pitt avait appris sur lui ne suggérait qu'il en fût capable. Et il avait appris un nombre considérable de choses. Kynaston était fier de l'histoire de sa famille. Il avait profondément souffert de la disparition de son frère, Bennett ; de fait, le chagrin était encore présent en lui, sous la surface. Tout donnait à penser qu'il avait été un bon père et un mari dévoué, sinon passionné.

Il semblait avoir mis toute sa passion et toute son imagination au service de sa carrière. Les officiers de marine qui participaient à ses travaux le tenaient en haute estime. Leurs propos élogieux avaient été rapportés à Pitt par les autorités concernées. Aurait-il dû interroger ces hommes personnellement ? Pouvait-il s'agir là d'une omission à rectifier ?

Il était d'une nervosité inhabituelle lorsqu'il arriva à Downing Street. Les paumes moites malgré le froid, il retira ses gants. Mieux valait avoir les mains engourdies, mais sèches.

Il gagna le perron et fut introduit presque aussitôt. Le policier de garde le reconnut, lui évitant la peine de décliner son identité.

À l'intérieur, il fut conduit immédiatement au bureau où il avait rencontré Talbot auparavant. Ce dernier l'attendait en faisant les cent pas dans la pièce. Il pivota brusquement à son entrée et se mit à parler avant même que le valet eût refermé la porte.

— À quel diable de jeu jouez-vous donc ? explosa-t-il. Dois-je penser que vous êtes incompétent ou que vous essayez délibérément de tromper le gouvernement de Sa Majesté ? Je vous ai pourtant donné l'ordre clair de me rapporter – ici même – tout fait nouveau dans l'affaire Kynaston ! Qu'y a-t-il là-dedans qui vous échappe ?

Il avait les joues rouges, le nez pincé, la mâchoire crispée. Il toisa Pitt, maîtrisant mal sa fureur.

— Je vérifiais les éléments dont je dispose avant de vous les apporter, expliqua Pitt.

Il maudit aussitôt sa réponse. On eût dit qu'il cherchait une excuse, et pourtant, c'était la vérité.

— Je voulais…

— Vous vouliez vous dérober ! Qu'en est-il de ce fichu chapeau qu'on a retrouvé à la carrière ? Appartenait-il à la femme de chambre, oui ou non ? articula Talbot lentement, comme s'il avait affaire à un simple d'esprit.

— Je ne sais pas. Mais cela n'a aucun rapport avec Kynaston, à moins de pouvoir prouver qu'il avait une relation illicite avec elle, ou qu'elle savait quelque chose et qu'elle l'a menacé.

— Et vous l'avez fait ! Cet homme a une liaison. Pourtant vous ne jugiez pas nécessaire de me signaler ce fait, à moi, comme je vous en avais donné l'ordre ? Je me demande si vous pourriez m'expliquer cela. Il me semble que nous revenons au point de départ.

Sa voix était rauque, heurtée.

— Seriez-vous arrogant au point de penser que vous pouvez prendre des décisions sans en référer à vos supérieurs ou avez-vous vos propres raisons de protéger Kynaston ? Jusqu'à quel point le connaissez-vous ? Vous me forcez à vous poser la question.

Pitt sentit la rougeur lui monter aux joues. S'il était venu voir Talbot plus tôt, avant d'être certain que Kynaston avait une liaison, il aurait été blâmé pour avoir diffamé sans preuve un pilier de la défense navale. La réputation de la Special Branch aurait été mise à mal, sa tâche rendue d'autant plus ardue à l'avenir. Peut-être même aurait-il été révoqué.

Une pensée affreuse lui traversa l'esprit : était-ce là ce qui sous-tendait la rage de Talbot ? Cet incident offrait à ce dernier un prétexte idéal pour se débarrasser définitivement de lui. Il prenait une inspiration pour formuler un semblant de réponse quand la porte s'ouvrit soudain, livrant passage à Somerset Carlisle.

Celui-ci était nettement plus âgé que lors de leur première rencontre, mais Pitt n'avait pas oublié ses sourcils remarquablement arqués ni l'humour qui se lisait sur ses traits. Seules les nouvelles rides qui creusaient son visage trahissaient le fait qu'il avait une décennie de plus.

— Ah ! Pitt ! s'écria-t-il gaiement. Ravi de vous rencontrer ici !

— Vous interrompez un entretien privé..., coupa Talbot d'un ton brusque.

— Oui, naturellement. Je voulais juste dire à Pitt que j'ai obtenu le renseignement qu'il cherchait.

Il sourit à ce dernier, le regardant droit dans les yeux.

— Vous aviez tout à fait raison, bien sûr. Ce chapeau n'était pas plus celui de Kitty Ryder que le mien ! Un imbécile a voulu faire l'intéressant... il fréquente les tavernes du quartier de temps à autre, de sorte qu'il était au courant de la disparition de cette malheureuse et de la découverte du corps dans la carrière, évidemment.

Talbot tenta d'intervenir, mais Carlisle poursuivit sans lui accorder la moindre attention.

— Il a appris qu'elle avait un chapeau comme celui-là, la pauvre fille, et il a acheté le même.

Son sourire s'élargit et il fouilla dans sa poche, en tirant un bout de papier froissé.

— J'ai le reçu. Vous verrez qu'il est daté de la veille du jour où votre informateur prétend l'avoir trouvé.

— Et cela ne serait que pure coïncidence ? lança Talbot, sarcastique.

— Pas vraiment, répondit Carlisle, affectant la patience. Puisqu'il s'agit d'un seul et même homme !

Talbot demeura immobile, partagé entre la perplexité et une rage croissante.

Carlisle continuait à sourire, comme si l'atmosphère dans la pièce était à la coopération et non à l'hostilité ouverte.

— Cela fait partie du travail de policier d'être sceptique, reprit-il à l'intention de Pitt. Heureusement que vous l'avez été. Ç'aurait été très gênant de rapporter à Downing Street que le corps était celui de Kitty en vous basant sur un indice découvert par celui-là même qui l'avait déposé sur place. Vous seriez passé pour un imbécile. Cela aurait desservi la Special Branch.

Il secoua la tête.

— Un journaliste aurait sûrement eu vent de l'affaire. Ils se débrouillent toujours pour savoir ces choses-là, d'une manière ou d'une autre, observa-t-il avec un haussement d'épaules. Ensuite, bien sûr, ils rassemblent tous les autres faits – réels ou imaginés – et ils accusent à tour de bras. Et quand la réputation d'un homme a été mise à mal, il est trop tard pour lui présenter des excuses.

Après sa stupeur initiale, Pitt s'était ressaisi, mais il demeurait déconcentré. Comment Carlisle avait-il su qu'il était là ? Et comment en était-il venu à se mêler de cette affaire ?

— En effet, admit-il.

Talbot, le corps rigide, le visage blême, n'avait pas abandonné la partie.

— C'est une chance extraordinaire que vous ayez eu connaissance de… cette conduite excentrique, Mr. Carlisle, ironisa-t-il. Je suppose que nous devrions être reconnaissants qu'un heureux concours de circonstances vous ait mené à… quoi ?

Sa voix se fit plus acerbe encore.

— … un individu irresponsable qui savait que Kitty Ryder possédait un chapeau orné d'une plume rouge et qui, connaissant le lieu précis où le corps a été retrouvé, est allé acheter un chapeau similaire pour l'y déposer ? C'est une histoire… quasi incroyable.

Il avait prononcé ces derniers mots lentement, détachant chaque syllabe avec emphase.

Le sourire de Carlisle s'accentua un peu plus.

Le cœur de Pitt battait à tout rompre, mais il n'osa pas intervenir. Lui non plus n'avait aucune explication à avancer.

— Et bien sûr, vous saviez aussi, par le plus grand des hasards, où trouver Mr. Pitt, continua Talbot. Et vous vous êtes précipité ici juste à temps pour lui épargner d'avoir à me fournir une explication quant au fait que j'avais dû apprendre toute cette farce par un tiers. J'imagine que vous avez une réponse à cela également ?

Carlisle eut un geste élégant des mains, qui rappelait un haussement d'épaules.

— Le personnage en question réside dans ma circonscription, dit-il calmement. Ce n'est pas la première fois qu'il a des ennuis pour avoir cherché à se faire remarquer.

— Aucun journal n'a mentionné le fameux chapeau à plume rouge, rétorqua Talbot d'un ton glacial. Et votre circonscription se trouve à des kilomètres de Shooter's Hill.

Carlisle se mit à rire.

— Allons, mon ami ! Les gens se déplacent. Cet homme est assoiffé de scandale. Il est allé au *Pig and Whistle* à plusieurs reprises. Il a posé des questions, écouté les ragots. Quant à savoir où était Pitt, quand j'ai rassemblé les pièces du puzzle, j'ai appelé son bureau et on m'a informé qu'il avait été convoqué ici. Nul besoin d'être un génie, je vous assure.

Ses yeux brillaient, et ses sourcils s'arquaient encore davantage.

— De toute façon, je suis ravi d'avoir pu vous éviter un embarras – à vous et à ce pauvre Kynaston.

Il se tourna vers Pitt.

— Si vous en avez terminé, je vous accompagne jusqu'à Whitehall.

— Oui… merci, dit Pitt, se hâtant d'accepter.

Il s'adressa à Talbot :

— Je vous tiendrai informé de tout ce que j'apprends concernant Mr. Kynaston. Bonne journée, monsieur.

Sans attendre la réponse de Talbot, il pivota et suivit Carlisle dans le couloir, puis dans la rue.

Ils firent quelques pas sur le trottoir désert, dépassant les policiers de garde devant les résidences du Premier ministre et du chancelier de l'Échiquier.

— Tout cela est-il vrai ? s'enquit Pitt alors qu'ils s'engageaient dans Whitehall.

L'expression de Carlisle changea à peine.

— Plus ou moins.

— Que voulez-vous dire ? insista Pitt, mal à l'aise.

— Assez pour résister à une éventuelle enquête de Talbot, répondit Carlisle. Ne posez pas d'autres questions, car vous ne voulez pas en savoir davantage et je ne tiens certainement pas à vous en dire plus.

— Le chapeau a-t-il un rapport avec Kitty Ryder ?

— Pas le moindre, sauf qu'il semble qu'elle en ait possédé un identique à celui-ci.

Pitt exhala lentement.

— Je vous suis extrêmement reconnaissant.

— Je l'espère bien, admit Carlisle d'un ton plaisant. Ne vous mettez pas Talbot à dos ; il ne vaut pas cher. Cela ne signifie pas que Kynaston est innocent, bien sûr. Mais on ne peut pas pendre un homme à cause d'une preuve inventée de toutes pièces. Et... et je ne voudrais pas que vous soyez remplacé par quelqu'un de bien pire. Bonne chance ! Faites attention à vous !

Sur quoi, il se détourna et partit dans la direction opposée, vers le pont de Westminster, tandis que Pitt s'approchait à pas lents du bord de la Tamise.

Là, sur la rive, apaisé par le clapotis de la marée montante, il laissa enfin le soulagement l'envahir. Il avait été à deux doigts de fournir à Talbot une raison de le congédier.

Certes, il savait que nombre de gens le jugeaient indigne d'avoir succédé à Victor Narraway. Après tout, il n'était que le fils d'un garde-chasse qui avait été déporté en Australie pour vol alors qu'il n'était qu'un enfant. Il se souvenait à peine de son père, seulement du choc et de l'indignation qu'il avait éprouvés, de ses vaines protestations d'innocence, et du chagrin de sa mère. Pitt et elle avaient été autorisés à rester sur le domaine ; de fait, il avait été éduqué avec le fils de la maison. Officiellement, sa présence avait pour seul but de stimuler ce dernier, car il aurait été impensable que l'héritier fût dépassé par le rejeton d'un domestique. Avec le recul, Pitt se demandait si cette prétendue raison n'avait pas été un prétexte masquant un acte délibéré de générosité.

Ses origines n'étaient donc en rien comparables à celles de Narraway, et certainement pas de nature à satisfaire un homme tel que Talbot – pas plus que bien d'autres, d'ailleurs. Il ne devait pas l'oublier à l'avenir, et ne pas se laisser conduire à l'erreur par la colère ou la suffisance. Carlisle l'avait sauvé cette fois-ci et Pitt commençait tout juste à apprécier à quel point. Il avait eu la délicatesse de traiter l'affaire à la légère, comme s'il se fût agi de ses propres intérêts, plutôt que ceux de Pitt, mais c'était pure courtoisie de sa part.

À l'évidence, une antipathie profonde existait entre Carlisle et Talbot. Pitt serait bien avisé de garder cela à l'esprit, afin de ne pas se retrouver pris entre deux feux. Cependant, ce fut d'un pas léger qu'il se dirigea vers le bac.

Stoker était assis dans la cuisine de sa sœur. Il profitait souvent de ses jours de congé pour aller la voir à King's Langley, vieux village pittoresque du Hertfordshire, à une heure de train de Londres. Il avait pour Gwen une profonde affection. D'une manière ou d'une autre, elle était associée à ses meilleurs souvenirs. De deux ans son aînée, elle s'était occupée de lui dès sa plus tendre enfance. C'était elle, plus que l'instituteur, qui lui avait appris à lire. Elle qui l'avait encouragé à entrer dans la marine et elle à qui il avait raconté ses aventures, embellissant le bon et laissant de côté le mauvais. Peut-être était-ce pour cette raison qu'il se rappelait surtout le bon : il avait essayé de le partager avec elle, l'avait vue écarquiller les yeux et retenir son souffle en attendant le rebondissement suivant.

Quand il avait été blessé, c'était aussi Gwen qui avait accompli un long voyage en train, dépensant le peu d'argent qu'elle possédait pour venir le voir à l'hôpital. Et bien sûr, c'était Gwen qui le réprimandait lorsqu'elle pensait qu'il avait tort. Elle qui lui avait annoncé la mort de leur mère. Elle qui le harcelait pour qu'il mette des fleurs sur la tombe, qu'il fasse des économies pour plus tard et même, de temps à autre, pour qu'il se marie.

Elle était occupée à préparer le dîner pour son mari et ses enfants. Il la regardait avec plaisir s'affairer dans la cuisine qui sentait bon la pâte en train de cuire et le linge propre étendu sur le séchoir du plafond. Des chapelets d'oignons étaient accrochés dans le coin, à côté d'un petit vaisselier où étaient disposées des assiettes et deux étincelantes casseroles en cuivre, ses biens les plus précieux. Elle s'en servait rarement, de crainte qu'elles ne perdent leur éclat.

Il se promit de lui offrir un joli cadeau un de ces jours. Il y avait trop longtemps qu'il ne l'avait pas fait. Son mari travaillait dur, mais passait le plus clair de l'année en mer, comme Stoker jadis. Il fallait de l'argent pour subvenir aux besoins d'une épouse et de quatre enfants qui avaient constamment faim et besoin de vêtements neufs.

Stoker songeait à Kitty Ryder. Il était soulagé que le chapeau à plume rouge ne fût pas le sien. Lorsque Pitt lui avait relaté la manière dont Carlisle avait sauvé la situation dans le bureau de Talbot, il s'était rendu compte à quel point il avait été attristé de penser qu'elle était morte. C'était ridicule ! Il n'avait jamais vu cette jeune femme !

Gwen le regardait.

— Qu'est-ce qu'il y a donc, Davey ? Tu en fais une tête ! Pourtant, tu as dit que ce n'était pas son chapeau. Elle est peut-être encore en vie.

Il leva les yeux.

— Je sais. Mais dans ce cas, pourquoi ne vient-elle pas se présenter à la police ? Tout Londres sait que nous essayons d'identifier le corps et que nous soupçonnons qu'il s'agit d'elle.

— Tu vas rester souper ? Tu es le bienvenu ici, tu sais. Tu es toujours le bienvenu.

Il lui sourit, sans savoir que son visage en était illuminé.

— Je sais. Et non, merci. Je dois travailler demain.

Ce n'était pas tout à fait la vérité ; il en avait décidé ainsi. Il avait aussi vu la quantité de viande dans le ragoût et savait que, s'il en acceptait une part, quelqu'un d'autre n'en aurait pas – probablement Gwen.

— Tu vas te tuer à la tâche.

— Nous n'allons pas revenir là-dessus. Ce travail me plaît, Gwen. Il a de l'importance. Je ne peux pas t'en parler beaucoup parce que c'est confidentiel. La Special Branch veille à la sécurité de tous.

— Et ton nouveau chef, ce Pitt ? Est-ce qu'il se donne autant de mal que toi ? Ou est-ce qu'il habite dans une belle maison quelque part avec plein de domestiques et qu'il passe son temps à courir les réceptions ?

Stoker se mit à rire.

— Pitt ? Ce n'est pas un gentleman, Gwen. C'est un homme ordinaire, comme n'importe qui. Il s'est élevé tout seul. Il a une maison confortable, dans Keppel Street, mais ça n'a rien d'un château. Sa femme te plairait. Je ne la connais pas beaucoup, cela dit elle ne me paraît pas très différente de toi.

Il jeta un bref regard autour de lui.

— La cuisine est plus grande que celle-ci, elle y ressemble un peu ; elle sent bon le pain et le linge aussi.

Elle lui rendit son sourire.

— Qu'est-ce qui t'inquiète donc ? Tu as beau être à la Special Branch, tu n'as jamais pu me tromper et tu ne peux toujours pas, alors ne perds pas ton temps à essayer.

— Je me demande où elle est, c'est tout, avoua-t-il simplement.

— Partie avec son amoureux ? suggéra-t-elle en lui versant encore du thé.

— Il y a quatre semaines qu'elle a disparu. Personne ne peut être amoureux à ce point.

— Tu sais, Davey, il y a des moments où je me fais du souci pour toi. Tu as déjà été vraiment amoureux ? Oui ? Quand on l'est, on ne voit rien d'autre, crois-moi. On trébuche dans les ornières sur la route parce qu'on a la tête dans les nuages et des rêves plein les yeux. Tu veux du cake ?

— Oui, et non, pas au point d'avoir trébuché dans des ornières.

Elle se leva, sans cesser de le regarder.

— Tu as la tête sur les épaules, ça c'est sûr. Elle est même si bien vissée qu'on se demande comment tu peux la tourner !

Elle ouvrit la porte du garde-manger et en sortit le cake, puis en coupa une part généreuse qu'elle mit dans une assiette.

— Merci. Mais tu te trompes, Gwen, protesta-t-il, la bouche pleine. Elle savait quelque chose. C'est pour ça qu'elle s'est enfuie. Et la seule manière dont elle pourrait être en sécurité serait de sortir de sa cachette et de tout raconter.

— Enfin, Davey, un peu de bon sens ! s'écria Gwen avec une pointe d'exaspération. Qui va-t-on croire, une femme de chambre, ou un lord ou son épouse ?

— Ce n'est pas un lord. C'est un inventeur. Il fait des expérimentations avec de nouvelles armes sous-marines.

— Sous-marines ? répéta-t-elle, incrédule. Pour tuer quoi ? Les poissons ?

— Les navires, répondit-il succinctement. Pour les frapper sous la ligne de flottaison et les faire couler.

Gwen pâlit brusquement.

— Oh ! Et tu dis que cc n'est pas un gentleman non plus ?

— Si ! C'est un gentleman. Il a de l'argent et de l'influence. Et je suppose que tu as raison, il faudrait qu'elle ait des preuves et peut-être qu'elle n'en a pas. Je dois la retrouver, Gwen. Il faut que je sache ce qui lui est arrivé, je ne vois vraiment pas quoi essayer d'autre !

Elle le toisa avec indulgence, comme s'il était encore un enfant de cinq ans et qu'elle en avait sept.

— Qu'est-ce que tu sais d'elle ? demanda-t-elle patiemment.

Il la décrivit de son mieux.

— Elle vient de la campagne, ajouta-t-il. Dans l'Ouest, quelque part. La police de la localité affirme qu'elle n'est pas retournée là-bas.

— Eh bien, ce n'est guère étonnant, si elle se cache ! rétorqua Gwen en secouant la tête. En revanche, elle est peut-être dans un endroit du même genre.

— Nous y avons pensé, mais nous n'avons pas réussi à retrouver sa trace.

Il décela une pointe de panique dans sa propre voix et s'efforça de parler plus calmement.

— D'après ce qu'on m'a dit, elle est très jolie, elle a l'esprit vif et un solide sens de l'humour. Tous ses amis ont été surpris qu'elle fréquente Harry Dobson. Ils ne le trouvaient pas assez bien pour elle.

— Personne ne l'est jamais, observa-t-elle en souriant brusquement. Mais on t'aime quand même !

Elle le taquinait. Il se détendit un peu et prit quelques bouchées de cake. Gwen était bonne cuisinière et le goût du gâteau le ramenait des années en arrière, lorsqu'il revenait en congé et qu'il s'asseyait dans une autre cuisine, avant qu'elle déménage à King's Langley. Tout avait été différent là-bas – plus austère, plus pauvre, plus exigu, la porte de derrière donnait sur une petite cour négligée –, tout sauf le cake. Jamais elle n'avait lésiné sur le cake.

— Elle aime la mer, continua-t-il. On m'a dit qu'elle collectionnait les images de bateaux. Quel genre d'homme l'aurait tuée juste parce qu'elle avait deviné qu'il avait une liaison ?

Gwen fronça les sourcils.

— Ça n'a pas de sens. À qui l'aurait-elle dit ?

— À sa femme.

— Oh ! Je t'en prie ! s'exclama-t-elle. Tu crois qu'elle ne le sait pas ? Qu'est-ce qu'elle va y faire ? Rien – sauf prétendre qu'elle n'a rien vu. Ce n'est pas un crime, seulement une trahison. Et personne d'autre ne tiendrait à le savoir, crois-moi. Ça dérange d'admettre ce genre de choses… à moins que…

Elle s'interrompit.

— À moins que quoi ? insista-t-il en prenant la dernière bouchée de cake.

— Que ce ne soit avec quelqu'un de vraiment important ? murmura-t-elle, songeuse. Une femme que son mari mettrait à la porte. Si ça se produisait, ce serait un désastre pour elle. C'est… possible… je suppose.

— Comment sais-tu ces choses-là ?

— Oh ! je t'en prie ! répéta-t-elle, agacée. J'ai été lingère avant de me marier. Je n'ai pas passé toute ma vie dans une boîte avec le couvercle fermé, Davey !

Elle se releva.

— Tu ferais mieux d'aller attraper ton train, avant qu'il soit trop tard et que tu passes la moitié de la nuit dehors. Et reviens vite.

Elle contourna la table pour venir l'étreindre. Il sentit la chaleur de son corps, la douceur de ses cheveux, la force de ses bras qui le serraient contre elle. Pendant un moment, il lui rendit son étreinte, puis enfila son manteau et sortit dans la cour. Il gravit les marches sans se retourner vers la lumière, sans la voir qui le suivait des yeux, debout sur le seuil.

Pendant que le train de Stoker bringuebalait à travers la campagne obscure en direction de Londres, Pitt était assis au coin du feu dans le salon aux teintes douces et chaleureuses de Vespasia. Il était si confortablement installé qu'il lui fallait faire un effort pour ne pas céder au sommeil. Le feu brûlait doucement, la lueur des braises rougeoyantes se reflétait dans les facettes du petit vase en cristal où étaient placées quelques délicates tiges de perce-neige. Leur parfum embaumait toute la pièce. On entendait des bruits de pas étouffés dans le couloir et de temps à autre le tapotement de la pluie sur les vitres. Seule la question qui le tourmentait l'empêchait de se détendre.

— ... de manière suspecte, au tout dernier moment, acheva-t-il, décrivant les circonstances de son sauvetage par Somerset Carlisle.

— À point nommé, commenta-t-elle, pince-sans-rire. C'est tout à fait Somerset, sauf qu'il semble avoir eu une chance inouïe, même pour lui. Je vois que cela vous trouble...

— Oui, je l'avoue, admit Pitt. C'est Carlisle qui a attiré l'attention sur cette affaire en abordant la question à la Chambre des communes. Pourtant, non seulement il m'a sauvé de Talbot, mais il a aussi épargné à Kynaston, pour le moment, une situation qui, dans le meilleur des cas, aurait été gênante. Dans le pire, il aurait été soupçonné d'avoir tué et mutilé Kitty et d'avoir jeté son cadavre dans la carrière. Pourquoi Carlisle a-t-il fait cela ?

— Somerset est quelqu'un de bien, murmura Vespasia en esquissant un sourire, encore qu'il soit un peu excentrique de temps à autre.

— Voilà un remarquable euphémisme.

Elle sourit de nouveau.

— Je n'exagère que lorsque je suis si furieuse que j'en perds mon vocabulaire.

— Je ne crois pas que vous perdiez jamais votre vocabulaire. Votre sens de la repartie pourrait arrêter un cheval au galop, ou pétrifier une duchesse à vingt pas.

— Vous me flattez, protesta-t-elle en riant. J'aimerais penser que le but principal de Somerset était de ridiculiser Edom Talbot, un homme qu'il abhorre, mais je me rends compte que cela pourrait n'être qu'un à-côté plaisant.

Toute trace d'amusement disparut de son visage.

— Vous dites que Dudley Kynaston a indubitablement une liaison et qu'il est possible que Kitty l'ait remarqué. Vous êtes certain de ce que vous affirmez, j'imagine ?

— Les preuves sont là, et il ne l'a pas nié, répondit Pitt d'un ton sombre. Cependant, je ne crois pas qu'il l'aurait tuée simplement parce qu'elle avait remarqué qu'il mentait sur son emploi du temps. Je crains que quelque chose de beaucoup plus important ne m'ait complètement échappé. D'ailleurs, où aurait-elle appris ce qu'elle savait ? Pourquoi ne se présente-t-elle pas maintenant, ou du moins pourquoi n'envoie-t-elle pas un message disant qu'elle est en vie ? Maisie a déclaré qu'elle savait lire et écrire !

— Qui est Maisie ?

— La fille de cuisine, expliqua Pitt, revoyant son petit visage plein de curiosité. Kitty était son… modèle. Elle l'aimait bien, l'admirait aussi. Maisie veut apprendre à lire.

— Kitty était-elle ambitieuse ? demanda Vespasia, intriguée. Aurait-elle été assez irréfléchie pour exercer une pression inopportune ?

— Qu'aurait-elle eu à gagner en tentant de faire chanter Kynaston ? Pas grand-chose hormis d'être congédiée, voire inculpée par la police. Les juges n'auraient pas été tendres avec elle. Ils ne tiennent pas à donner l'impression que les serviteurs peuvent en toute impunité rassembler des informations sur leurs employeurs et puis s'en servir de la sorte.

Il eut un mince sourire où perçait une pointe d'amertume.

— Bien sûr que non, admit-elle, le visage empreint d'une tristesse inhabituelle. Ce serait la fin du monde tel que nous le connaissons. Et pourtant, cela va certainement se produire, petit à petit. Rien n'est plus inéluctable que le changement, pour le meilleur comme pour le pire. Peut-être parce que nous arrivons à la fin du siècle, et que nos perspectives sont mitigées. Les événements semblent s'accélérer.

Il l'observa avec attention. Son visage était encore beau, plein de passion et de vitalité, mais il décelait chez elle une fragilité, une capacité à souffrir qu'il n'avait pas soupçonnées auparavant. Son siècle s'achevait et l'avenir n'était qu'incertitude.

Pouvait-il chercher à la réconforter ? Ou ses paroles seraient-elles maladroites et ne feraient-elles que la fragiliser davantage ?

Il changea complètement de sujet.

— Avez-vous confiance en Somerset Carlisle ?

Elle laissa échapper un petit rire abrupt, teinté d'amusement.

— Mon cher ! Quelle question ! Pour être franche, oui. Est-il généreux et prêt à tout risquer pour ses convictions ? Sans l'ombre d'un doute. A-t-il les mêmes valeurs que moi et se conduit-il de manière responsable ? Absolument pas.

— Je lui dois beaucoup, déclara Pitt. Je crois qu'Edom Talbot serait enchanté de me voir congédié. Je ne suis pas le genre d'homme qu'il estime convenir à ce poste, ni sur le plan intellectuel, ni sur le plan social, surtout le second.

— J'en suis convaincue, acquiesça-t-elle. Bien qu'il ne soit pas tout à fait un gentleman lui-même, il a la ferme intention d'en devenir un. Et oui, vous avez une dette considérable envers Somerset. Maintenant, si cela ne vous ennuie pas, mon cher, j'ai des projets pour ce soir et il faut que je me prépare.

— Naturellement.

Il se leva aussitôt.

— Merci pour vos conseils, comme toujours.

Il se pencha et lui donna un bref baiser sur la joue, avant d'être aussitôt embarrassé par la familiarité de son geste.

C'était la première fois qu'il faisait preuve de tant d'audace.

8

Pitt parti, Vespasia se tourna vers le téléphone, soudain nerveuse. Sous ses manchettes en mousseline, ses mains tremblaient légèrement. Elle se ressaisit et décrocha, donnant à l'opérateur le numéro de Victor Narraway.

Au bout de trois sonneries, elle était sur le point de renoncer quand il répondit.

Elle s'éclaircit la voix.

— Bonsoir, Victor. J'espère ne pas troubler votre tranquillité ?

— Je ne suis pas sûr de pouvoir répondre à cela en étant à la fois courtois et sincère, dit-il avec une pointe d'amusement, perceptible malgré la déformation du son.

— C'est assez grave, je crois, pour que vous puissiez vous dispenser d'être courtois. Et toute la vérité n'est peut-être pas indispensable…

Il se mit à rire.

— Vous la troublez toujours, mais je m'ennuierais autrement, affirma-t-il. Qu'y a-t-il de si grave ? Je présume que je peux vous aider ? Ou du moins, que c'est une possibilité ?

Elle était soulagée cependant sa nervosité persistait, chose rare chez elle, si habituée à garder le contrôle d'elle-même en toute situation.

— Voudriez-vous dîner avec moi, afin que je vous explique de quoi il retourne ?

— J'en serais ravi. Puis-je suggérer un endroit où l'on mange bien, et qui n'est pas trop à la mode, de façon que nous puissions discuter sans être interrompus ?

— Ce serait parfait. Je m'habillerai en conséquence.

— Vous ferez sensation, commenta-t-il avec satisfaction. Vous ne pouvez l'éviter, et je regretterais fort que vous essayiez.

Pour une fois, elle ne put songer à aucune réponse appropriée et se contenta de lui assurer qu'elle le verrait dans une heure environ.

En dépit de ce qu'elle avait dit, elle s'habilla avec recherche. Elle porta son choix sur une robe d'un gris-bleu assez foncé, très doux, qui paraissait presque indigo à l'ombre. Le décolleté et la forme de la jupe étaient à la fois flatteurs et au goût du jour. Elle décida de ne pas porter de bijoux, à l'exception de minuscules clous d'oreilles en diamant. Ses cheveux argentés constituaient un ornement suffisant.

Dans la voiture qui roulait à travers les rues obscures, balayées par le vent, elle demeura plongée dans ses pensées, réfléchissant à ce que Pitt lui avait confié.

Un élément crucial manquait, qui eût donné son sens à toute l'affaire. Seule dans la pénombre de la voiture, éclairée parfois par la lueur vacillante d'un réverbère, elle ne pouvait plus se mentir. Elle était presque certaine de savoir qui avait fait en sorte d'impliquer Dudley Kynaston dans la disparition, voire le meurtre, de Kitty Ryder.

Cette pensée lui était douloureuse pour plusieurs raisons. Elle ne considérait pas Kynaston comme un ami. Elle l'avait rencontré plusieurs fois, et elle avait conscience de l'importance de son rôle au sein de la marine, sans cependant connaître ses fonctions exactes. En se remémorant son visage, sa voix, son abord courtois mais quelque peu détaché, elle avait du mal à l'imaginer en proie à une émotion si intense, si violente, qu'il s'abaisserait à tuer. Et pourquoi, pour l'amour du Ciel ? Qu'avait-il à gagner par cet acte ?

Si son mariage était précieux à ses yeux, aurait-il eu une idylle avec une domestique, fût-elle séduisante ? Même à supposer qu'une épouse fût souffrante ou réticente à se soumettre au devoir conjugal, la plupart des hommes avaient le bon sens de ne pas prendre leur plaisir dans leur propre foyer – car être découvert était désastreux. Cependant, une telle conduite, bien que jugée méprisable, ne conduisait pas forcément à la ruine. Il n'était guère difficile de congédier une servante. Une accusation de larcin ou d'immoralité suffisait. Nombre de bonnes se retrouvaient à la rue pour bien moins, sans références pour les aider à obtenir une autre place.

L'équipage ralentit. Comme souvent, la circulation était dense et, ce soir-là, Vespasia s'en irrita. Elle avait hâte de parler à Narraway.

Kitty Ryder avait-elle été assez imprudente pour faire chanter son maître ? Selon Pitt, c'était une jeune fille intelligente et sensée. N'aurait-elle pas feint de ne rien savoir et attendu d'être récompensée pour sa loyauté et son silence le moment venu ?

Toujours selon Pitt, Kynaston avait admis entretenir une liaison avec une femme de la bonne société. Comment la femme de chambre de son épouse aurait-elle pu être au courant ?

Cette maîtresse verrait-elle sa position dans la société menacée si la relation venait à être ébruitée ? Tout dépendait de son mari, cependant c'était possible, sinon probable. Quelques noms vinrent à l'esprit de Vespasia.

Bien sûr, il y avait une autre éventualité, beaucoup plus menaçante : celle que l'intéressée fût l'épouse de quelqu'un qui pouvait, en toute discrétion, ruiner la carrière de Kynaston, réduire à néant ses ambitions. Aucune raison ne serait jamais fournie. Certains devineraient peut-être, mais cela ne sauverait pas Kynaston.

De là à pousser la coïncidence et l'imagination un peu plus loin, et à imaginer un lien avec la disparition et la mort probable de la femme de chambre…

La voiture repartit, accélérant l'allure dans le noir. Vespasia ne pouvait se défaire de la conviction qu'un point essentiel lui échappait, un fait qui changerait tout. Et qui expliquerait pourquoi Somerset Carlisle, son ami de longue date, avait posé des questions à la Chambre des communes concernant la sécurité de Dudley Kynaston, en faisant allusion au meurtre brutal d'une de ses employées.

Et maintenant, voilà que Somerset avait apparemment épargné à Pitt un profond embarras, voire un coup fatal porté à sa carrière, en affrontant Edom Talbot. Son apparition à point nommé s'expliquait. S'il avait appelé le cabinet de Pitt, ainsi qu'il l'affirmait, on avait pu lui dire où ce dernier se trouvait car il n'était pas parti sans en informer ses subordonnés. Quant aux autres informations, Somerset était député, et tous les bruits qui couraient à la Chambre, ouvertement ou non, pouvaient être connus de lui.

Malgré tout, certaines questions subsistaient. Pourquoi portait-il tant d'attention à Kitty Ryder ? Et n'était-il pas inouï qu'un membre de sa circonscription, située fort loin de Shooter's Hill, se fût intéressé de plus près encore à cette affaire pour acheter un chapeau à plume rouge et feindre de l'avoir retrouvé ?

Aucun de ces éléments pris séparément n'était incroyable, mais l'ensemble ne tenait pas debout, surtout étant donné ce qu'elle savait de Somerset Carlisle. Par le passé, il n'avait pas hésité à user de sa considérable influence au Parlement pour venir en aide à Pitt, même lorsque c'était gênant ou inopportun pour lui. Il en était ainsi depuis la curieuse affaire de Resurrection Row, où Pitt, ayant découvert le rôle joué par Carlisle, avait choisi de fermer les yeux. Il comprenait ses raisons et n'avait pas caché qu'il les approuvait.

De quel méfait Dudley Kynaston avait-il pu se rendre coupable pour susciter l'ingérence de Carlisle ? L'adultère, quoique sordide, n'était pas chose rare. Ce n'était certainement pas pour ce motif que Somerset était intervenu dans cette affaire.

Ou se trompait-elle en soupçonnant ce dernier ? Elle aurait bien aimé le croire.

L'instant d'après, elle arrivait au restaurant, un établissement élégant avec vue sur la Tamise, une des adresses préférées de Narraway.

Comme elle le prévoyait, ce dernier était déjà là. Il arrivait toujours avec un quart d'heure d'avance pour être sûr de ne pas la faire attendre. Il était aussi svelte et aussi élancé que lors de leur première rencontre, mais ses cheveux avaient commencé à grisonner.

Il prit ses mains dans les siennes et l'embrassa sur la joue avant de reculer d'un pas et de la dévisager avec son intensité habituelle. On aurait dit qu'il était capable de déchiffrer à la fois ses pensées et ses émotions.

— S'agit-il de la triste affaire dont m'a parlé Pitt ? demanda-t-il discrètement alors qu'on les conduisait à leur table.

— Vous me connaissez trop bien. Ou suis-je à ce point en marge de la vie sociale que je ne puisse avoir aucun autre souci ? ajouta-t-elle avec un sourire.

Elle tenait à adopter un ton léger. Elle se sentait étrangement nerveuse, réticente à s'aventurer sur un terrain personnel.

— Je vous connais assez pour savoir que certains aspects de la société vous intéressent ou vous exaspèrent, répondit-il. Mais votre cœur n'est engagé que lorsque vous aimez. Ce qui suggère que cela concerne votre famille… même si c'est au sens large.

Une ombre fugace traversa ses traits, une sorte de tristesse indéfinissable. Narraway, qui ne s'était jamais marié, était désormais seul au monde. Jamais elle n'avait jugé bon de l'interroger à ce propos. Qu'il y ait eu des maîtresses par le passé, elle le savait parfaitement. Ce n'était pas un sujet que l'on abordait.

Elle attendit qu'ils soient assis et qu'ils aient commandé avant de répondre à sa question.

— Thomas est dans une situation fort délicate, déclara-t-elle en prenant une gorgée de vin. Tout semble indiquer que Dudley Kynaston est impliqué dans la mort de sa malheureuse employée et pourtant il n'y a pas de preuve irréfutable que le corps soit bien le sien et Pitt ne le croit pas capable d'avoir tué pour cacher l'existence d'une liaison.

— Et vous ? s'enquit Narraway en guettant sa réaction.

— Cela paraît un peu... exagéré. Et je suis d'accord avec lui, je n'aurais pas cru Kynaston aussi...

— Stupide ?

— J'allais dire « passionné ».

— Les gens sont parfois beaucoup plus passionnés qu'on ne le croit, murmura-t-il, les yeux rivés à son visage, comme s'il essayait d'en graver les traits dans sa mémoire. On peut passer pour quelqu'un d'intellectuel et de froid parce qu'on garde ses sentiments pour soi.

Elle lui rendit son regard, déchirée entre l'envie d'insister pour savoir ce qu'il voulait dire au juste et la peur de le découvrir. Cela la laisserait exposée, car la réponse lui importait trop.

— Pensez-vous que Kynaston soit ainsi ? demanda-t-elle en buvant une autre gorgée de vin. Je découvre que j'en sais moins sur lui que je ne le pensais. Je me souviens de son frère, Bennett. Il est mort jeune... il n'avait pas quarante ans. Dudley l'a très mal vécu.

— En effet, reconnut Narraway, pensif. Ils étaient très proches, je crois. C'était il y a plusieurs années – huit ou neuf, me semble-t-il.

Ils furent interrompus par l'arrivée du serveur qui apportait le plat principal, un poisson à la chair tendre et succulente. La conversation ne reprit qu'au dessert. Dans l'intervalle, ils discutèrent de théâtre, de peinture, de musique et rirent des plaisanteries politiques du jour.

— Vous n'avez pas mis en avant cette affaire simplement pour le plaisir de dîner en ma compagnie, dit enfin Narraway, redevenant grave. Moi, je l'aurais peut-être fait, mais vous n'auriez jamais éprouvé le besoin de louvoyer.

Il souriait, cependant sa sollicitude était réelle et ç'eût été un affront que de feindre de ne pas l'avoir perçue.

— J'en suis pourtant capable, avoua-t-elle. Je pense que des influences très puissantes sont à l'œuvre en coulisse. Je les devine sans les connaître. De fait, plus j'apprends de détails, moins je comprends. Dans cette affaire, le banal le dispute à la tragédie.

Il l'observait, écoutant avec attention. Ses yeux semblaient presque noirs à la lueur des bougies.

— Une femme de chambre qui s'enfuit avec son amant c'est dérangeant, néanmoins cela n'a rien d'exceptionnel, reprit-elle. Je crois en avoir perdu au moins trois de cette manière, voire quatre, si j'y ajoute une fille de cuisine. En revanche, une femme battue à mort et laissée en pâture aux animaux dans un lieu public, voilà qui est à la fois grotesque et tragique.

Il acquiesça.

— Kynaston, de son propre aveu, a une liaison. C'est sordide, certes, mais loin d'être unique…

— De son propre aveu ? coupa Narraway.

— Oui. Quand Thomas l'a mis au pied du mur, il n'a pas essayé de nier.

— Ce qui ne signifie pas nécessairement qu'il ait dit la vérité.

Stupéfaite, elle ouvrit la bouche pour protester avant de comprendre subitement le sens de sa remarque.

— Oh ! Vous pensez que la vérité serait pire ? Plus inavouable qu'une liaison ?

Il esquissa un mince sourire.

— Je l'ignore. Je sais seulement que nous ne devrions rien avancer à moins d'avoir des preuves.

— Certes. Vous avez tout à fait raison. Voici donc un autre étrange paradoxe, l'aveu d'une liaison qui viserait peut-être à dissimuler des faits plus graves ou du moins des faits qu'il tient à garder secrets. Victor, que savez-vous de ce Talbot ? Pourquoi désire-t-il se débarrasser de Thomas ? Par simple préjugé ? Ou parce qu'il a quelque chose à craindre ?

— Il jouit de la confiance du cabinet, observa Narraway d'un ton songeur. Cela dit, le gouvernement est plus habitué aux turpitudes politiques ou morales que criminelles.

Il soupira.

— Vous avez sans doute raison de dire que son hostilité est due à des préjugés. Talbot dîne dans les clubs appropriés et Pitt non. Il ne sera jamais un d'entre eux ; il faut être né dans ce milieu-là, et bien sûr fréquenter les bonnes écoles.

— Bonnes écoles ou pas, Pitt vaut bien mieux que lui, répliqua-t-elle sèchement.

Narraway sourit et elle sentit la rougeur monter à ses joues.

— Je sais cela, ma chère, dit-il en se penchant vers elle. Je suis aussi conscient que vous de la valeur de Pitt, et professionnellement parlant encore plus. Et, à ma manière, j'ai de l'affection pour lui.

Elle baissa la tête, évitant son regard.

— Excusez-moi. Bien sûr que vous l'êtes. Je ne voulais pas douter de vous. Ce conflit me… déstabilise.

Il effleura sa main, avec douceur, un bref instant.

— Quel charmant euphémisme ! Vous donnez l'impression que la confusion née de la violence et du meurtre s'apparente à des faux pas sur une piste de danse. Puis-je vous dire ce qui, à mon sens, vous trouble réellement ?

— Pourrais-je vous en empêcher ? murmura-t-elle, quelque peu sur la défensive.

— Certainement. Vous n'avez qu'à me dire que vous n'êtes pas prête à me le confier – ou que vous ne le souhaitez pas.

— Victor, je suis désolée. Je me conduis avec un manque de courtoisie que vous ne méritez pas. J'élude la question car elle m'effraie.

— Je sais, souffla-t-il, si bas qu'elle l'entendit à peine dans le bourdonnement des conversations autour d'eux. Il s'agit de Somerset Carlisle, n'est-ce pas ?

— Oui…

— Pitt aurait-il abandonné l'enquête si Carlisle n'avait pas posé cette question sur Kynaston à la Chambre ?

— Je le crois. Cette intervention l'en a empêché.

— Et que craignez-vous, au juste ? insista-t-il.

Elle devait soit lui répondre honnêtement, soit refuser de le faire.

Il se recula légèrement, mais elle discerna une ombre dans son regard et devina que le moment était décisif, et allait bien au-delà de la formulation de ses craintes à l'égard de Carlisle : son aveu la rapprocherait de Narraway ; son silence, au contraire, l'éloignerait de lui.

L'instant sembla s'étirer interminablement, comme s'il était irréel, tel un îlot dans le temps.

Elle redoutait de souffrir et ne pouvait plus retarder l'échéance.

Il recula encore un peu.

— J'ai peur que Somerset n'ait tout manigancé, avoua-t-elle d'une voix rauque. Je ne veux pas dire par là qu'il ait tué quiconque, s'empressa-t-elle de corriger. Je crois qu'aucune cause, si chère lui soit-elle, ne pourrait le pousser à cela…

Elle prit une profonde inspiration.

— En revanche, peut-être s'est-il servi du fait que la police a découvert ce corps ; de la disparition de Kitty Ryder ; de l'épisode absurde du chapeau à plume rouge, qui aurait pu être le sien mais ne l'était pas… pour relancer toute l'enquête.

— Et ensuite sauver Pitt ? poursuivit-il d'un ton intrigué. Pourquoi diable aurait-il fait cela ?

L'ombre avait quitté son regard et ses yeux étaient graves et doux.

— C'est ce qui m'inquiète, confessa-t-elle. C'est comme une montagne qui obscurcit le ciel, trop vaste pour qu'on en voie les contours et pourtant trop lointaine pour qu'on puisse la toucher. Il manipule Thomas, Victor. Et je ne vois pas du tout pourquoi, si bien que je ne peux pas l'aider.

— L'avez-vous mis en garde ?

— Thomas ? De quoi ? Il n'a pas oublié Resurrection Row, ni les cadavres qui réapparaissaient partout, sans parler d'autres… irrégularités depuis.

— Irrégularités ! Quel merveilleux terme pour cela ! Ma chère, Somerset Carlisle a pour les irrégularités un talent qui confine au génie. De quelles injustices se soucie-t-il suffisamment pour accomplir tout cela ?

— Je ne sais pas : le meurtre, la tromperie, la corruption, la trahison au plus haut niveau ?

Elle regretta aussitôt d'avoir émis cette hypothèse.

— Il pourrait s'agir d'une dette d'honneur personnelle. Il ne me le dirait pas, pour ne pas me mettre face à un dilemme : devoir trahir sa confiance pour l'empêcher d'agir.

— Mais il se servirait de Pitt, qui lui a témoigné tant de compassion par le passé ?

— Peut-être est-ce pour cette raison qu'il l'a sauvé des griffes de Talbot ?

— Vous êtes par trop idéaliste, rétorqua Narraway avec tristesse. Il est parfaitement prêt à se servir de Pitt parce qu'il a besoin de lui, et je donnerais cher pour savoir dans quel but.

Il la regarda calmement et cette fois elle ne baissa pas les yeux. C'était une admission, une évolution de leur relation et elle n'était pas aussi terrifiée qu'elle s'y attendait. De fait, elle éprouvait un relâchement de la tension qui l'habitait, presque une chaleur.

— Nous allons agir, n'est-ce pas ? demanda-t-il.

— Oh ! oui. Je crois qu'il le faut.

De nouveau, les doigts de Narraway effleurèrent les siens sur la table.

— Dans ce cas, vous devez commencer par Carlisle. Quant à moi, je vais me renseigner davantage sur Mr. Talbot.

Elle sourit.

— Très bien.

Le lendemain matin, tout en prenant le petit déjeuner, Vespasia réfléchit de nouveau au rôle joué par Kynaston dans l'affaire. Elle se faisait du souci pour Pitt surtout, redoutant qu'il n'y ait là un secret plus lourd de conséquences qu'une simple liaison illicite. Cependant, elle était également inquiète pour Jack Radley, à qui on avait apparemment offert un poste auprès de Kynaston. Elle éprouvait de l'affection pour lui, indépendamment du fait qu'il était l'époux d'Emily et que celle-ci avait été mariée à son neveu, feu Lord George Ashworth. Après la mort de ce dernier, elles étaient restées proches. À vrai dire, elle ressentait désormais un lien tout aussi étroit, voire plus étroit encore, avec Charlotte. Par certains côtés, elles se ressemblaient davantage.

Si Kynaston finissait par être reconnu coupable de la mort de Kitty Ryder, le scandale s'étendrait à ses plus proches collaborateurs. Or, Vespasia ne pouvait s'empêcher de penser que cette horrible affaire dépassait le cadre de la sphère privée. Somerset Carlisle, même s'il déplorait l'adultère, ne se serait pas érigé juge en la matière. Il était trop avisé pour avoir de ce genre de chose une vision manichéenne.

Soupçonner Carlisle n'était-il que du bon sens ou s'agissait-il là d'un préjugé injuste, fruit de conclusions hâtives basées sur le passé ?

Elle n'avait pas d'appétit et toucha à peine à son pain grillé, se contentant d'une petite tranche avec un œuf à la coque. Seul le thé, brûlant et parfumé, lui faisait envie. Elle devait aller voir Somerset Carlisle et lui demander précisément quel était son rôle dans cette affaire. S'il lui mentait, fût-ce pour une bonne raison, une faille apparaîtrait dans leur relation, une cassure que rien ne pourrait jamais réparer. Ce serait la fin d'une confiance qui durait depuis des années, un fil à la fois mince et solide comme de la soie, qui avait résisté à toutes sortes d'événements, heureux et malheureux.

Elle comprenait subitement à quel point ce lien lui était précieux. Elle avait des dizaines de relations, mais ces gens-là n'avaient pas connu les êtres pour qui elle avait pleuré. Ils n'avaient pas passé des nuits blanches, couverts de sueurs froides, en se remémorant leurs souvenirs, ni éprouvé le genre de terreur qui ne vous quitte jamais tout à fait. Pour eux, le passé appartenait aux livres d'histoire. Il ne faisait pas partie de la vie.

Non que Somerset eût son âge – ce n'était pas le cas –, mais il possédait une passion, un idéalisme, pour lequel il était prêt à risquer son propre confort, et même sa vie. Elle l'admirait pour cela et elle était forcée d'admettre qu'elle avait pour lui une profonde affection. Elle ne désirait pas savoir comment il était mêlé à la vie de Dudley Kynaston, ni ce qu'il savait de Kitty Ryder.

Non, elle n'était pas encore prête à affronter cette vérité-là. Tant qu'elle ne posait pas la question, elle se laissait assez de marge pour croire ce qu'elle voulait croire. Quand elle saurait, elle serait contrainte de révéler à Pitt ce qu'elle avait appris et les preuves dont elle disposait. Faute de quoi, elle serait responsable s'il commettait une erreur par ignorance.

Pitt était-il naïf ? Non, ce n'était pas le terme exact. Simplement, il n'était pas aussi subtil, ni aussi retors qu'elle – ou que Carlisle.

Même le thé ne lui faisait plus envie. Elle se leva, sortit du salon jaune et se dirigea vers l'escalier. Il était encore trop tôt pour voir Carlisle. D'abord, elle allait tenter d'aider Emily à être moins malheureuse.

Emily fut ravie de sa visite. En entrant dans le magnifique vestibule au sol en marbre, au double escalier incurvé, Vespasia se sentit légèrement coupable d'être venue dans un but très précis. Si Emily s'en doutait le moins du monde, elle n'en montra rien.

— Quel plaisir de vous voir ! s'écria-t-elle avec chaleur.

Elle avait bonne mine, en dépit d'une certaine pâleur.

— Je suis tellement lasse de débiter des politesses et des banalités ! Les soirées me pèsent, sauf lorsque nous allons au théâtre. Et j'avoue prendre presque autant de plaisir à observer le public qu'à regarder la pièce.

Elle précéda Vespasia dans le salon qui donnait sur le jardin, une pièce claire et lumineuse, même par ce temps hivernal de février, où seuls de brefs rayons de soleil perçaient parfois entre d'épais amoncellements de nuages. Le feu était allumé et il régnait une chaleur agréable. En fermant les yeux, on pouvait s'imaginer en été. Vespasia était flattée que le décor ressemblât à celui qu'elle avait choisi pour son propre salon, lui aussi face au jardin : les teintes subtiles et pourtant profondes semblaient donner vie et couleur aux objets.

— Moi aussi, à vrai dire, acquiesça-t-elle en prenant place au coin du feu.

Emily l'imita. Elle faisait face à la lumière et Vespasia remarqua qu'elle avait les traits tirés. Peut-être n'était-ce qu'un effet de l'hiver, qui oblige à rester le plus souvent enfermé. Il n'y avait nulle trace de gris dans les cheveux blonds d'Emily, mais quelques rides avaient fait leur apparition sur sa peau délicate et une ombre voilait son regard.

— Venez-vous pour une raison particulière ? demanda Emily, plus directe qu'elle ne l'était d'habitude.

Après ses conversations avec Charlotte, redoutait-elle que ce ne fût le cas ?

— Non, mais s'il y a quelque chose dont vous voudriez parler, je serai heureuse de l'entendre, répondit Vespasia, avec la délicatesse qu'elle avait peaufinée au fil des années, en société et au sein de sa famille.

Il y avait certains sujets qu'on n'abordait que par des voies détournées.

Emily sourit et se détendit quelque peu.

— Je peux vous rapporter une multitude de potins, répondit-elle d'un ton léger. Avez-vous entendu parler de cette histoire en Amérique ?

Vespasia hésita, ne sachant si la remarque d'Emily dissimulait autre chose.

— J'espère que vous allez me la raconter.

— Vous ne la connaissez pas ? s'écria Emily gaiement. Elle est extraordinaire. Absolument effroyable. Il s'agit d'une femme nommée Elva Zona Heaster. On l'a déclarée morte de mort naturelle, mais sa mère affirme que son fantôme lui est apparu et a accusé son mari de lui avoir brisé le cou.

Elle sourit, les yeux pétillants d'humour.

— Et pour en faire la démonstration, le fantôme a fait faire un tour complet à sa tête en décrivant sa mort et s'est éloigné en marchant, la tête toujours devant derrière, en train de parler à sa mère !

Vespasia la dévisagea, incrédule.

— Dans une petite ville de Virginie-Occidentale, continua Emily. Franchement ! C'est tout de même plus étonnant que d'apprendre que Mary Arbuthnott va épouser Reginald Whately, ce qui est on ne peut plus prévisible.

Son rire s'éteignit, remplacé par une note d'indifférence.

Vespasia feignit de ne s'être aperçue de rien.

— Sans doute, admit-elle. Et à moins de bien connaître les gens, ces nouvelles ne présentent aucun intérêt. Je trouvais plus facile autrefois qu'aujourd'hui de faire semblant de m'en soucier. À présent, il me semble qu'il y a une foule de choses plus importantes.

— Qu'est-ce qui est important, tante Vespasia ? demanda Emily avec un petit haussement d'épaules.

C'était un geste élégant, très féminin, et pourtant empreint d'une sorte de souffrance qui démentait sa désinvolture apparente.

— Tout ce qui concerne ceux que l'on aime, ma chère. Mais cela n'est pas un sujet de conversation en société. Nous confions rarement à autrui ce qui nous préoccupe. Il n'est pas toujours facile de le dire même à ceux que nous connaissons bien, car nous attachons de l'importance à leur opinion.

Emily écarquilla les yeux, l'air momentanément sceptique.

— Me croyez-vous trop âgée pour éprouver du chagrin ? insista Vespasia.

Elle était consciente du risque qu'elle prenait en l'avouant, et pourtant ne voyait pas d'autre moyen d'atteindre ce qui étouffait Emily, l'empêchait d'être la femme qu'elle avait été.

Emily s'empourpra.

— Bien sûr que non !

— Si, répondit Vespasia avec douceur. Sinon, vous ne seriez pas gênée que je l'aie remarqué. Je vous assure que la douleur ne s'atténue pas simplement parce qu'on l'a déjà connue. Elle est toujours aussi neuve, et transperce tout autant.

— Qu'est-ce qui pourrait vous blesser ou vous effrayer ? demanda Emily d'une voix rauque. Vous êtes belle, fortunée, admirée de tous, même de ceux qui vous envient. Vous ne risquez rien. Personne ne peut vous prendre les choses merveilleuses que vous avez accomplies. Quand vous entrez dans une pièce, tous les regards se tournent vers vous. Personne ne songerait à vous ignorer.

Elle prit une profonde inspiration, puis exhala lentement.

— Vous ne pouvez pas perdre… votre identité.

— Est-ce cela qui vous effraie ?

Vespasia la considéra avec attention.

— Ce qui m'effraie, moi, reprit-elle, c'est que personne ne sait qui je suis – je ne parle pas de mon apparence, ni de ce que j'ai pu dire d'intéressant ou de divertissant, mais ce que j'éprouve en mon for intérieur.

Elle émit un petit soupir. Le moment n'était pas à la fausse modestie.

— Il a toujours été plaisant d'être belle ; c'est certainement un atout dont on doit être reconnaissant.

Elle se pencha imperceptiblement vers Emily.

— Pourtant, ce qu'on aime, c'est la beauté intérieure d'un être – sa douleur, ses défauts, ses rêves, ce qui le fait rire et pleurer. Sa force d'âme face à l'échec et sa capacité à assumer ses erreurs. Sa tendresse, son courage, sa passion, sa générosité. Cela n'a rien à voir avec le fait d'avoir un nez droit ou un teint de pêche.

Emily avait les larmes aux yeux.

— Je ne sais pas si Jack m'aime toujours, murmura-t-elle. Il ne me parle plus, du moins pas des choses qui ont de l'importance. Avant, il me demandait mon opinion. C'est… c'est comme si j'avais dit tout ce qu'il voulait entendre et que je ne l'intéressais plus. Je regarde dans la glace et je vois une femme fatiguée… et fade.

Elle se tut abruptement, son silence quêtant une réponse.

Vespasia ne pouvait la lui donner. Sa tristesse était trop profonde pour y remédier dans l'instant.

— Vous ennuyez-vous, Emily ? Il vient un temps où la bonne société ne suffit plus, même s'il est important de ne pas l'offenser. Je me souviens très bien du moment où je suis arrivée pour la première fois à ce point.

C'était absolument vrai. Elle était plus jeune qu'Emily à l'époque et se morfondait dans le rôle qui était le sien, celui de l'épouse décorative mais inutile. C'était une période à laquelle elle préférait ne pas songer. Ses enfants, qu'elle aimait tendrement, étaient dans l'ensemble confiés aux soins des domestiques. Quant à son mari, qui n'était pas méchant – il ne l'avait jamais été –, il ne possédait ni la passion ni l'imagination dont elle avait soif. Cependant, elle n'avait nullement l'intention de le révéler à Emily ou à quiconque.

Emily ouvrait grands les yeux, ses larmes oubliées.

— Je ne peux vous imaginer en proie à l'ennui. Vous semblez toujours si… si captivée par ce qui vous entoure. Vous ne me dites pas cela par… gentillesse, au moins ?

— Vous voulez dire « par condescendance », n'est-ce pas ? demanda Vespasia avec franchise.

— Oui, je suppose, admit Emily avec un petit sourire réticent.

Vespasia le lui rendit.

— Non, ce n'est ni de la gentillesse, ni, je l'espère, de la condescendance. Vous imaginez-vous être la seule femme à qui le confort matériel ne suffise pas ? Bien sûr qu'il vous manque, quand on n'en jouit pas. Mais l'on s'y habitue très vite. Peut-être une petite crise serait-elle désirable ? Non pas physique, mais émotionnelle ? L'on apprend très vite la valeur de ce que l'on craint de perdre. Nous tenons la lumière pour acquise, jusqu'au moment où elle s'éteint. Vous êtes accoutumée à tourner le robinet pour avoir de l'eau. Vous avez oublié ce qu'il en est d'aller en chercher au puits.

Emily haussa les sourcils.

— Vous pensez que je me sentirais mieux en allant au puits ?

— Pas du tout. En revanche, si vous le faisiez plusieurs fois, tourner le robinet aurait certainement cet effet. Cependant, ce n'était qu'un exemple. Dites-moi, Jack va-t-il travailler pour Dudley Kynaston ? Le savez-vous ?

— Non ! C'est un des nombreux sujets qu'il n'a pas abordés avec moi.

Le conflit se lut sur le visage d'Emily, puis elle prit une décision.

— J'ai envie de vous dire de le demander à Charlotte. Elle semble tout savoir. Mais le remède serait pire que le mal, comme on dit. Somerset Carlisle a posé des questions au sujet de Kynaston à la Chambre. Y a-t-il vraiment matière à s'inquiéter ?

À présent, sa préoccupation était vive et très visible.

Vespasia en comprenait parfaitement la raison. Quelque temps auparavant, Jack avait obtenu une autre promotion, auprès d'un homme remarquable, lequel occupait un poste haut placé. Lorsque cet homme s'était révélé être un traître, Jack avait eu de la chance de s'en sortir avec sa réputation intacte.

L'histoire allait-elle se répéter ? Il n'était pas déraisonnable de le craindre.

— Je suis sûre que Jack est aussi inquiet que vous, déclara-t-elle. Et qu'il redoute de vous décevoir en commettant une nouvelle erreur de jugement. Et pourtant, il se peut que Kynaston soit tout à fait innocent.

Elle soupira.

— Peut-être Jack essaie-t-il de retarder le moment de prendre une décision tant que Thomas n'aura pas conclu son enquête.

— Ce sera assez difficile, lui fit remarquer Emily. S'il cherche à gagner du temps, tout le monde s'en rendra compte. On supposera qu'il croit Kynaston coupable.

— En effet. Et cela doit ajouter à son embarras et l'inciter à se montrer franc. Si j'étais confrontée à un tel dilemme, cela m'empêcherait de dormir.

— Dans ce cas, pourquoi ne me demande-t-il pas mon avis ?

— Peut-être parce qu'il est obstiné, et fier. Et qu'il ne veut pas vous charger de ce choix parce qu'il tient à l'assumer lui-même si les choses tournent mal.

— Le croyez-vous ? demanda Emily, une pointe d'espoir dans la voix.

— Attendez-vous au meilleur, conseilla Vespasia. De cette façon, vous ne vous sentirez pas coupable s'il se réalise. Entre-temps, je vous en prie, trouvez-vous une occupation ! Vous redoutez d'être ennuyeuse parce que vous vous ennuyez vous-même. Et je ne veux pas dire par là que vous devriez jouer les détectives ! Ce serait dangereux et fort peu digne.

— Que voulez-vous que je fasse ? Que j'aille visiter les pauvres ? murmura Emily, horrifiée.

— Je ne crois pas qu'ils aient mérité cela, rétorqua Vespasia, ironique.

— Certains pauvres sont très gentils ! protesta Emily. Ce n'est pas parce que… oh ! oui. Je vois.

— Voilà précisément où je voulais en venir. Ils ne méritent pas plus que vous d'être traités avec condescendance. Faites quelque chose d'utile.

— Oui, grand-tante Vespasia, dit Emily docilement.

Vespasia la regarda, alarmée.

— Vous allez vous renseigner sur Kynaston, n'est-ce pas ?

— Oui, grand-tante Vespasia. Mais je serai très prudente, je vous assure.

— Eh bien, si vous devez vous mêler de cette affaire, cherchez du côté de son épouse. Et si vous répétez « oui, grand-tante Vespasia » une fois de plus, je… trouverai une manière appropriée de corriger votre impudence.

Emily se pencha vers elle et l'embrassa doucement.

— Au lit sans souper, dit-elle avec un sourire. Du gâteau de riz froid dans la nursery ? Je déteste ça.

— J'imagine que vous savez fort bien de quoi vous parlez ! observa Vespasia, sans pouvoir réprimer l'affection ni l'amusement dans sa voix.

9

La résolution d'Emily demeura ferme deux jours durant. Elle ne faiblit que le matin du troisième, lorsqu'elle prit place en face de Jack à la table du petit déjeuner. Il lisait le *Times*. Au moins ne le tenait-il pas ouvert devant lui de façon à dissimuler entièrement son visage, comme elle avait vu son père le faire plus d'une fois.

— Est-il arrivé quelque chose ? demanda-t-elle, s'efforçant non sans mal de parler sur un ton qui ne soit ni plaintif ni sarcastique.

— La situation mondiale est préoccupante, répondit-il sans poser le journal.

— Ne l'est-elle pas toujours ?

— J'ai sorti l'agenda de la famille royale pour toi, dit-il en indiquant deux feuillets qu'il avait mis de son côté de la table. Le *Times* n'a pas de pages de mode.

Elle sentit la colère monter en elle, comme du bois sec qui s'embrase.

— Merci, mais je sais déjà ce qui est à la mode, et le possède sans doute, et, à vrai dire, je me moque éperdument de l'emploi du temps de la progéniture royale.

Sa réponse était acerbe, et elle s'en rendit compte avec gêne, car elle montrait sa vulnérabilité. Pourtant, elle ne put s'empêcher de continuer.

— Je m'intéresse davantage à la politique, ajouta-t-elle.

Il y eut une minute ou deux de silence, après quoi il replia le quotidien et le posa sur la table.

— Peut-être devrais-je t'obtenir une copie de *Hansard*, suggéra-t-il, faisant allusion au rapport quotidien des débats qui s'étaient déroulés au Parlement.

— Si tu ne peux pas te souvenir de ce qui s'est passé, j'imagine que je serais réduite à cela, en effet, rétorqua-t-elle, renonçant à tout effort de politesse.

Jack demeura impassible, encore qu'un peu pâle.

— Je m'en souviens parfaitement, dit-il d'un ton calme. Seulement, je ne vois rien qui ait présenté le moindre intérêt. Mais je n'ai pas assisté à toutes les discussions. Y avait-il quelque chose qui te préoccupait particulièrement ?

Des larmes lui picotèrent les yeux, c'était ridicule. Une femme mûre, à l'approche de ses quarante ans, ne pleurait pas à la table du petit déjeuner, si esseulée, si inutile se sentît-elle. La seule manière d'éviter cet épanchement était de le remplacer par la colère – soigneusement contrôlée.

— Il ne t'est pas venu à l'esprit que je puisse de temps à autre m'interroger sur Dudley Kynaston et la femme de chambre disparue ? Sans parler du corps mutilé qu'on a retrouvé à quelques centaines de mètres de chez lui ? Bien sûr, si tu as décliné l'offre d'un poste auprès de lui, alors il ne s'agit plus de l'avenir de mon mari, encore moins du mien, mais seulement d'un fait divers sordide, qui donne lieu à toutes sortes d'hypothèses.

Jack était blême à présent, et un petit muscle tressautait sur sa joue droite.

Emily se crispa. Était-elle allée trop loin ?

— Je suis tout à fait conscient des hypothèses qui circulent à ce sujet, se défendit-il d'un ton grave. Je sais aussi que ni la police ni la Special Branch n'ont identifié le corps comme étant celui de Kitty Ryder. Somerset Carlisle a eu beau le laisser entendre, il n'y a aucune preuve, ni même aucun indice qui aille en ce sens.

— Les gens se moquent pas mal de ça ! lança-t-elle avec irritation.

— Moi pas !

Sa voix était dure, plus coléreuse qu'elle ne l'avait jamais entendue, et Emily se sentit glacée. Ce n'était pas là l'homme qui l'avait courtisée, adorée, tenue dans ses bras comme s'il n'allait jamais la lâcher. C'était un homme qu'elle connaissait à peine.

Un sentiment de solitude la submergea, balayant son équilibre tel un raz-de-marée.

— J'ai appris ma leçon, reprit-il d'un ton sombre en pesant chacun de ses mots. Je suis surpris que tu ne l'aies pas fait. Quand George a été tué… assassiné… beaucoup de gens t'ont crue coupable. T'en souviens-tu ? Te souviens-tu de la peur que tu éprouvais ? Quand tu avais l'impression que le monde entier était contre toi et que tu ne pouvais pas trouver le moyen de prouver ton innocence ?

La bouche sèche, Emily tenta en vain de déglutir.

— Oui, murmura-t-elle.

Tout à coup, elle s'en souvenait affreusement bien.

Il la regarda calmement depuis l'autre côté de la table.

— Et que penserais-tu de moi si je supposais Dudley Kynaston coupable d'avoir assassiné la femme de chambre de son épouse alors que rien ne prouve encore qu'elle soit morte ? M'admirerais-tu pour cela ? Même si je le faisais uniquement pour préserver ma réputation si cela se révélait vrai ?

Elle prit une très profonde inspiration.

— Je ne t'admirerais pas, répondit-elle honnêtement. Mais j'aurais apprécié que tu m'en parles, pour que je comprenne ce que tu faisais et pourquoi. Je ne sais pas interpréter les silences.

Il parut stupéfait, incapable de saisir sur-le-champ le sens de ses paroles.

— Non ? finit-il par dire. Je pensais que tu comprenais que… je t'ai dit…

— Non !

Elle secoua la tête.

— Je ne sais pas ce que tu penses, et je ne sais pas ce que tu vas faire.

— Je ne le sais pas moi-même. Je ne peux vraiment pas croire que Dudley aurait eu une liaison avec une femme de chambre…

Il s'interrompit, remarquant le sourire en coin qu'elle esquissait.

— Ce n'est pas une question de moralité, Emily ! Je sais parfaitement que quantité d'hommes le font. Seulement, je ne pense pas que Dudley Kynaston ait un penchant pour les femmes de chambre ! Même jolies !

Il était légèrement troublé. Elle le lut sur son visage et à la manière dont il fit mine de vouloir éviter son regard, avant d'y renoncer.

— Tu sais qui c'est, n'est-ce pas ? interrogea-t-elle.

— Qui est qui ?

— Jack ! Ne joue pas à ce jeu avec moi ! Tu sais qu'il a une liaison. Tu sais avec qui ! C'est pourquoi tu ne penses pas qu'il en ait eu une avec la femme de chambre…

Il était debout et elle se leva à son tour.

— Pourquoi diable ne le dis-tu pas à Thomas ? Tu pourrais sauver Kynaston… de la ruine, pratiquement ! Thomas ne rendra pas cela public. Il gardera le secret, tout comme toi, si… Oh !

Elle le fixa, le cœur battant à tout rompre.

— C'est pire que la femme de chambre ! Est-ce possible ? Qui ? Quelqu'un avec qui il ne peut jamais être vu…

Son imagination s'emballait déjà.

— Emily, arrête ! coupa-t-il fermement. J'ai dit que je pensais qu'il n'avait pas de faible pour les femmes de chambre, voilà tout. Je ne le connais pas très bien et il ne m'a certainement pas fait de confidences sur ses liaisons sentimentales ! Ni même purement charnelles. J'aimerais beaucoup collaborer avec lui, mais je ne sais pas si cela sera possible. Je préférerais me tromper en pensant trop de bien de lui qu'en le présumant coupable avant de savoir s'il y a eu crime. Pas toi ?

Elle ne répondit pas. Elle voulait qu'il soit en sécurité, et elle voulait qu'il lui parle. Surtout, elle voulait qu'il l'aime comme il l'aimait avant de devenir député. Cependant, l'avouer eût été terriblement puéril, et même gênant. Elle rougit jusqu'aux oreilles à l'idée qu'il puisse deviner où elle voulait en venir.

— J'imagine que oui, admit-elle. Pourtant, je sens que tu n'as pas entièrement confiance en lui, en dépit de tes généreuses paroles. Je veux bien admettre que tu as raison et qu'il n'avait pas de liaison avec la femme de chambre. Mais il y a quelque chose qui cloche. Seulement, tu ne sais pas encore s'il faut y attacher de l'importance ou pas.

Visiblement déconcerté, il finit par sourire, avec le même charme chaleureux et détendu d'autrefois. Comment avait-elle pu essayer de se convaincre qu'elle n'était plus amoureuse de lui ? Elle aurait dû avoir le bon sens de ne pas se mentir ainsi.

— Tu as le don d'appeler un chat un chat, commenta-t-il non sans approbation. Tu ne réussirais jamais au Parlement. Je ne sais pas comment tu y arrives en société. Je n'oserais pas !

— Il suffit de sourire au bon moment, assura-t-elle. Alors, les gens pensent qu'on ne parle pas sérieusement. Au pire, ils n'en sont pas sûrs. Et de toute façon, personne n'a besoin de se soucier de mon opinion. On peut toujours m'ignorer, si on le désire. Sauf, bien sûr, si je dis à ces dames qu'elles sont superbes et à la dernière mode. Alors, naturellement, je parle comme un oracle et mon jugement est infaillible.

Il la considéra un instant, ne sachant s'il devait la prendre au sérieux. Puis il secoua la tête, lui donna un baiser bref mais tendre sur la joue, et quitta la pièce.

L'échange s'était mieux passé qu'elle n'aurait pu le craindre, pourtant elle était encore au bord du précipice. Elle devait agir, et sans Charlotte, cette fois. Quoi qu'il arrive, c'était toujours sa sœur qui recevait les compliments.

Emily était idéalement placée pour passer un après-midi avec Rosalind Kynaston. Après avoir parcouru le journal laissé par Jack en quête d'une sortie appropriée, elle téléphona à Rosalind pour l'inviter à une exposition de peintres impressionnistes. Elle choisit à dessein de ne pas inclure Ailsa.

Elle fut agréablement surprise lorsque Rosalind répondit qu'elle n'avait rien de prévu cet après-midi-là. Cependant, cela signifiait qu'elle n'aurait pas beaucoup de temps pour se préparer à leur rencontre, et réfléchir à la meilleure manière d'en tirer avantage. Car son intention était d'obtenir des informations qui aideraient Pitt et, par conséquent, Jack, à déterminer ce qu'il était arrivé à Kitty Ryder, dans l'espoir que l'auteur du crime n'avait aucun lien avec les Kynaston.

Elle s'habilla avec grand soin. Le lilas avait été une catastrophe. Indépendamment du reste, le souvenir de son humiliation la dissuaderait de porter cette couleur à l'avenir. Même chose pour toutes les teintes chaudes et pâles. Elle avait amplement les moyens de se vêtir à sa convenance. Avec ses cheveux blonds et son teint clair, surtout en hiver, les tons frais et délicats étaient un choix évident. Comment avait-elle pu être assez sotte pour l'oublier ? Le désespoir n'est jamais bon juge.

Elle opta pour un taupe sophistiqué, entre le bleu et le vert, agrémenté d'un foulard en soie blanc autour du cou. Elle s'observa d'un œil critique dans la glace et fut satisfaite. Maintenant, elle pouvait oublier sa tenue et se concentrer sur ce qu'elle allait dire.

Comme convenu, Rosalind et elle se retrouvèrent à l'entrée du musée. Elles arrivèrent quasiment en même temps, se saluèrent avec chaleur et s'engouffrèrent aussitôt à l'intérieur. La journée était ensoleillée, mais le vent avait l'âpreté du mois de mars.

— Excusez-moi pour cette invitation au pied levé, commença Emily alors qu'elles pénétraient dans le hall. J'ai éprouvé l'envie subite de sortir pour le plaisir de le faire, en toute simplicité.

— J'ai été ravie d'accepter, répondit Rosalind avec conviction.

Elle planta son regard dans celui d'Emily.

— Nous allons faire l'école buissonnière, délivrées de toute obligation pour l'après-midi.

Elle ne mentionna pas sa belle-sœur, mais ce non-dit sembla flotter dans l'air. L'absence de son nom était un commentaire en soi.

Sachant qu'elle ne devait pas se montrer trop directe trop vite, Emily répondit par un sourire alors qu'elles se dirigeaient vers la première salle.

— J'ai toujours aimé les impressionnistes. Leurs peintures semblent refléter une grande liberté d'esprit. Même si on n'apprécie pas les œuvres elles-mêmes, elles peuvent donner lieu à des interprétations très diverses, tandis qu'un tableau qui s'attache uniquement à copier le monde extérieur vous impose sa réalité d'emblée.

— Je n'avais jamais songé à cela, avoua Rosalind avec un enthousiasme évident. Peut-être pourrions-nous passer tout l'après-midi ici ?

La première salle était presque exclusivement consacrée à des paysages. On y voyait des arbres, des feuilles baignées de lumière, des jeux d'ombres sur l'herbe, des scènes venteuses. Emily les contempla longuement, laissant à Rosalind le loisir de faire de même tout en la regardant à la dérobée. Sa compagne paraissait troublée. Emily se félicita d'avoir eu l'idée de venir : la nature subtile de l'art permettait à chacun de se livrer à sa propre interprétation, qu'elle soit sombre ou gaie. Des sentiments très personnels risquaient d'être dévoilés, ce qui n'était pas sans danger. Et pourtant, le temps pressait et, face à la dure réalité de la trahison, peut-être n'y avait-il pas de meilleur lieu que celui-ci. L'essentiel était de ne pas brusquer les choses. Un excès de franchise risquait de tout gâcher.

Elle alla rejoindre Rosalind qui étudiait un dessin au crayon représentant des arbres malmenés par le vent.

— Cela incite à s'interroger sur l'état d'esprit de l'artiste, n'est-ce pas ? murmura-t-elle. On perçoit tant de tension dans ces branches. Certaines semblent sur le point de se rompre.

— Je suppose que chacun est ballotté au gré de son propre vent, habité par sa propre obscurité, répliqua Rosalind à voix basse. Peut-être est-ce là l'art véritable. N'importe quel ouvrier compétent peut capturer le particulier et reproduire ce que voit l'œil. Un génie capture l'universel dans ce que chacun ressent… ou peut-être pas chacun, mais mille individus différents.

Jamais un meilleur moment ne se représenterait. C'était presque comme si Rosalind cherchait l'occasion de se confier.

— Vous avez raison, souffla Emily, si bas que personne n'aurait pu l'entendre. Dans ce dessin, on dirait que les branches se blottissent les unes contre les autres dans l'obscurité, qu'elles ont peur de la violence au-dehors.

— Pour moi, la violence est à l'intérieur, et l'obscurité au-dehors, dit Rosalind avec un petit sourire tendu. Et elles se serrent les unes contre les autres, mais pas exprès, seulement par la force des choses.

Emily feignit de ne pas avoir remarqué ce que ses paroles avaient de poignant, pourtant son cœur cognait dans sa poitrine.

— Et ce tableau là-bas ? demanda-t-elle, indiquant une autre scène, à l'atmosphère totalement différente.

Là, les branches semblaient se dénouer, s'épanouir, et on souriait rien qu'à le regarder.

— Pour moi, c'est le parfait opposé, et pourtant le sujet est identique.

— Tout tient à la lumière, déclara Rosalind sans hésiter. Dans celui-ci, le vent est chaud et les branches semblent danser. Les feuilles frémissent comme des volants ou des jupons.

— Elles dansent, répéta Emily, pensive. C'est vrai – absolument. Il est très difficile à autrui de savoir comment un danseur tient sa partenaire, avec légèreté, en lui offrant son soutien, ou si étroitement qu'elle en est meurtrie et ne sait comment s'échapper. Je me demande si quelqu'un a jamais peint de vraies danseuses ainsi. Serait-ce par trop évident ? Pourtant, cela vaudrait la peine d'essayer, n'est-ce pas ? Pour un peintre ?

— Peut-être est-ce là tout l'intérêt du portrait de groupe, suggéra Rosalind.

— Pas si on veut obtenir une autre commande ! répondit Emily en riant.

Rosalind écarta les mains avec résignation.

— Bien entendu. On doit représenter les gens tels qu'ils désirent être vus. Mais un grand artiste s'y résout-il, sauf pour gagner de quoi vivre ?

— Chacun n'est-il pas forcé d'accepter des compromis ? demanda Emily en retour.

Quelques secondes s'écoulèrent avant que Rosalind réponde. Elles étaient entrées dans la salle suivante, où la plupart des tableaux étaient des marines, ou des vues de lacs et de rivières.

— Je préfère les marines, observa Rosalind. L'immensité de l'horizon…

Elle hésita un instant.

— Ce paysage-ci est magnifique et terrible à la fois – on y sent la solitude, même le désespoir. On dirait une carrière désaffectée, qu'on a remplie d'eau.

Emily garda le silence, attendant la suite.

— Vous avez sans doute entendu dire que ma femme de chambre a disparu, reprit Rosalind, les yeux toujours rivés au tableau. Et qu'on a retrouvé un corps dans une carrière non loin de chez nous. On ne sait pas encore s'il s'agit de Kitty.

— Je l'ai appris, en effet, murmura Emily. Ce doit être affreux pour vous… je n'ose l'imaginer.

Elle pouvait très bien l'imaginer, au contraire, néanmoins le moment était mal choisi pour évoquer les tragédies de son propre passé.

— Le pire, c'est le soupçon, enchaîna Rosalind. Je ne peux m'empêcher d'espérer qu'elle est saine et sauve quelque part. Quoi qu'on en dise, elle n'avait rien d'une écervelée. Je ne crois pas un instant qu'elle se soit enfuie avec le jeune homme qui la courtisait, comme on le suggère. Elle l'aimait bien, toutefois elle n'était pas amoureuse, contrairement à ce qu'affirme Ailsa. Je la connaissais mieux qu'elle. Soit elle est morte, soit elle s'est enfuie pour une raison qui lui semblait valable.

Le visage de Rosalind s'assombrit, aussi lugubre que la carrière derrière elle.

Emily sentit qu'elle devait dire quelque chose, non seulement pour ne pas gâcher l'occasion qui s'offrait à elle, mais aussi par simple gentillesse.

— Êtes-vous sûre que l'affection ne vous pousse pas à fermer les yeux sur ses défauts ? demanda-t-elle avec douceur. Ne vaut-il pas mieux penser qu'elle était inconséquente, parfois égoïste, plutôt que morte ? Après tout, de qui aurait-elle pu avoir peur au point de prendre la fuite en pleine nuit, sans un mot ?

Oserait-elle aller plus loin ? C'était le moment ou jamais. Elle n'hésita qu'une seconde.

— N'auriez-vous pas senti sa peur ? À travers une expression, une maladresse, un manque d'attention ? Il est très difficile de dissimuler le genre de terreur capable de vous inciter à fuir seule par une nuit d'hiver ! Car c'était en janvier, n'est-ce pas ? Je n'aime pas vraiment sortir en janvier, même si je suis bien emmitouflée dans ma voiture et sûre de rentrer au chaud.

Rosalind posa sur elle un regard tourmenté.

— Moi non plus, avoua-t-elle dans un murmure. Mais j'ai vécu toute ma vie en sécurité. Je ne suis pas domestique et je ne connais rien de dangereux.

Emily saisit la perche au vol.

— Que pourrait-elle savoir ? Il aurait fallu que ce soit un sujet dont elle ne pouvait vous parler…

— C'est ce qui m'inquiète, confia Rosalind, d'une voix crispée, presque méconnaissable. Il n'y a rien chez moi qui soit intéressant, sans parler de menacer quiconque. Cela devait concerner mon mari ou ma belle-sœur.

Elle prit une profonde inspiration, puis exhala lentement.

— Ou Bennett. Il est mort depuis bientôt neuf ans et pourtant, c'est comme s'il vivait toujours dans notre maison, quelque part hors de vue. Personne ne l'oublie jamais.

Emily réfléchit.

— Voulez-vous dire qu'Ailsa l'aime encore trop pour envisager de se remarier ?

Rosalind ne répondit pas tout de suite.

— Je ne sais pas, finit-elle par admettre. Elle accepte des invitations de temps à autre, mais jamais elle n'a eu de relation durable. Alors, oui, peut-être avez-vous raison. C'est ce qu'elle dit à Dudley, de toute façon. Dudley avait énormément d'affection pour Bennett. Même pour des frères, ils étaient très proches.

Elle sourit avec chaleur.

— C'est une des grandes qualités de Dudley : il est totalement loyal, et s'il émet un jugement sur quoi que ce soit, c'est avec gentillesse. Il était très protecteur envers Bennett, qui était plus jeune que lui. Et avec nos fils, il a toujours été d'une patience à toute épreuve, si exaspérants qu'ils aient été parfois. De fait, il était plus doux que moi… j'ai honte de le reconnaître.

— Et avec vos filles ? demanda Emily avec intérêt.

Rosalind haussa les épaules.

— Oh ! Il était pareil avec les filles et avec moi. Et avec Ailsa, d'ailleurs. Il ne se met jamais en colère contre les femmes. Je ne sais pas si c'est parce qu'il attend moins de nous…

— Certains hommes sont naturellement patients, observa Emily.

Un instant, elle songea à Jack et à Evangeline. La fillette le menait par le bout du nez et il ne prenait pas la peine de le nier.

Elle regarda Rosalind, réfléchissant à la suite de la conversation, intensément consciente du désarroi que sa compagne éprouvait.

— Ailsa semble avoir un caractère assez affirmé. Je doute qu'elle ait besoin de beaucoup de protection, observa-t-elle. Ou est-ce là un jugement trop hâtif ?

— Non, pas du tout, répondit Rosalind aussitôt. Je…

Elle secoua la tête.

— Non, je suis dans mon tort. Je ne devrais pas la juger non plus. Ailsa a beau paraître extrêmement forte, elle a été anéantie par la mort de Bennett. Seulement, son chagrin s'exprimait par de la colère, voire de la rage. Elle en voulait au destin de lui avoir volé l'homme qu'elle aimait. Je…

Elle secoua la tête de nouveau.

— Je n'ai jamais aimé ainsi. Peut-être parce que j'ai des enfants ? Je l'ignore. Si Dudley mourait, il me manquerait terriblement. Je suppose que, chaque jour, j'aurais conscience d'un vide, je penserais à toutes les choses qu'il disait, qu'il faisait, qu'il aimait… tout. Je pleurerais intérieurement, comme lui pour Bennett, je le sais. Je ne crois pas que je me mettrais en rage contre le destin.

Emily songea à ce qu'elle éprouverait si Jack disparaissait. Seule… seule jusqu'à la fin de ses jours… Si elle avait la certitude absolue qu'il l'avait en réalité déjà quittée, ne fût-ce qu'en se détachant d'elle, alors, oui, elle se mettrait en rage ! Sa colère serait peut-être incontrôlable par moments, mais ce serait un rempart contre les larmes. Elle le savait presque comme si c'était déjà arrivé, et que le nectar de la vie s'était changé en vinaigre. Cette pensée la glaça jusqu'au plus profond d'elle.

— Comment était-il… Bennett ?

Rosalind eut un petit rire.

— Ce tableau, avec le soleil dans les arbres, me fait penser à lui, répondit-elle. Devrions-nous avancer plus vite, à votre avis ?

Elle jeta un coup d'œil autour d'elle pour voir si quelqu'un attendait. Deux hommes examinaient une œuvre exposée sur le mur d'en face.

— Vous avez raison.

Dans la salle suivante se trouvaient des paysages, d'humeur contrastée, tous superbes à leur manière. Avec tant de passion autour d'elles, comment ne pas être plus honnête que dans un cadre conventionnel, avec les restrictions imposées par les conventions et les faux-semblants ?

— Comment était Bennett ? répéta Rosalind. Quand j'y repense, je ne l'ai pas très bien connu, mais il a produit une forte impression sur moi. Par certains côtés, il ressemblait beaucoup à Dudley, par ses intérêts, ses maniérismes, son sens de l'humour. En revanche, il était plus vif, plus sûr de lui. Il avait des rêves insensés et il était convaincu qu'il en réaliserait la plupart un jour. En un sens, c'est pour cela que sa disparition a été si douloureuse. Tout s'est passé très vite. Il est tombé malade et, une semaine plus tard, tout était fini. Nous ne parvenions pas à l'accepter – surtout Dudley. Après tout ce qui…

Elle se tut.

Emily attendit. Elles se tenaient face à un vaste paysage, aux cieux immenses : à gauche, l'horizon était d'un bleu immaculé, tandis qu'à droite une tempête s'annonçait par des nuages sombres et lourds de menaces.

— Nous pensions que le pire était derrière nous, dit Rosalind simplement, comme si le sens de ses paroles était clair.

Au risque de manquer de délicatesse, Emily ne pouvait pas ne pas relever.

— Il avait déjà été souffrant ?

— En Suède, expliqua Rosalind au bout d'un moment. Il y a très longtemps de cela. Avant sa rencontre avec Ailsa. Je n'ai jamais vu Dudley aussi inquiet que le jour où il a reçu ce message. Il a tout abandonné et il est parti pour la Suède sur-le-champ. Je suis restée des semaines sans nouvelles. Il a fini par rentrer, avec Bennett, mais ils ne m'ont jamais dit ce qui s'était passé. Bennett avait une minc affreuse, et il était très maigre. Il est resté chez nous. Dudley ne voulait pas le laisser hors de sa vue.

Deux messieurs les croisèrent, discutant avec gravité.

— Il avait des cauchemars, continua Rosalind lorsqu'ils furent hors de portée de voix. Je l'entendais pleurer la nuit. Dudley ne m'a jamais dit ce qu'il y avait et, petit à petit, cela a passé. Bennett a repris des forces et s'est remis au travail. Un an ou deux plus tard, il a rencontré Ailsa et ils se sont mariés peu après.

— Et puis sa maladie est revenue ? demanda Emily, émue par cette tragédie. Elle l'a emporté avant qu'on puisse lui venir en aide ?

— Je suppose que oui, répondit Rosalind, détournant brusquement les yeux du tableau pour regarder Emily. Mais c'était bien longtemps avant que Kitty vienne chez nous et, de toute façon, sa mort n'avait rien de suspect, elle était seulement tragique. Je… j'aimerais tellement pouvoir aider Dudley ! Il a déjà eu plus que sa part de souffrance.

Emily observa les nuages noirs du tableau, et l'ombre pesante qu'ils jetaient sur le paysage. Malgré elle, un frisson la parcourut.

— On dirait que je m'apitoie sur mon sort, n'est-ce pas ? reprit Rosalind, irritée contre elle-même. Que j'ai l'arrogance de parler de douleur alors que nous avons une maison superbe, que Dudley occupe un poste prestigieux, que nous avons de l'argent, une place dans la société, des enfants en bonne santé !

— L'ignorance est douloureuse, commenta Emily avec sincérité. On a beau aimer, si on redoute de tout perdre, alors la tempête est déjà sur vous.

Rosalind sourit, les larmes aux yeux. Elle mit brusquement la main sur le bras d'Emily, avant de la retirer aussitôt.

— Que diriez-vous d'aller prendre le thé ? Je sais qu'il est un peu tôt, mais j'aimerais vous emmener dans un petit salon que je connais et qui est tout à fait charmant.

— C'est une excellente idée.

En rentrant chez elle, Emily songea à tout ce que Rosalind lui avait dit et plus encore à ce qu'elle avait tu. Autour d'un thé, elles avaient abordé de nombreux sujets, la plupart superficiels, souvent amusants. Rosalind était cultivée, parlait avec enthousiasme de musique et connaissait divers pianistes. Elle s'intéressait à l'histoire du verre, qui remontait à l'Égypte antique, et à son présent, à Venise et aux fabriques de Murano. Emily se mit à espérer que Jack allait travailler auprès de Dudley Kynaston. Elle prendrait plaisir à développer son amitié avec l'épouse de ce dernier.

Quant à sa belle-sœur… Emily se rendit compte tout à coup que Rosalind n'avait mentionné Ailsa qu'à deux reprises, et seulement pour dire qu'elles étaient allées ensemble à un événement quelconque.

Cela excepté, elles avaient passé un excellent après-midi sans penser du tout à elle.

Et pourtant, Ailsa avait semblé occuper une partie importante de la vie des Kynaston. L'incluaient-ils par gentillesse, parce qu'elle n'avait pas d'autre famille ?

En repensant aux rares occasions où elle s'était trouvée en compagnie des deux femmes, Emily se souvint qu'Ailsa avait paru la plus sûre d'elle des deux, bien qu'elle eût probablement plusieurs années de moins que Rosalind. Et qu'il y avait entre elles une certaine froideur.

Cela avait-il la moindre importance ? Sans doute que non. Néanmoins, Emily résolut d'en apprendre autant que possible sur Ailsa Kynaston, de préférence en l'absence de Rosalind. Entre autres choses, elle avait remarqué que celle-ci était beaucoup plus sage et plus observatrice qu'elle n'en donnait l'impression. Il aurait été plus que sot de la sous-estimer.

Restait à créer une opportunité d'observer Ailsa. Si celle-ci était au cœur du problème – le meurtre de Kitty Ryder –, il pourrait être dangereux de se renseigner sur elle. Loin de dissuader Emily, cette pensée l'encouragea à préparer son approche avec soin. Elle allait commencer par découvrir à quoi s'intéressait Ailsa, les pièces et les expositions qu'elle aimait. Peut-être avaient-elles des relations en commun ?

En fin de compte, le hasard joua en sa faveur. Trois jours plus tard, ayant décliné une invitation à accompagner Jack lors d'une soirée officielle, elle revint sur sa décision. À l'origine, elle avait refusé de crainte de paraître trop possessive envers son mari. Désormais, ses intentions concernant Ailsa changeaient tout. Elle était résolue à apporter à Jack un soutien non seulement tacite mais positif et attendait de lui qu'il le remarque et s'en réjouisse.

Elle s'habilla avec soin, dans sa teinte favorite : un vert pâle, plus délicat que les premières feuilles du printemps, appelé eau-de-Nil. La robe, en soie douce et fluide, tombait en plis gracieux, son éclat satiné capturant la lumière. Naturellement, la coupe était du tout dernier cri : un décolleté arrondi autour des épaules et du cou, la jupe plate autour des hanches. Des perles auraient peut-être été plus appropriées à la couleur, néanmoins elle opta pour des diamants. Elle voulait briller de mille feux.

En descendant l'escalier pour rejoindre Jack, qui l'attendait au pied des marches, elle constata avec plaisir qu'elle avait obtenu l'effet espéré. Il ne dit rien, mais écarquilla les yeux et laissa échapper un petit soupir approbateur. Jusque-là, c'était un succès.

L'admiration qu'Emily suscita lors de son entrée ne fit qu'ajouter à sa satisfaction. Cependant, il ne lui fallut que quelques minutes pour se rendre compte qu'elle n'avait ni le monopole de la beauté ni celui de l'intérêt. Ailsa Kynaston arriva quelques instants après, assez en retard pour s'assurer que tout le monde la remarquerait, mais pas au point d'être jugée impolie.

Elle arborait du beige et or, une combinaison hardie pour une femme au teint pâle, mais qu'elle portait superbement, avec une assurance qui semblait mettre quiconque au défi de la critiquer.

Ce qui attira l'attention d'Emily, cependant, fut son cavalier : elle était au bras d'Edom Talbot, qui comptait parmi les plus proches collaborateurs du

Premier ministre, bien qu'il n'occupât aucun poste spécifique.

Emily l'observa longuement. C'était un homme d'apparence remarquable, en raison de sa taille et de la force qui émanait de lui. Il se tenait comme s'il avait maintes fois mis à l'épreuve avec succès sa supériorité physique. Il y avait dans sa posture une sorte d'arrogance, légèrement intimidante.

Cette suffisance plaisait-elle à Ailsa ? Pour Emily, elle indiquait plutôt un manque d'éducation. Un gentleman ne cherchait jamais à mettre autrui mal à l'aise, et une menace, fût-elle implicite, avait précisément cet effet-là.

Certaines femmes étaient attirées par les hommes dangereux. Emily, pour sa part, voyait là une marque de faiblesse dont il fallait se méfier. Ceux qui se sentaient en situation d'infériorité n'étaient-ils pas les plus prompts à passer à l'offensive ?

Quelqu'un lui parla. Elle fit une réponse insignifiante, souriant avec le charme qu'elle maîtrisait si bien.

Jack lui dit quelque chose qu'elle n'entendit pas. Elle était trop occupée à observer Edom Talbot et Ailsa Kynaston, fascinée par leurs gestes, leurs sourires, les regards qu'ils échangeaient. Qui menait la danse ?

Tout d'abord, il apparut que c'était Talbot. Il connaissait plus de gens qu'Ailsa et les lui présentait. Elle se montrait courtoise sinon empressée. À l'évidence, il admirait sa beauté, mais c'était aussi vrai de la moitié au moins des hommes présents. Quant aux femmes, elles l'enviaient et s'en irritaient à la fois.

Soudain consciente d'avoir manqué à ses devoirs, Emily décocha à Jack un sourire éblouissant et se joignit à la conversation.

Une bonne demi-heure s'écoula avant qu'elle puisse reporter son attention sur Ailsa et Talbot. Elle se penchait vers lui, souriante. Lui ne la quittait pas des yeux, comme s'il en était incapable. Elle flirtait avec lui, de manière si subtile que seule Emily, elle-même experte en la matière, s'en rendait compte.

D'autres personnes les rejoignirent, échangeant quelques mots avec eux avant de s'éloigner.

Talbot mit la main sur le bras d'Ailsa, assez haut, près de l'épaule, comme pour l'attirer plus près de lui. C'était un geste étrangement possessif, presque intime. Elle détournait encore le visage après avoir parlé à quelqu'un d'autre. Emily perçut dans son regard un éclair de dégoût, presque de haine. Puis elle se laissa délibérément aller vers lui avant de trouver un prétexte pour se dérober.

Sa réticence était-elle due au souvenir de Bennett, le mari perdu qu'elle ne pouvait oublier ? Ou s'agissait-il de tout autre chose ? Peut-être savait-elle quelque chose au sujet de Dudley Kynaston et de sa famille d'adoption, qu'elle remerciait de sa loyauté en lui offrant une sorte de protection à présent ?

Mais de quoi la protégeait-elle ? Pouvait-il s'agir du secret qui avait poussé Kitty Ryder à s'enfuir ? Ou qui avait mené à son assassinat ?

Peut-être Emily s'était-elle trompée du tout au tout concernant Ailsa. Il fallait qu'elle en ait le cœur net. Elle devait se forcer à la connaître mieux, en dépit de l'inimitié instinctive qu'elle lui inspirait.

Dès le lendemain, elle passerait à l'action.

10

— Vous la ramenez avant cinq heures et demie, vous m'entendez, jeune homme ? Je me moque de savoir si vous êtes dans la police spéciale ou pas ! lança la cuisinière d'un ton farouche, toisant Stoker comme si elle avait affaire à un vulgaire garçon de courses.

Stoker sourit, toutefois Maisie le devança.

— Oui, madame. Mr. Stoker est de la Special Branch. Il ne ferait rien de mal.

Elle redressa le menton et planta son regard droit dans celui de la cuisinière, ce qu'elle n'aurait pas osé faire d'ordinaire. Mais ce jour-là, elle portait sa robe des dimanches, celle qu'elle ne mettait jamais pour travailler. Le valet de pied avait astiqué ses bottines au point que le chat aurait pu se mirer dedans. La nouvelle femme de chambre de Mrs. Kynaston lui avait confectionné un chignon pour que ses cheveux soient bien coiffés, même à l'arrière, là où elle ne pouvait pas les voir. Elle allait prendre le thé avec Mr. Stoker, qui voulait lui poser des questions importantes, si importantes qu'ils ne pouvaient pas prendre le risque d'être entendus.

Stoker redevint sérieux.

— Nous ne serons pas en retard, promit-il.

La cuisinière se tourna vers Maisie.

— Tiens-toi bien, Maisie, avertit-elle d'un ton sévère. Ne va pas faire l'importante. Pas d'insolence, c'est compris ? Et si tu répètes des ragots, tu auras vite fait de te retrouver à la rue. Surveille ta langue, et ne va rien inventer !

— Oui, madame. Je ne dirai rien que la vérité.

Sur quoi, sans attendre que la cuisinière ajoute autre chose, elle pivota et s'éloigna, la tête haute, le dos aussi droit que si elle avait porté une pile de livres sur la tête.

Stoker regretta brusquement de ne pas avoir eu de fille. Une petite amie qu'il avait eue jadis avait voulu se marier et fonder une famille. Elle était jolie et avait de grands yeux foncés qui lui rappelaient ceux de Maisie. Stoker, effrayé par l'idée d'une telle responsabilité, avait hésité trop longtemps. Quand il était revenu de son voyage suivant, Mary avait trouvé quelqu'un d'autre. Il avait beaucoup souffert.

Il rattrapa l'adolescente et ils cheminèrent ensemble, Stoker veillant à ne pas marcher trop vite. Ils descendirent Shooter's Hill en direction de Blackheath jusqu'au salon de thé où il avait réservé une table.

Elle s'assit et, non sans gêne, ajusta ses jupes.

— Veux-tu du thé ? Et des gâteaux ?

Elle était trop intimidée pour parler. Déjà la serveuse se tenait prête à prendre leur commande. C'était la première fois qu'on servait Maisie et qu'on l'appelait « Miss ».

— Du thé pour deux et un choix de vos meilleurs gâteaux, s'il vous plaît.

Bien que réticent à se l'avouer, Stoker prenait plaisir à être là. Cependant, ils n'avaient guère de temps, et il avait une foule de questions à lui poser.

Il ne pouvait se permettre d'attendre que le thé soit servi.

— Nous avons découvert un chapeau à la carrière, commença-t-il. Nous avons d'abord cru qu'il appartenait à Kitty, mais ce n'était pas le cas. Un idiot l'avait déposé là exprès, juste pour se faire remarquer.

Maisie fronça les sourcils.

— C'est cruel, ça. Il voulait nous faire peur rien que pour faire parler de lui ? Il est dérangé ou quoi ?

— Je dirais que oui. L'important, c'est que nous savons que ce n'était pas le chapeau de Kitty.

Les yeux de Maisie brillèrent.

— Alors, peut-être qu'elle n'est pas morte ?

— J'espère bien que non, répondit-il fermement.

— Mais une pauvre fille l'est, hein ?

Elle se mordit la lèvre.

— Et il vous faut encore découvrir qui c'était, et qui lui a fait ça, hein ?

— Si ce n'est pas Kitty et que l'affaire n'a rien à voir avec les Kynaston, c'est le travail de la police.

— Parce que vous êtes spécial, c'est ça ?

Il prit une inspiration pour expliquer que son rôle était moins important qu'elle ne le pensait, vit son visage tout excité et se ravisa.

— Quelque chose comme ça, admit-il gauchement. Mais je tiens quand même à trouver Kitty et à prouver qu'elle est vivante.

Elle inclina la tête de côté.

— Pour sauver Mr. Kynaston ?

Mal à l'aise, Stoker ne sut que répondre. Les yeux presque noirs de la jeune fille, vifs et innocents à la fois, brillaient d'intelligence. Il était venu dans le but de l'interroger et c'était elle qui l'avait percé à jour. Si elle le surprenait à la tromper, elle lui retirerait sa confiance et, par conséquent, son honnêteté. Et il en serait blessé. Il se ramollissait !

— Surtout pour ça, avoua-t-il. Et aussi pour être sûr qu'elle va bien.

Le thé fut servi, accompagné d'une assiette pleine de pâtisseries. Maisie les regarda, leva les yeux vers lui et les regarda de nouveau.

— Lequel voudrais-tu ?

— Celui au chocolat, répondit-elle aussitôt, avant de rougir. Bien sûr, si vous le voulez, celui avec le sucre rose dessus irait aussi.

Il décida intérieurement de ne pas prendre le gâteau recouvert de glaçage rose, qui avait attiré son regard.

— Je vais manger la tarte aux pommes, assura-t-il. Commence par le chocolat.

Elle dégusta son gâteau lentement, en savourant chaque bouchée.

— Pour retrouver Kitty, il faut que j'en sache plus long sur elle, commença-t-il. J'ai appris certaines choses. Je sais qu'elle a une jolie voix. Qu'elle aime la mer et les bateaux, et qu'elle collectionnait les images de navires du monde entier – avec différentes sortes de voiles.

Maisie acquiesça, la bouche pleine.

— Elle est drôlement adroite de ses mains. Évidemment, vu qu'elle était femme de chambre et tout, elle sait très bien coudre, et même ravauder la dentelle déchirée.

Ses yeux s'emplirent de larmes.

— S'il vous plaît, trouvez-la, monsieur. Dites-nous qu'elle va bien… je veux dire, qu'elle est vivante et en bonne santé.

— Je le ferai, promit-il tout en sachant qu'il s'avançait un peu vite.

Maisie renifla.

— Peut-être qu'elle s'est tout simplement sauvée avec ce grand nigaud, Harry. Vous y croyez, vous ?

Elle considéra la dernière part de gâteau au chocolat.

— Mais pourquoi est-ce qu'elle ne nous aurait rien dit ? Pourquoi est-ce qu'elle n'a pas écrit de lettre ni rien ?

— Tu es sûre qu'elle sait lire et écrire ?

— Oui ! Elle faisait des listes de choses. Elle m'apprenait.

Elle regarda de nouveau le gâteau.

— Si tu finissais celui-ci, et le rose après ? suggéra-t-il. Je vais prendre celui aux raisins secs.

Elle le dévisagea pour être bien sûre qu'il était sincère, puis suivit sa suggestion, buvant délicatement une gorgée de thé entre les deux.

Il dissimula un sourire. Peut-être s'y prenait-il mal. Peut-être ne devait-il pas chercher l'endroit où Kitty serait allée, mais celui que Harry Dobson aurait choisi.

— Comment était-il, ce… nigaud ?

Maisie gloussa en entendant le mot dans sa bouche.

— Ce n'était pas un mauvais bougre. Il était fou amoureux de Kitty. On aurait dit que le soleil brillait par ses yeux. Et je suppose que ça compte, pas vrai ? Elle n'avait qu'à lui faire un sourire pour qu'il soit aux anges.

— Pourtant, il ne t'aurait pas plu ? conclut-il. Pourquoi ?

Elle baissa les yeux, l'air un peu gêné.

— Je ne serai jamais aussi jolie qu'elle, mais je veux quand même m'élever dans la vie. Je voudrais quelqu'un qui ait un peu de caractère, hein ; quelqu'un qui ne me laisserait pas l'embobiner trop facilement.

Elle se tut, honteuse. C'était un aveu par trop personnel à faire à un homme qui ne la connaissait pas – ou à n'importe quel homme, d'ailleurs.

— Il va peut-être falloir te donner du mal pour trouver quelqu'un que tu ne pourrais pas embobiner, Maisie, avertit Stoker. Mais j'ai entendu dire que Kitty aussi avait de l'ambition. Ce n'est pas le cas ?

Maisie soupira.

— Je suppose que, quand on tombe amoureux, on perd son bon sens. Du moins, c'est ce qu'on dit.

Elle mordit dans la pâtisserie rose, puis le regarda, fascinée.

— Il y a de la crème dans celui-là, toute fondante et sucrée.

— Tu ne l'aimes pas ? se hâta-t-il de dire. Tu n'es pas obligée de le manger. Choisis-en un autre…

Elle releva la tête vers lui.

— Oh ! si, je l'aime bien. C'est un peu comme d'être amoureux, hein ? On ne sait pas ce qui va se passer avant d'avoir mordu dedans ?

— Maisie, tu es si intelligente que tu m'inquiètes, parfois. Ces gâteaux sont tous pour nous, alors mange tout ce que tu voudras. Parle-moi davantage de Harry Dobson. Tu crois vraiment qu'elle l'aimait assez pour s'enfuir avec lui… sans le dire à personne ? Elle devait avoir une raison de faire ça. Qu'est-ce que ça pourrait bien être ?

Il but un peu de thé et prit un autre gâteau, car il était sûr que Maisie ne se resservirait pas avant qu'il l'ait fait. Il l'avait vue les compter. Elle allait être scrupuleusement équitable.

— Tu crois qu'il aurait pu la forcer à partir en secret ?

— Non ! Il n'aurait jamais forcé Kitty à faire quelque chose contre son gré. Je suppose qu'elle devait avoir…

Elle se tassa légèrement et frissonna.

— Peut-être qu'elle avait peur ? J'ai pensé à un moment qu'elle savait certaines choses qu'elle aurait préféré ne pas savoir sur le maître et la maîtresse, hein. Après, je me suis dit que c'étaient seulement des commérages. Qui sait, hein ? Vous croyez ça, vous ?

— Je pense que c'est très possible, admit-il, s'efforçant de ne pas attacher trop d'importance à ses paroles ni de les interpréter à tort. Tu as une idée de ce que c'était ?

Elle fit signe que non.

— Il y a des choses que je ne tiens pas à savoir. Ma mère m'a toujours répété de ne pas voir ou entendre ce qui ne me regardait pas. Et que si ça arrivait, il fallait que je l'oublie tout de suite, comme s'il ne s'était rien passé.

— Sage conseil, commenta Stoker. Je vais te dire exactement la même chose et je parle tout aussi sérieusement qu'elle. Maintenant, revenons à Harry Dobson. Nous avons demandé à la police de le chercher, mais personne n'a réussi à le trouver. Faisait-il un genre particulier de menuiserie ? Des fenêtres, des portes, des planchers ? Travaillait-il régulièrement pour le même patron ?

Il tendit la main vers la théière.

— Encore du thé ? Si tu veux d'autres gâteaux, nous pouvons en commander.

Elle prit une profonde inspiration, rassembla son courage et demanda un autre gâteau au chocolat.

— Kitty a dit qu'il allait se mettre à son compte, répondit-elle. Il était doué pour les portes. Il voulait en fabriquer de belles, toutes sculptées, et tout ça. Mais il aurait pu aller n'importe où pour faire ça.

— D'où venait-il ? insista Stoker, encouragé.

— Je sais pas. De la rive nord, je crois.

— Merci. C'est déjà une piste.

Elle fronça les sourcils.

— J'aurais dû le dire avant ? Personne ne m'a posé la question. Et puis, c'était ce qu'il voulait faire. Je ne sais pas s'il l'a vraiment fait.

Il lui sourit.

— Peut-être que non. Quand même, cela vaut la peine d'essayer.

Elle poussa un soupir de soulagement et dégusta sa pâtisserie.

Puisqu'on soupçonnait désormais que le corps de la carrière était celui de Kitty Ryder, Stoker avait été prié de se consacrer à d'autres dossiers, qu'il pouvait difficilement négliger : ils concernaient la sécurité de la nation. Par conséquent, il n'eut d'autre choix que de chercher Harry Dobson le soir, après ses heures de travail. De toute façon, il n'aurait sans doute pas servi à grand-chose de rôder dans les tavernes et les music-halls en plein jour. Au moins les informations fournies par Maisie lui avaient-elles permis de réduire le champ de ses recherches. Il concentra ses efforts sur la rive nord de la Tamise, essayant de trouver un menuisier spécialisé dans les portes façonnées.

Il passa quatre soirées entières à cheminer sous la pluie de la fin février, son pantalon détrempé collant à ses jambes, ses bottines laissant passer l'eau des flaques et des caniveaux débordants. Il parla à des entrepreneurs depuis Stepney jusqu'à Poplar, à l'est de Canning Town, et enfin au nord de Woolwich, où son acharnement fut enfin récompensé.

Dans un atelier au sol jonché de sciure de bois, il se trouva face à un jeune homme aux cheveux blonds, aux bras fortement musclés et au regard paisible.

— Vous êtes Harry Dobson ?

Était-ce pour ce jeune homme que Kitty s'était enfuie, abandonnant sa place et sa maison chaude et sûre de Shooter's Hill ? Stoker s'était attendu à éprouver de l'antipathie pour lui, à déceler sur ses traits la nature d'un homme prêt à abuser d'une jeune femme qui avait eu confiance en lui. Au lieu de quoi, il voyait un jeune homme lent, prudent, à l'air triste et désemparé.

— Oui. C'est vous qui avez des portes voilées ?

— Non, ce n'est pas moi.

Stoker avait presque envie de s'excuser. Il se tenait sur le seuil, barrant le chemin de la sortie, mais il y avait une autre porte derrière Dobson, conduisant à une scierie.

— Désolé. Je cherche le Harry Dobson qui courtisait Kitty Ryder, sur Shooter's Hill.

Toute couleur déserta le visage de Dobson, le laissant presque blanc, les yeux tels des cercles noirs et vides.

Stoker se raidit, s'attendant à le voir faire volte-face et s'enfuir par l'autre porte.

Pendant deux secondes, les deux hommes s'affrontèrent du regard.

— Vous… vous êtes de la police ? demanda enfin Dobson.

— Oui…

Stoker était rigide, les muscles crispés, prêt à poursuivre cet homme, à essayer de le neutraliser avant qu'il s'échappe. Cette pensée le rendait malade d'angoisse, d'autant qu'il avait une conscience aiguë de la force physique de son adversaire. Grand et noueux, il ne possédait pas la vigueur de Dobson, bien bâti et tout en muscles. Il devrait se fier à sa rapidité, à ses années d'expérience des combats sans règles et sans pitié.

Le jeune menuisier prit une profonde inspiration.

— Vous êtes venu me dire qu'ils l'ont eue en fin de compte ?

— Qu'ils ont eu qui ? demanda Stoker, stupéfait.

— Kitty ! répondit Dobson avec l'accent du désespoir. Vous êtes venu me dire qu'ils l'ont tuée ? Je l'ai suppliée de rester ! Elle n'a pas voulu m'écouter.

Il était hors d'haleine, comme si quelqu'un l'empêchait de respirer.

— J'avais pourtant promis que je veillerais sur elle…

Il secoua la tête. Il avait les larmes aux yeux, mais ne semblait pas en avoir conscience.

— Non ! se hâta de dire Stoker. Non… je ne suis pas venu vous dire ça du tout ! Je ne sais pas où elle est. Je la cherche.

Le visage de Dobson reprit subitement vie et couleur.

— Vous voulez dire qu'elle est peut-être saine et sauve ?

Il fit un pas en avant.

— Elle est encore en vie ?

Stoker leva la main, soucieux de tempérer son enthousiasme.

— Je l'ignore ! La seule chose dont je sois sûr, c'est qu'elle s'est enfuie de Shooter's Hill en janvier.

— Elle était avec moi, répondit Dobson. J'ai promis de la protéger, et je l'ai fait. Et puis, tout d'un coup, il y a une semaine, elle a dit qu'elle devait repartir et je n'ai rien pu faire pour l'en empêcher.

Je l'ai suppliée, je lui ai dit que je ne voulais rien d'autre que de la garder en sécurité.

Il secoua la tête.

— Elle n'a pas voulu m'écouter…

L'impuissance se lut de nouveau sur ses traits et Stoker éprouva soudain une intense bouffée de pitié à son égard.

— Elle va sans doute bien, dit-il doucement. Et peut-être a-t-elle eu raison de partir. Si j'ai pu vous retrouver, d'autres pourraient le faire aussi. J'imagine quc vous n'avez aucune idée de l'endroit où elle est allée ?

— Non…

— Peut-être est-ce sage aussi, admit Stoker à regret. Elle va probablement bien pour l'instant. Vous n'avez pas commis d'erreurs.

— Et elle ? Qu'est-ce qui va se passer s'ils la retrouvent ?

— Nous ferons tout notre possible pour les devancer, promit Stoker follement.

Il savait pertinemment que son attitude n'avait rien de professionnel. L'influence de Pitt se faisait sentir sur lui !

Dobson hocha la tête lentement.

— Merci, monsieur, dit-il d'un ton solennel.

— Il faut que vous m'aidiez, enchaîna Stoker avec gravité. Je ne peux pas les arrêter sans votre aide…

— Je ferais n'importe quoi ! coupa Dobson avec ferveur.

— Pourquoi avait-elle peur ?

— Elle avait vu et entendu certaines choses, répondit Dobson aussitôt. Elle ne m'a pas dit quoi. Je l'ai interrogée, je lui ai conseillé d'avertir la police, mais elle a affirmé que ça ne servirait à rien. Et ce n'est pas la peine de vous mettre en colère contre moi !

Vous croyez que si j'en savais davantage, je ne vous le dirais pas ?

— Si, répondit Stoker avec franchise. Merci, Mr. Dobson. Si nous retrouvons Kitty, nous la protégerons…

— Comment ? rétorqua Dobson. Vous ne savez même pas qui en a après elle.

C'était un défi plus qu'une question.

— Non, avoua Stoker.

Il prit une inspiration, prêt à s'engager à le découvrir, puis se rendit compte qu'il avait déjà fait assez de promesses irréfléchies. Celle-ci serait faite en silence, et adressée à lui-même seulement.

Le même soir, Pitt était assis au coin du feu, chez lui, dans Keppel Street. Les rideaux de la porte-fenêtre qui donnait sur le jardin étaient tirés, mais il entendait le vent et la pluie cingler les vitres. Les enfants étaient couchés.

Ce fut Charlotte qui aborda de nouveau le sujet de l'inconnue retrouvée dans la carrière.

— Crois-tu que ce soit terminé ? demanda-t-elle en reposant son ouvrage de broderie.

Pitt aimait la regarder coudre. L'aiguille allait et venait entre ses doigts, étincelante à la lumière, tintant à un rythme régulier et plaisant contre le dé.

— De quoi parles-tu ?

Il n'avait pas prêté attention à sa question. À vrai dire, il était à demi assoupi, bercé par la chaleur du foyer, Charlotte si près de lui qu'il lui suffisait de se pencher pour la toucher.

— L'affaire Kynaston, répondit-elle. Chaque jour, je m'attends à apprendre que Somerset Carlisle a soulevé une nouvelle question à la Chambre. Tu sais que ce n'était pas le chapeau de Kitty, mais tu ne peux pas être sûr qu'il ne s'agit pas d'elle, si ?

Il soupira, se forçant à réfléchir.

— Non, et il n'y a pas d'autre indice, donc aucune piste à suivre. Nous devons renoncer.

— Pourtant, quelque chose n'allait pas ! protesta-t-elle. Kynaston n'a-t-il pas admis qu'il avait une maîtresse ?

— Oui, mais ce n'était pas Kitty Ryder.

— Tu le crois ? rétorqua-t-elle, les sourcils froncés.

— Oui.

Il se redressa.

— D'après les autres domestiques, Kitty était une fille ambitieuse, pas le genre à avoir une liaison qui aurait pu lui coûter sa place. Ou pire encore, la laisser enceinte, à la rue, sans argent et sans avenir. Quant à Kynaston, je ne crois vraiment pas qu'il aurait été capable de la tuer pour dissimuler une partie de jambes en l'air. J'ignore pourquoi Kitty est partie, mais je ne crois pas à une histoire de chantage. Il semble bien qu'elle se soit enfuie avec Dobson. Peut-être a-t-elle eu honte de revenir.

— Ou qu'elle était déjà enceinte et qu'elle l'a épousé ? Je suppose que vous avez consulté tous les registres d'état civil ?

Pitt sourit.

— Oui, ma chérie.

— Oh !

Elle demeura quelques instants silencieuse. On n'entendait que le crépitement du feu et de la pluie contre les fenêtres.

— Dans ce cas, que manigance Somerset Carlisle ? demanda-t-elle enfin. Pourquoi a-t-il posé cette question à la Chambre ? Il devait bien avoir une raison ! D'ailleurs, comment était-il si bien informé ?

— Je ne sais pas, avoua Pitt. Il doit avoir une idée de ce qui se passe ou du moins le croire. L'information n'est pas si difficile à obtenir ; il a peut-être des amis dans la police ou dans les journaux.

— Que pourrait-il savoir que nous ignorons ? Il doit s'agir de Kynaston, forcément ?

— Ou de sa maîtresse, corrigea-t-il, songeur. Il a peut-être les moyens de découvrir de qui il s'agit.

— Quelle importance cela aurait-il ?

Perplexe, elle avait oublié sa broderie.

— Je veux dire, cela aurait-il de l'importance pour Somerset ? S'il s'agissait de quelqu'un qu'il connaissait, ce serait sûrement la dernière chose au monde qu'il voudrait voir exposée publiquement, non ?

À moins qu'il ne s'agisse d'une femme que Carlisle haïssait ? Pitt rejeta aussitôt cette idée. Carlisle avait beau être à bien des égards imprévisible, il ne se serait pas abaissé à user de son privilège parlementaire pour conduire une vendetta privée.

Charlotte l'observait.

— Qu'y a-t-il ?

— Je ne sais pas. Le rôle joué par Talbot me trouble, pourtant je n'arrive pas à mettre le doigt sur ce qui me gêne. Carlisle le déteste. Cela se sent à ses manières et à sa voix, polie et parfaitement contrôlée, totalement neutre. Je n'aime pas Talbot non plus et je suis tout à fait sûr que c'est réciproque. À son avis, c'est un gentleman qui devrait occuper mon poste.

Il se sentit soudain gêné en disant cela. Charlotte était issue d'une famille fortunée qui jouissait depuis longtemps d'un rang élevé dans la société – non pas la haute société, comme Vespasia, mais largement au-dessus de la position de sa propre famille. Une génération auparavant, il aurait été son valet, non pas son mari. Il en avait davantage conscience qu'elle. Et l'attitude de Talbot le lui avait cruellement rappelé.

— Alors, c'est un sot, riposta Charlotte avec colère. On ne peut pas confier un poste aussi important à quelqu'un en vertu de son seul nom. Il faut que ce soit le meilleur homme qui l'occupe ! Essayer de saper ce principe revient à être déloyal envers le pays. Et je ne manquerais pas de le lui rappeler, s'il avait l'audace de faire cette remarque en ma présence.

Il rit, mais c'était un rire un peu jaune. Il savait qu'elle en était parfaitement capable.

— Vas-tu parler à Carlisle de nouveau ?

— Pas avant d'avoir des questions spécifiques à lui poser. Nous nous connaissons trop bien pour que je puisse le tromper un seul instant. J'aimerais être aussi bon juge des caractères que lui !

— Je suis contente que tu ne lui ressembles pas, dit-elle doucement.

Le lendemain matin, Pitt était dans son bureau, occupé à lire divers rapports émanant d'agents en poste aux quatre coins du pays, quand Stoker se présenta. Il n'y avait rien de stoïque chez lui ce jour-là. Son visage d'ordinaire lugubre était éclairé par la satisfaction. Ses yeux brillaient.

Pitt n'était pas d'humeur à perdre du temps en politesses.

— Qu'y a-t-il ?

— J'ai retrouvé Harry Dobson, annonça Stoker sans se faire prier. Il s'est mis à son compte, c'est pourquoi nous ne pouvions pas le localiser. C'est un type ordinaire, mais correct. Je me suis renseigné sur lui. Il n'a pas de casier judiciaire. Pas de dettes. On n'a rien à lui reprocher…

— Venons-en au but. Où est Kitty Ryder ?

— J'y arrive. Elle s'est enfuie de Shooter's Hill avec Dobson parce qu'elle savait quelque chose. Elle avait peur qu'on ne la tue si elle restait. Elle a refusé de dire à Dobson ce que c'était, mais quand les journaux ont rapporté la découverte d'un corps, elle a été convaincue qu'elle était de nouveau en danger et elle est partie. Elle n'a pas voulu lui dire où elle allait. Peut-être qu'elle ne l'avait pas encore décidé.

Ses traits se crispèrent.

— Ou qu'elle avait l'intention de continuer à se déplacer, parce qu'elle était trop terrifiée pour se fixer quelque part.

— C'est ce que Dobson vous a dit ?

— Je le crois, insista Stoker.

Une certitude absolue s'entendait dans sa voix et se lisait sur ses traits.

— Il semble très attaché à elle et, pour être franc, je ne pense pas qu'il soit capable de mentir. D'ailleurs, cela correspond à ce que nous savions déjà.

— Mais il reste beaucoup de questions sans réponses, maugréa Pitt.

Que craignait Kitty Ryder ? Qui était à ses trousses ? Tout comme Stoker, il voulait croire qu'elle était encore en vie. Il voulait également croire que Kynaston ne lui avait pas fait de mal et que le corps de la carrière était celui d'une inconnue – et bien sûr, à vrai dire, il espérait toujours que cette affaire était du ressort du commissariat local.

— Monsieur ? pressa Stoker d'un ton un peu sec.

Pitt revint au présent.

— Je suppose que vous avez vérifié qu'elle avait été vue avec Dobson après sa disparition ?

— Oui, monsieur. Je n'ai qu'un seul témoin pour l'instant, mais je n'ai découvert Dobson que tard hier après-midi. J'ai eu de la chance qu'il soit encore à son atelier.

— Tard, vous dites ? répéta Pitt, intrigué.

— Oui, monsieur. Vers sept heures du soir.

Une légère rougeur colorait les joues de Stoker.

— Vous avez pris sur votre temps libre, observa Pitt.

Stoker rougit davantage.

— Je pensais que c'était important, monsieur, dit-il, sur la défensive.

Pitt se cala dans son siège et le considéra avec un intérêt mêlé de compassion. Cette détermination à retrouver une personne disparue était une facette de Stoker qu'il n'avait pas vue auparavant. Il était intéressant aussi que ce dernier paraisse gêné. Loin d'en éprouver de l'irritation ou du mépris, Pitt ne l'en appréciait que davantage. Son dévouement révélait une bonté, une vulnérabilité qu'il n'avait pas soupçonnées chez lui.

— Vous avez sans doute raison, acquiesça-t-il. La question est la suivante : qu'a-t-elle appris de si terrible, ou imaginé de si terrible, pour s'enfuir sans rien emporter, sans dire un mot à quiconque ? Et pourquoi n'a-t-elle pas donné de nouvelles aux Kynaston ou ne s'est-elle pas présentée à la police, pour dire qu'elle était en vie et en bonne santé ?

— J'y ai réfléchi, monsieur, déclara Stoker, qui s'était quelque peu ressaisi. D'après ce qu'elle a dit à Dobson, elle pensait que quelqu'un la poursuivait et ne voulait pas lui dire qui. Mais personne n'irait aussi loin pour dissimuler une simple liaison, avec qui que ce fût.

— Non, admit Pitt. En fait, je me demande si Kynaston ne m'a pas fait cet aveu pour satisfaire ma curiosité et me dissuader de chercher ailleurs.

Stoker se mordit la lèvre.

— C'est la conclusion qui s'impose, monsieur.

— Bon sang ! grogna Pitt. Il faut tout reprendre depuis le début. Dobson a-t-il confirmé que le sang et les cheveux retrouvés sur les marches étaient ceux de Kitty ? Si oui, que s'est-il passé ? Je suppose que ce n'est pas lui qui a eu une altercation avec elle ? Ont-ils été mis là dans le but de nous induire en erreur ? Ou a-t-on essayé de l'empêcher de fuir ? Il est difficile d'imaginer qu'il s'agisse d'une simple coïncidence.

Stoker s'empourpra de nouveau.

— Je ne lui ai pas posé la question. Je vais retourner le voir. C'était vraisemblablement un accident. Peut-être a-t-elle trébuché.

— Je peux croire à un accident, admit Pitt. Mais pas à deux. Qui est la femme de la carrière ? Aucune disparition n'a été signalée à la police du quartier, même dans un rayon de plusieurs miles. Vu les mutilations qu'elle a subies, il n'y a pas d'accident qui tienne.

— Non, monsieur. Quelqu'un joue à un drôle de jeu avec nous. L'enjeu doit être gros.

— En effet, répondit Pitt d'un ton grave. Et je ne suis même pas sûr de savoir quels sont les joueurs.

— Mr. Carlisle est-il un joueur ou un pion ?

— Cela aussi, je l'ignore. Mais je le connais depuis très longtemps et je penche pour la première hypothèse.

— De quel côté est-il ?

— Du nôtre – je l'espère.

— Et Mr. Kynaston ?

— Nous allons commencer par lui. Déléguez tout le reste pour l'instant.

— Bien, monsieur.

11

Pitt fut arraché au sommeil par la main de Charlotte sur son épaule. Elle le secouait, avec gentillesse mais fermement. Quand il ouvrit les yeux, une aube grisâtre éclairait la pièce. C'était le 1er mars. Le soleil se levait chaque jour un peu plus tôt. Dans trois semaines, ce serait l'équinoxe, le premier jour du printemps.

La veille au soir, il avait relu tous les documents en sa possession sur l'affaire Kynaston. C'était en ces termes qu'il y pensait, puisqu'elle avait ses racines au domicile de ce dernier. Il ne s'était couché que vers une heure et demie, lorsque les pages avaient commencé à se brouiller devant ses yeux.

— Pardon, marmonna-t-il en se redressant à regret.

Il avait la tête lourde, une douleur sourde à la nuque.

— Il n'est pas si tard, répondit-elle.

Sa voix était douce, mais il la connaissait trop bien et depuis trop longtemps pour ne pas percevoir la tension qui l'habitait.

Il fut brusquement tout à fait éveillé.

— Qu'est-il arrivé ?

Les pensées se bousculèrent dans son esprit. Il songea d'abord aux enfants, puis à Vespasia, et même à la mère de Charlotte. Il se raidit, brusquement glacé.

— On a découvert un nouveau corps dans la carrière de Shooter's Hill, expliqua-t-elle, le visage anxieux, le front barré d'un pli.

Une bouffée de gratitude envahit Pitt, et il eut l'impression que le sang recommençait à circuler dans son corps.

— Je m'habille et j'y vais, dit-il en repoussant les couvertures. Qui a téléphoné ? Je n'ai rien entendu.

— Stoker est en bas. Il est venu en fiacre. Je vais lui servir un thé et une tranche de pain grillé pendant que tu te prépares, et il y aura la même chose pour toi quand tu descendras.

Il ouvrit la bouche pour protester, mais elle était déjà à la porte.

— Et ne me dis pas que tu n'as pas le temps ! ajouta-t-elle. Le thé sera prêt et tu pourras manger le toast en route.

Un quart d'heure plus tard, après s'être habillé et rasé à la hâte, il était assis à côté de Stoker dans le fiacre. Ils roulaient aussi vite que possible vers le sud dans le jour croissant, les roues grondant sur les pavés.

— Le commissariat du quartier m'a averti, expliqua Stoker. Je n'y suis pas encore allé, je suis venu vous chercher tout de suite. On m'a dit que celle-ci était pire. Bien pire.

— Une autre femme ?

— Oui. Avec les cheveux blonds, précisa Stoker sans le regarder.

Peut-être avait-il honte du soulagement qui perçait dans sa voix.

— Sait-on qui elle est ? Les policiers ne l'ont pas reconnue ?

Stoker fit non de la tête.

— Quand ils m'ont appelé, elle n'avait pas été identifiée. Peut-être ont-ils progressé depuis.

Ni l'un ni l'autre ne parla durant le reste du trajet. Le fiacre ralentit en abordant la côte qui traversait Blackheath pour gagner Shooter's Hill. Là, la campagne était dénudée, le vent fouettait les touffes d'herbe rêche qui poussaient entre les rares bouquets d'arbres encore dépourvus de feuilles. On apercevait des carrières au loin, inondées après les pluies d'hiver.

Pitt se raidit, s'efforçant de se préparer mentalement à la scène qui les attendait, comme s'il pouvait ainsi atténuer la violence de l'impact.

— Je ne vais pas vous attendre, avertit le cocher gravement, son visage buriné à demi dissimulé par l'écharpe qu'il portait autour du cou. Ça serait cruel pour mon cheval.

— Je ne songeais pas à vous le demander.

Pitt descendit d'un pas raide et paya l'homme plus que ce qu'il demandait.

Celui-ci changea brusquement d'attitude.

— Merci, dit-il, surpris. C'est généreux de votre part… monsieur.

Puis, craignant peut-être que Pitt ne se ravise, il pressa son cheval d'avancer, décrivit un demi-tour et repartit en direction de Greenwich.

Pitt et Stoker, affrontant le vent, se dirigèrent vers un groupe d'hommes rassemblés à une centaine de mètres de là. Le sol était jonché de petits cailloux et de mauvaises herbes. En un instant, leurs bottines furent maculées de boue pâle et sableuse.

Un homme perçut leur présence du coin de l'œil, se retourna et vint à leur rencontre, son cache-nez battant au vent. Il s'arrêta avant de les avoir rejoints et salua Stoker d'un signe de tête avant de s'adresser à Pitt :

— Désolé, monsieur. Elle ressemblait trop à la dernière pour qu'on ne vous prévienne pas. Par ici.

Il repartit en sens inverse, courbé en avant, marchant sans bruit sur la terre spongieuse.

Pitt et Stoker lui emboîtèrent le pas, chacun perdu dans ses pensées.

Le sergent était le même que la fois précédente. Il semblait las et grelottait.

— Faites attention à ces empreintes là-bas, ordonna-t-il, désignant ce qui ressemblait à un chemin. On dirait qu'une carriole à cheval est passée là, ou quelque chose du même genre. Ça n'a peut-être rien à voir avec le corps, mais il est bien probable que c'est là-dedans que ce salopard l'a amenée.

— Elle n'est pas morte ici ? demanda Pitt.

L'homme se mordit la lèvre.

— Non, monsieur. D'après ce qu'on peut en déduire, elle a dû être vraiment belle. Il faudra que le doc nous le confirme, mais je dirais qu'elle est morte depuis quelque temps déjà. Au moins une semaine ou deux, en tout cas.

— Le corps était dissimulé ?

— Justement non. Pas du tout. Elle était exposée au regard de n'importe quel passant. On n'aurait pas pu la manquer, la malheureuse.

— Elle a donc été déposée là très récemment ?

— Cette nuit. C'est pour ça que ces empreintes ont de l'importance, ou pourraient en avoir.

— Qui l'a trouvée ?

— Un jeune couple, répondit le sergent avec une petite grimace. Ils ont passé la nuit dehors. Le jeune gars ramenait la fille chez elle pour qu'elle puisse prétendre avoir couché dans son lit, hein. Ça ne va tromper personne, maintenant ! conclut-il avec un rire bref.

— Au moins, ils l'ont signalé, observa Pitt en réglant son allure sur la sienne. Ils auraient pu passer leur chemin, et nous aurions peut-être mis beaucoup plus de temps à la trouver. Avec le vent et la pluie, nous n'aurions pas découvert ces empreintes de roues. Jusqu'où vont-elles ?

— Jusqu'au chemin principal, là-bas. Ensuite, elles se perdent dans les ornières. Mais il est sûrement arrivé par là. Il n'y a pas vraiment d'autre possibilité.

— Ce qui veut dire qu'elle a été déposée ici exprès, fit remarquer Pitt alors qu'ils rejoignaient le groupe.

Les hommes avaient beau se serrer les uns contre les autres, le vent s'immisçait entre eux, cinglant leurs écharpes et les pans de leurs manteaux, couchant les herbes à leurs pieds.

Ils s'écartèrent pour laisser passer Pitt, qui se pencha pour regarder la victime étendue dans un creux naturel du terrain. Ses vêtements étaient étalés autour d'elle, sombres, sans forme ni couleur reconnaissable dans la lumière blafarde du matin. Pitt fut frappé par la beauté de ses cheveux blonds, épais et extraordinairement longs.

Son visage, en revanche, était déjà altéré par la mort et, comme le corps précédent, horriblement lacéré, sans doute au moyen d'une lame aiguisée. Les yeux, le nez et les lèvres avaient disparu. De petits animaux avaient commencé à ronger la chair en décomposition. Le sergent avait raison : elle était morte depuis un certain temps avant d'avoir été déposée là.

Pitt se redressa, s'efforçant de maîtriser l'horreur et la pitié qui le submergeaient.

— De quoi est-elle morte ? Je ne vois rien d'évident.

Il tremblait de tous ses membres, sans pouvoir s'en empêcher. Son regard alla d'un homme à l'autre.

Le sergent prit la parole, d'une voix sourde et rauque.

— Elle a les entrailles salement amochées et les deux jambes brisées, en haut, en travers des…

D'un geste, il désigna le haut de ses cuisses.

— Dieu sait ce qui lui est arrivé.

— Il n'y a pas de sang, commenta Pitt avec surprise.

Autour de la morte, seules étaient visibles de petites empreintes de pattes.

— Et elle n'était pas là hier soir ? insista-t-il.

— Quelqu'un l'aurait vue, affirma le sergent. Le sentier principal est à deux pas. D'ailleurs, ses vêtements sont humides, mais pas détrempés. Et puis, il y a les traces de roues. Non, elle a été mise là après la tombée de la nuit. Dieu seul sait pourquoi ! Mais si nous attrapons le salaud qui a fait ça, vous n'aurez pas besoin du bourreau…

Un des jeunes hommes s'éclaircit la voix.

— Monsieur ?…

Pitt le regarda.

— Monsieur, elle est dans une drôle de position. On dirait qu'elle a eu la colonne vertébrale tordue. J'étais là quand on a trouvé la première femme, et elle était exactement dans cette position – exactement. À croire que c'est le même crime qui se répète.

Pitt revit mentalement la jeune femme qu'ils avaient crue être Kitty. En effet, là aussi, une douleur atroce semblait lui avoir arqué le dos.

Le vent avait forci. Il gémissait dans les branches, malmenant les tiges des plantes mortes.

— Vous avez raison. Bien observé. Je présume que le médecin est en route ?

— Oui, monsieur.

— Bien. Je vais m'entretenir avec le couple qui l'a découverte en l'attendant. Autant les libérer. Pouvez-vous me dire autre chose au sujet de cette femme ? Personne ne sait qui elle est ?

— Aucune idée, monsieur. Sauf que la qualité de sa veste suggère qu'il pourrait s'agir d'une autre femme de chambre. J'ai examiné ses mains, et elle a de légères cicatrices de brûlures, comme la première. Et puis… il y a un mouchoir dans sa poche, un mouchoir brodé en dentelle avec un R cousu dessus. Pour autant que je puisse en juger, c'est exactement le même que celui de l'autre fois. Et pire, monsieur, on a trouvé ça sur elle.

Il sortit une enveloppe de sa poche et en fit glisser le contenu dans sa paume : une chaîne et un superbe médaillon en or, au tour en forme de pétales. Au dos se lisaient les initiales BK en lettres ornées. Bennett Kynaston ? Ce devait être la chaîne et le médaillon de la montre que Dudley Kynaston affirmait lui avoir été volée.

— Je vois d'ici les conclusions que les journaux vont en tirer, grommela-t-il d'un ton sombre. Montrez-moi le mouchoir, je vous prie.

C'était un petit carré blanc de batiste, bordé de dentelle, avec un R brodé dans le coin, agrémenté d'un motif de petites fleurs. Il était en tout point identique au précédent.

— Je vais voir Kynaston, déclara Pitt au sergent avant de se tourner vers Stoker. Restez ici. Parlez au jeune couple. Apprenez tout ce que vous pouvez et rejoignez-moi au commissariat ou à la morgue. Et faites en sorte que cette affaire soit traitée en priorité, vu ?

— Oui, monsieur, répondirent le sergent et Stoker d'une seule voix.

Pitt avait froid et mourait de faim lorsqu'il toqua à la porte d'entrée des Kynaston. Cette fois, il ne s'intéressait ni aux marches de la cour, ni aux serviteurs, à moins qu'ils ne puissent corroborer les dires de leur maître.

Norton vint lui ouvrir et l'accueillit d'un air morose. Aucune personne bien élevée ne venait à cette heure. Cette visite n'augurait rien de bon.

— Bonjour, Mr. Pitt, dit-il froidement. Puis-je vous aider ?

— Oui, merci.

Pitt fit un pas en avant, obligeant Norton à s'effacer devant lui ou à lui barrer le chemin.

— Je suis désolé pour l'état de mes bottines. Elles sont malheureusement très sales. J'arrive de la carrière… une fois de plus.

Il savait que sa voix tremblait. Il avait les muscles et l'estomac noués, et se sentait aussi glacé que le cadavre mutilé là-haut, en plein vent, à cinq cents mètres de là. Il avait essayé, vraiment essayé, de chasser cette vision de son esprit, de se concentrer sur sa tâche, mais il en était incapable.

Norton, tout pâle, déglutit avec difficulté.

— Je suis sûr que le valet pourra vous les nettoyer, monsieur. Puis-je vous proposer une paire de pantoufles entre-temps ? Et un thé bien chaud ?

Pitt hésita. Il avait la bouche sèche, mais il était en service concernant un crime particulièrement vil. Accepter des pantoufles propres était une politesse nécessaire envers les bonnes qui devraient nettoyer les tapis. Le thé, en revanche, était un luxe dont il pouvait se passer.

— C'est très aimable à vous. J'accepte les pantoufles, mais pas de thé, merci. Je désire m'entretenir avec Mr. Kynaston dès que possible. Vous allez sans aucun doute apprendre très vite que nous avons découvert un nouveau cadavre dans la carrière. Il ne s'agit pas de Kitty Ryder, s'empressa-t-il d'ajouter face au visage horrifié de Norton. De fait, il est fort possible que Kitty soit vivante et en parfaite santé.

Il regretta aussitôt ses paroles. Norton ne manquerait pas de les répéter à son maître. Pitt avait perdu l'occasion de prendre Kynaston par surprise.

— Je suis désolé, mais c'est urgent, ajouta-t-il.

— Oui, monsieur, acquiesça Norton. Je vais l'informer immédiatement. Si vous désirez attendre dans le petit salon, il y fait plus chaud. Voyez si ces pantoufles vous vont.

Pitt retira ses chères bottines, puis suivit Norton au salon.

Kynaston arriva quelques instants plus tard, la mine grave et anxieuse. Il ferma la porte derrière lui et demeura debout.

— Norton m'annonce que vous avez découvert le corps d'une autre femme, dit-il sans préambule.

— Oui, monsieur, je le crains. Celle-ci a été mutilée également et semble décédée depuis un certain temps, mais n'a été déposée sur les lieux que la nuit dernière.

Kynaston devint livide.

— Enfin, mon brave, pourquoi me dites-vous cela ? s'écria-t-il d'une voix rauque. Pensez-vous qu'il s'agisse enfin de Kitty ?

Norton ne lui avait donc rien dit ! N'en avait-il pas eu l'occasion ou sa loyauté n'était-elle pas aussi entière que l'on aurait pu le soupçonner ?

— Non, monsieur, c'est impossible. Cette femme a les cheveux blonds. De plus, nous avons retrouvé Harry Dobson. Il affirme que Kitty était avec lui, mais qu'elle l'a quitté depuis. Nous avons vérifié. Elle a bel et bien été vue depuis son départ d'ici.

— Et vous n'avez pas songé à nous avertir ? explosa Kynaston, furieux.

Ses yeux lançaient des éclairs, ses joues étaient devenues écarlates.

— Qu'avez-vous donc, que diable ? Quoi que vous pensiez de moi, n'avez-vous aucun égard pour ma femme ? Ou les autres domestiques ? Elle faisait partie de notre personnel ! Nous étions attachés à elle !

Piqué au vif par ces accusations, Pitt en éprouva aussi une certaine satisfaction. Au moins Kynaston manifestait-il des signes d'humanité.

— Nous ne l'avons su qu'hier, monsieur, répondit-il calmement. Le sergent Stoker a pris sur son temps libre pour le chercher. Et ce matin à l'aube, on m'a réveillé pour me parler de ce second corps. La femme portait un mouchoir identique à celui de la première victime.

Il sortit la chaîne en or de sa poche et la posa sur la petite table.

— Elle avait aussi ceci…

Les genoux de Kynaston se dérobèrent sous lui, et il se laissa brusquement tomber sur une chaise, blanc comme un linge.

— C'est la mienne. Celle qui me vient de mon frère. C'est pourquoi j'ai été si bouleversé quand elle a été volée.

— Où le vol a-t-il eu lieu, monsieur ? Même approximativement ?

— Dans Oxford Street. La rue était bondée. Je ne m'en suis aperçu que plus tard, quand j'ai voulu regarder l'heure. Quelqu'un essaie de donner l'impression que je suis impliqué dans cette histoire ! ajouta-t-il, d'un ton accablé. Dieu seul sait pourquoi ! J'ignore tout de ces femmes et de la manière dont elles sont arrivées là…

Il leva les yeux.

— Si ce n'est pas Kitty, ce dont je suis profondément reconnaissant, alors qui est-ce ? Et pourquoi ne faites-vous pas tout ce qui est en votre pouvoir pour le découvrir et arrêter l'auteur de ces abominations ?

Pitt contrôla son irritation avec difficulté.

— C'est à la police ordinaire de s'en charger, Mr. Kynaston. En ce qui me concerne, je représente la Special Branch et ma mission consiste à veiller à la sécurité du pays. Dans cette affaire, il s'agit de vous protéger et de protéger votre réputation de sorte que vous puissiez poursuivre votre activité dans la marine.

Kynaston enfouit la tête dans ses mains.

— Oui… bien sûr. Excusez-moi. Si vous savez quand ce dernier corps a été déposé, je vous dirai où j'étais.

— Cela s'est passé la nuit dernière, entre le crépuscule et le lever du soleil. Je ne peux vous fournir plus de précisions pour l'instant. Peut-être serai-je à même de le faire après avoir vu le médecin de la police, lorsqu'il aura eu la possibilité de l'examiner de plus près. Elle est morte depuis un certain temps.

— Comment… comment est-elle morte ?

— Je l'ignore. Cependant, il n'est pas nécessaire de le savoir pour vous éliminer en tant que suspect. Où étiez-vous entre le coucher du soleil hier soir et, disons, six heures ce matin ?

Kynaston parut vaguement surpris.

— J'étais au lit cette nuit, comme tout le monde.

— Depuis le coucher du soleil, monsieur ?

— J'ai dîné dehors… à mon club. J'avais travaillé tard, j'avais faim et je voulais manger avant de rentrer à la maison.

Sa voix était tendue, mais Pitt n'aurait su dire si c'était un effet de l'irritation ou de la peur.

— Avez-vous dîné seul ? L'un des serveurs se souviendrait-il de vous ?

— Je devais examiner certaines questions en vue d'une réunion. Je n'étais pas d'humeur à parler de tout et de rien, si agréable cela soit-il. Le serveur se souviendra certainement de moi. Interrogez-le.

— Je le ferai, monsieur. Pouvez-vous me donner le nom et l'adresse de votre club ? Et, si possible, le nom du serveur qui s'est occupé de vous ? Je lui parlerai moi-même. À quelle heure êtes-vous parti ?

— Je n'en suis pas sûr. Il devait être environ neuf heures et demie.

— Et vous êtes arrivé à quelle heure ?

— La circulation était dense. Il y avait eu un accident idiot : un homme qui avait perdu le contrôle de ses chevaux. Je suis rentré assez tard, vers onze heures, me semble-t-il. Norton vous le confirmera.

— Avez-vous parlé à Mrs. Kynaston ?

Pitt et Charlotte partageaient le même lit, mais il savait que ce n'était pas le cas de tout le monde, surtout lorsque les gens possédaient une grande maison et qu'ils étaient mariés depuis un certain temps.

— Il était inutile de la déranger, répondit Kynaston.

Il esquissa un sourire amer.

— Si vous pensez que je me suis faufilé au-dehors sans être vu, et que j'ai Dieu sait comment traîné le cadavre d'une pauvre femme jusqu'à la carrière avant de revenir me coucher, vous vous demanderez peut-être comment j'y suis parvenu sans ameuter toute la maisonnée.

Pitt sourit.

— Franchement, monsieur, je ne crois pas que vous ayez fait quoi que ce soit. Néanmoins, quelqu'un l'a fait. Tout ce dont j'ai besoin, c'est d'être sûr qu'il n'a pas pu s'agir de vous ni de personne dans cette maison…

Kynaston soupira.

— Vous faites votre travail, je suppose. Je suis fichtrement content que ce ne soit pas le mien ! Mais j'imagine que quelqu'un doit s'en charger.

— En effet, monsieur, répliqua Pitt, blessé. Il est fort déplaisant d'avoir affaire à la noirceur et à la tragédie. Et si c'était votre épouse ou votre fille qui gisait là-bas, vous voudriez que je fasse tout ce qui est en mon pouvoir pour découvrir la vérité, fût-ce dérangeant pour certains.

Il prit une inspiration.

— Avec votre permission, je souhaite interroger les domestiques.

À sa grande surprise, Kynaston ne se mit pas en colère. Au contraire, il pâlit et se mit à trembler.

— Je suis désolé, murmura-t-il. J'ai parlé sans réfléchir. Cette affaire est terriblement bouleversante.

Pitt se reprocha d'avoir eu des paroles aussi dures. Il n'avait fait que dire le fond de sa pensée, mais il avait eu tort de perdre son sang-froid. Peut-être serait-il plus sage de ne pas poursuivre cet entretien avant de s'être ressaisi.

— Je vous tiendrai au courant, monsieur, si nous retrouvons Kitty Ryder.

— Je vous remercie. Norton va vous raccompagner.

Dans le vestibule, Norton lui remit ses bottines nettoyées et cirées en échange des pantoufles. Pitt le remercia et s'en alla.

Il passa le reste de la matinée à vérifier les dires de Kynaston. Quoiqu'il ne doutât pas de lui, il tenait à avoir des preuves de manière à pouvoir réfuter d'éventuelles accusations portées par des journalistes. Surtout, il devait pouvoir répondre avec assurance, et même avec aplomb, aux questions que Somerset Carlisle risquait de poser à la Chambre.

Quand arrivèrent deux heures de l'après-midi, il était fatigué et abattu. Son estomac grondait, et la faim le tenaillait au point qu'il était presque étourdi lorsqu'il s'assit à une petite table dans un pub. Il commanda un pudding au bœuf et aux rognons arrosé d'un verre de cidre, mais ne se sentit guère mieux de manger.

Kynaston s'était en effet rendu à son club. Cependant, il était parti au moins une heure plus tôt et arrivé une heure plus tard qu'il ne l'avait affirmé. Pitt n'avait pas non plus trouvé trace d'un accident de circulation ayant pu causer un quelconque retard. Il avait chargé Stoker d'interroger les cochers, car ces derniers étaient la source la plus fiable d'informations concernant les conditions de circulation dans les rues. Leur gagne-pain en dépendait. Les nouvelles de retards, accidents, mésaventures en tout genre se répandaient parmi eux comme une traînée de poudre, surtout s'ils concernaient les artères fréquentées reliant le centre de Londres, où se trouvait le club de Kynaston, et les quartiers résidentiels tels que Shooter's Hill. Or, nul n'avait rien rapporté d'inhabituel.

La serveuse passa à côté de lui, s'assurant qu'il était content de son repas. Il la remercia d'un sourire et prit une autre bouchée.

Pourquoi Kynaston avait-il menti ? À l'évidence, il avait peur, mais de qui ? De quoi ? Où était-il allé pendant ce trou inexpliqué dans son emploi du temps ?

Peut-être fallait-il en revenir à sa maîtresse ? La disparition de Kitty Ryder n'occupait plus les esprits. Les journaux s'intéressaient à d'autres faits divers. La police souhaitait toujours identifier le premier corps, mais était allée aussi loin qu'elle le pouvait, de sorte que Kynaston avait raisonnablement pu penser que sa vie avait repris son cours normal. Seule la découverte d'un nouveau corps dans la carrière avait tout ramené à la surface.

Pitt continua à manger, se réchauffant peu à peu.

Cette nouvelle découverte macabre allait à n'en pas douter faire la une des journaux. L'horreur des faits décuplerait les ventes. En tant que personnalité en vue, Kynaston serait un coupable tout désigné, offrant à la presse une tentation à laquelle elle n'essaierait même pas de résister.

Pitt devait peser sa réponse avant d'être convoqué par Talbot, ce qui allait se produire tôt ou tard.

Une autre pensée l'assaillit soudain. Kynaston connaissait-il l'auteur de ces abominables meurtres ? Le protégeait-il de son plein gré ? Ou avait-il peur de lui ? Un de ses proches était-il menacé ou impliqué ?

Pitt acheva son repas sans l'apprécier, vida son verre de cidre, puis se résigna à se rendre à Downing Street. Il devait rapporter ce dernier événement à Edom Talbot, même si celui-ci était sans doute déjà au courant.

Il ne se trompait pas. Il fut introduit immédiatement et reçu moins de dix minutes plus tard, signe que l'affaire était une priorité pour le gouvernement.

Talbot entra raide de fureur. Ses doigts bataillèrent avec la poignée et il claqua la porte malgré lui, un manque de sang-froid déplacé en ce lieu qui était à la fois la résidence et le cabinet du Premier ministre. Il se vengea sur Pitt.

— Que diable fabriquez-vous, Pitt ? grogna-t-il d'une voix sourde, empreinte de colère. Je pensais que vous aviez le contrôle de la situation !

Pitt s'exhorta au calme. Narraway serait resté maître de lui en toutes circonstances. Il avait un caractère emporté – Pitt le savait très bien –, mais beaucoup trop de dignité pour se laisser manipuler. Cette pensée le soutint. Il s'y cramponna.

— Nous l'avions, monsieur, rétorqua-il froidement, jusqu'à la découverte de ce nouveau cadavre. La victime n'a pas été identifiée pour l'instant. J'attends que le médecin de la police me donne le résultat de ses observations. Ma première préoccupation a été de m'assurer que ni Mr. Kynaston ni son personnel ne puissent faire l'objet de soupçons.

— Et ?

L'angoisse de Talbot était palpable. Ses traits étaient crispés, les muscles de son cou si noués qu'il pouvait à peine tourner la tête sans un tressaillement de douleur. Son haut col rigide devait lui mordre la chair.

— Ses réponses m'ont convaincu, cela dit elles ne satisferaient ni la police ni les journaux. Et encore moins un jury.

Talbot semblait ne pas respirer, pourtant une veine battait à sa tempe.

— Soyez précis, mon cher ! aboya-t-il. Que voulez-vous dire ? Le Premier ministre ne peut pas se contenter de « si » et de « peut-être ». Kynaston est-il impliqué, oui ou non ? Si cet imbécile de Carlisle s'avise de poser d'autres questions au Parlement, le Premier ministre devra être en mesure de lui apporter une réponse convenable et définitive ! Je dois pouvoir affirmer qu'elle est exacte. Et qu'en dépit des apparences la Special Branch sait ce qu'elle fait !

Au prix d'un effort, Pitt reprit la parole d'un ton mesuré.

— La femme avait sur elle une chaîne de montre avec un médaillon très particulier. La première victime avait la montre, vous vous en souvenez certainement…

— Et alors ? La moitié des gentlemen de Londres en possèdent une, répliqua Talbot.

— Elle appartenait à Kynaston. Il l'a admis, tout comme il a reconnu la chaîne et le médaillon, qui porte les initiales BK. Il l'a héritée de son frère et elle a pour lui une valeur sentimentale. Il prétend qu'un pickpocket la lui a volée, dans Oxford Street ou à proximité.

Talbot demeura un instant silencieux.

Pitt attendit.

— Et vous le croyez ? demanda enfin Talbot.

— Je ne sais pas. Par ailleurs, un mouchoir identique au premier se trouvait dans la poche de la victime.

— Cela ne signifie rien ! lâcha Talbot sèchement.

— Même avec la chaîne, et le médaillon, sur deux femmes différentes, toutes les deux mortes et mutilées, abandonnées dans une carrière ? D'un autre côté, nous avons la preuve que la femme de chambre de Kynaston a été vue vivante bien après la découverte du premier corps et le second ne lui ressemble pas.

Talbot se détendit visiblement.

— Elle a été vue après la découverte du premier corps ? Dans ce cas, pour l'amour du Ciel, laissez Kynaston en paix ! Vous ne pouvez rien prouver ! Peut-être ce pickpocket est-il aussi le fou qui a tué ces femmes !

— Peut-être. Mais Mr. Kynaston a menti sur son emploi du temps hier soir.

— Eh bien, c'est qu'il a des affaires ou des loisirs qu'il ne souhaite pas rendre publics ! riposta Talbot. N'en est-il pas de même pour nous tous ? Il pouvait être en train de jouer aux cartes, de boire ou de fréquenter des prostituées ! Je m'en moque, tant qu'il n'était pas en train d'assassiner une femme à deux pas de chez lui !

— J'espérais avoir une réponse irréfutable à fournir aux journalistes, expliqua Pitt. Peut-être vont-ils considérer les passe-temps que vous mentionnez comme dignes d'attention, et je suis sûr que nous préférerions que ce ne soit pas le cas.

Il réprima difficilement un sourire. Un sourire plutôt narquois.

Talbot ouvrit la bouche, puis se ravisa.

— Tenez-moi informé, ordonna-t-il. Et tâchez d'éclaircir cette histoire sans y mêler les journaux.
— Oui, monsieur.

Il faisait nuit et la pluie tombait sporadiquement quand Pitt arriva à la morgue. Il savait que le cadavre de la carrière avait été examiné en priorité. Whistler devait avoir toutes les informations dont il avait besoin.

Il trouva le médecin dans son bureau. Il avait l'air las, et les joues un peu hâves. Ses vêtements étaient froissés et sa cravate s'était dénouée. Une bouilloire chauffait doucement sur un poêle à bois dans le coin. La pièce aurait été assez plaisante n'eût été sa proximité avec la morgue proprement dite. Tout véritable sentiment de bien-être était gâché par la pensée qu'à dix mètres d'eux des chambres froides abritaient des rangées entières de cadavres, et de tables sur lesquelles les mêmes cadavres seraient dûment ouverts et leurs entrailles examinées.

Whistler était debout, en train de retirer sa veste de travail pour la remplacer par une tenue de ville. Ses mains étaient roses, et il avait la peau un peu irritée, comme s'il venait de se frotter de toutes ses forces avec une brosse abrasive.

— Vous voilà, dit-il d'un ton fatigué. À vrai dire, je pensais que vous m'attendriez ici, comme un chien devant sa gamelle.

Il s'assit à son bureau, lequel croulait sous les piles de papiers rangés sans ordre apparent.

— Cela en aurait-il valu la peine ? demanda Pitt en refermant la porte, content de ne pas faire le travail de Whistler.

Ce dernier soupira.

— Un thé ? Il fait un froid de canard ici.

Sans attendre la réponse de Pitt, il posa la bouilloire au milieu du poêle et mit du thé dans une vieille théière en étain toute cabossée, qui avait dû être assez belle autrefois.

— La cause du décès est sans conteste une mauvaise chute, déclara-t-il. À en juger par l'état de cette malheureuse, elle a peut-être été défenestrée. Elle est tombée du deuxième étage au moins, voire de plus haut. Elle a de multiples fractures, certains os sont complètement fendus en deux. Le seul point positif, c'est qu'elle a dû mourir sur le coup.

Pitt grimaça malgré lui.

— Il y a combien de temps ?

— Ah !

Whistler versa l'eau bouillante dans la théière et inspira la vapeur parfumée.

— Ça, c'est plus difficile. Au minimum deux semaines, plutôt trois. Le corps a été conservé au froid, exactement comme le premier. Je n'aurais pas pu faire mieux moi-même. Elle n'a pas passé plus d'une nuit dehors. Mais je suppose que vous le saviez déjà. Vous prenez du lait ?

— Oui, s'il vous plaît, répondit Pitt sans conviction.

À vrai dire, il n'avait plus guère envie de boire ou de manger quoi que ce fût.

— Du sucre ?

— Non, merci.

— Je n'ai pas de cake à vous proposer. Il faut que j'arrête de manger autant. J'ai vu les tripes de trop de gens gros pour vouloir devenir comme eux.

Il tendit une des tasses à Pitt.

— Tenez.

— Merci. Vous disiez qu'elle a été gardée au froid pendant deux semaines au moins ? Vous en êtes sûr ?

Whistler lui lança un regard irrité.

— Évidemment que j'en suis sûr ! Vous avez un dément sur les bras ! Plus tôt vous l'arrêterez et vous l'enfermerez, mieux ce sera.

— Êtes-vous certain qu'elle a été assassinée ? insista Pitt, posant la question qu'il redoutait.

Whistler haussa les sourcils.

— Quoi ? Mon vieux, la moitié de ses os sont brisés. Elle n'est pas allée toute seule à la carrière en pleine nuit !

— Je n'ai rien suggéré de tel, rétorqua Pitt patiemment. A-t-elle pu succomber à une chute accidentelle et avoir été déplacée par la suite ?

— Deux à trois semaines après sa mort ? Et bon sang – les mutilations ! Elles n'ont pas été faites par des animaux ni par la nature – c'est grotesque, mon vieux : moralement obscène !

Whistler prit une profonde inspiration, puis exhala lentement.

— Enfin, je suppose qu'il n'est pas impossible que sa mort en soi ait été accidentelle – si on ne considère que cela, admit-il. Mais pourquoi ? Pourquoi un homme sain d'esprit garderait-il des semaines durant la victime d'un épouvantable accident, la mutilerait-il et la déposerait-il à la carrière – dans un endroit où on ne peut manquer de la voir ? S'il voulait se débarrasser du corps, pourquoi ne pas l'enterrer ? Ou même le jeter dans un des lacs qu'il y a par ici, lesté de quelques pierres ? D'ici à la fin de l'été, elle aurait été méconnaissable. Il n'y aurait pas eu la moindre possibilité de l'identifier ni de savoir qui l'avait laissée là. À supposer même qu'on l'ait trouvée !

Pitt réfléchit.

— Eh bien, il ne semble pas avoir été dérangé, par conséquent il devait vouloir qu'on la trouve.

Whistler le dévisagea.

— Nous avons un dément sur les bras, répéta-t-il.

— Peut-être…

— Si celui-là n'en est pas un à vos yeux, je prie le Ciel de ne jamais avoir affaire à un qui le soit ! lança-t-il d'un ton dégoûté.

— Y a-t-il autre chose que vous puissiez me dire ?

Pitt but son thé distraitement. Il était bon. Malgré la peur qui prenait forme, il se sentait réconforté par sa chaleur.

— Je vais vous faire un rapport détaillé, promit Whistler. Mais je doute de pouvoir vous aider beaucoup. Pour autant que je puisse en juger, elle avait entre vingt-cinq et trente ans et elle était bien nourrie. Compte tenu de son état, il est difficile d'en dire plus. Elle porte quelques cicatrices éparses aux mains exactement comme l'autre victime. Cela vous aide-t-il ?

Il posa sa tasse et y versa de l'eau chaude.

— Je ne crois pas, avoua Pitt. Nous demanderons aux commissariats de ce côté-ci du fleuve si on a signalé des disparitions récemment. Merci quand même.

— Désolé de ne pas pouvoir être plus précis quant à la date du décès. Cela ne va guère vous aider à éliminer d'éventuels suspects.

— Encore moins à savoir qui l'a mise là, rétorqua Pitt. À supposer que ça nous serve à quoi que ce soit !

Il remercia de nouveau le médecin et s'en fut, soulagé de retrouver le vent et l'air frais après l'atmosphère renfermée de la morgue.

Il marcha un moment, perdu dans ses pensées. Il n'était pas encore prêt à prendre une décision, et, de toute façon, il était trop tard pour agir ce soir-là. Autant rentrer à la maison. Après dîner, il aiderait Jemima à faire ses devoirs ou, du moins, ferait quelques suggestions. Il disputerait une petite partie de dominos avec Daniel, qui devenait un bon joueur. Dans un an ou deux, il n'aurait plus cette possibilité. Daniel et Jemima seraient absorbés par leur propre vie. Jemima serait sûrement amoureuse.

Compte tenu des circonstances, Charlotte aurait compris qu'il travaille tard, mais ce n'était pas une excuse pour le faire. Il avait envie de profiter de sa compagnie, sans penser à Kynaston, aux victimes ou à une éventuelle trahison.

Seul dans la nuit, le vent tourbillonnant autour de lui, il continua à réfléchir.

Essayait-on de donner l'impression que Kynaston était coupable de l'assassinat de ces femmes ? Quelle idée extraordinaire ! Plutôt qu'excentrique, elle était absurde. Puisque Kitty était encore en vie quelques jours plus tôt, le premier corps ne pouvait être le sien. Pourtant, on avait délibérément tenté de le suggérer en laissant la montre en or sur les lieux. Qui avait fait cela ? Et surtout, pourquoi ? Y avait-il vraiment eu un voleur ? Le récit de Kynaston était crédible et impossible à réfuter.

Il atteignit une grande artère et dut laisser passer deux équipages avant de traverser.

Somerset Carlisle avait-il manigancé tout cela ? Cette affaire à la fois bizarre et macabre ramenait Pitt des années en arrière, à Resurrection Row et à des cadavres. Avec un frisson mêlé d'amusement, il se remémora l'étrange dénouement. Peut-être aurait-il dû veiller à ce que Carlisle soit poursuivi ? Il n'en avait rien fait. C'était une des rares occasions où son sens de la justice l'avait poussé à enfreindre les règles. Carlisle avait-il toujours su qu'il en serait ainsi ? Sans doute.

Et si c'était à refaire, maintenant que Pitt connaissait infiniment mieux Vespasia et qu'il avait pour elle plus d'affection que pour quiconque hormis sa famille proche, comment pourrait-il se comporter différemment avec Carlisle, qui était son ami de longue date ? D'ailleurs, ce dernier lui était venu en aide à plusieurs reprises, alors qu'il en avait désespérément besoin.

Pitt pressa le pas, songeant qu'il avait désormais une dette envers lui, car Carlisle l'avait sauvé de l'embarras, voire de la disgrâce, devant Talbot. Bien sûr, il ne tenterait jamais de se faire rembourser cette faveur, mais elle n'en pesait que plus lourd sur ses épaules.

Maudit soit cet homme, son charme, son courage et sa conduite insensée !

Dès le lendemain matin, il chargerait Stoker d'enquêter plus précisément sur Kynaston, ses relations passées et présentes, personnelles et professionnelles. Avait-il un rival dans sa carrière ? Quelle était au juste sa situation financière ? Avait-il des dettes ? Comptait-il sur un héritage ? Et qui donc était cette maîtresse qu'il protégeait avec tant de soin et pour qui il était prêt à mentir ? Avait-il un rival, outre le mari de cette femme ? Pitt ne pouvait plus se permettre d'ignorer ces choses-là, même s'il lui répugnait de se renseigner. La montre et la chaîne l'y contraignaient.

12

Le lendemain matin, Victor Narraway se réveilla de bonne heure et ne fut pas le moins du monde surpris de trouver Pitt à sa porte alors qu'il s'apprêtait à prendre le petit déjeuner. Les journaux de la veille au soir ne parlaient que de la découverte d'un nouveau corps mutilé sur Shooter's Hill. Pour sa part, il avait passé une partie de la nuit à y réfléchir. Il ne s'était endormi que vers trois heures du matin, si épuisé qu'il était incapable de formuler des pensées cohérentes.

Il accueillit Pitt avec un sourire et pria son valet de lui servir un petit déjeuner. Pitt déclina son offre, mais Narraway l'ignora.

— Vous allez vous asseoir et me parler. Autant manger, lui fit-il remarquer. Je ne peux pas réfléchir l'estomac vide et vous non plus. Ce nouveau cadavre a-t-il un lien avec Kynaston ?

Le valet réapparut, apportant une tasse et une soucoupe. Narraway le remercia et servit un thé à Pitt sans lui demander son avis.

— Il semblerait que oui, répondit ce dernier.

Il accepta le thé avec reconnaissance et, dès la première gorgée, se rendit compte qu'il mourait de faim.

— Elle avait sur elle une chaîne de montre très originale et Kynaston admet que c'était la sienne. D'après lui, on la lui a volée dans Oxford Street. Il n'a pas demandé de dédommagement à la compagnie d'assurances parce qu'elle avait une valeur sentimentale inestimable à ses yeux. Elle appartenait à son frère, Bennett.

Narraway cessa de manger et considéra Pitt avec attention, s'efforçant de déchiffrer son regard. Pensait-il la même chose que lui ? Il n'y avait pas de temps à perdre. L'affaire prenait des proportions inquiétantes.

— Croyez-vous Kynaston à propos de cette histoire de vol ?

— Je n'en sais rien. La coïncidence paraît étonnante, et pourtant je n'ai pas l'impression qu'il mente. Quelqu'un a pu voler cette chaîne et la laisser sur le corps – comme il a laissé la montre sur le premier. La question est de savoir pourquoi. S'agit-il d'un grief d'ordre personnel ou professionnel ?

— Avez-vous des raisons de pencher pour la première hypothèse ? demanda Narraway, sceptique.

Ils avançaient l'un et l'autre vers la conclusion dont ils ne voulaient pas, peut-être d'ailleurs pour la même raison.

Le travail de Pitt consistait à découvrir la vérité, quelle qu'elle fût. Narraway n'avait pas de mission semblable : le gouvernement l'avait congédié. Il ne lui devait pas plus de loyauté que le sujet moyen. Non, ce n'était pas vrai, pas entièrement. On ne négligeait pas les vieilles loyautés aussi aisément.

Narraway résuma d'un mot leurs pensées.

— Carlisle.

Pitt acquiesça.

— C'est lui qui attire l'attention sur Kynaston au Parlement. En quoi la disparition de la femme de chambre de Kynaston pourrait-elle l'intéresser, à moins qu'il n'ait un motif plus profond de soulever cette question ? Et pourquoi ferait-il cela ?

— Lui avez-vous parlé ?

Le valet entra sans bruit, apportant le petit déjeuner de Pitt : des œufs, du bacon, du pain frit et des toasts.

Pitt le remercia et se mit à manger avec appétit.

— Non, répondit-il au bout d'un petit moment. J'ai remis le moment de le faire…

— Vous ne voulez pas le savoir, ironisa Narraway. Moi non plus, mais je crois que vous y êtes obligé. Moi non…

Pitt le dévisagea. La lueur d'amusement dans les yeux de Narraway se dissipa et il rougit très légèrement.

Sa gêne suffit à Pitt pour qu'il sache ce qu'il avait besoin de savoir. Narraway aimait assez Vespasia pour choisir de fermer les yeux sur les frasques de Carlisle, parce qu'il était son ami. Pitt, qui ne l'avait pas cru capable d'un tel sentiment, éprouva une soudaine bouffée d'émotion, une joie qui s'accompagnait d'un étrange sentiment de solitude, car il avait compté sur un allié.

— Je vais devoir m'y résoudre bientôt, se contenta-t-il de dire. Je serais soulagé qu'il y ait une explication crédible à ses actions.

— Très subtil, commenta Narraway, sarcastique. Pitt, vous pouvez faire mieux que cela !

— Dois-je essayer ?

— Non… non. Prenez plutôt des toasts.

— Je crois que Kynaston détient la clé de l'affaire, déclara Pitt tout en se servant. Il est prêt à mentir, même si cela fait peser des soupçons sur lui.

— Vous feriez mieux d'être prudent, avertit Narraway. Je vous conseille d'avoir une liste d'arguments sous le coude pour expliquer pourquoi vous fouillez dans la vie privée d'un homme dont le talent d'inventeur est crucial pour le pays.

— S'il ne s'agit que d'une liaison, pourquoi refuse-t-il de me le dire et de se disculper ? Je n'approuve pas l'adultère, mais cela ne me concerne pas, à moins qu'il ne mette en péril la sécurité de la nation. Je ne vais pas rendre cela public ! Seigneur, j'ai passé toute ma vie d'adulte dans la police ! S'imagine-t-il que je n'ai pas vu toutes les liaisons possibles et imaginables, et même inimaginables ?

Narraway sourit.

— Je sais. Vous ne pouvez laisser le travail à moitié fini. Je vous préviens seulement de faire attention. Talbot est déjà mal disposé envers vous…

— Je le connais à peine ! protesta Pitt.

Narraway secoua la tête.

— Ne soyez pas naïf, Pitt. Talbot n'a nul besoin de vous connaître pour vous jalouser. Vos compétences n'ont aucune importance pour lui.

— Pourquoi diable…

— Parce qu'il vient du même genre de milieu que vous, mon cher ! s'écria Narraway, exaspéré. Et il sait que la haute société lui est fermée. Vous vous en moquez et cela vous donne une sorte de grâce, qui fait que vous êtes accepté. De plus – et croyez-moi, je sais de quoi je parle –, vous connaissez trop de secrets pour que quiconque prenne le risque de vous offenser.

— Et vous ?

— Moi aussi. D'ailleurs, peu m'importe.

Il s'interrompit brusquement.

— Et peu m'importe d'avoir épousé une femme issue d'un rang supérieur au mien, ajouta Pitt avec ironie. Enfin, en général...

Narraway prit une inspiration, avant d'exhaler sans bruit.

— Ce n'est pas une insulte, ajouta Pitt gentiment. Je doute qu'il reste des princes royaux pour que Vespasia fasse un mariage au-dessus d'elle, et d'ailleurs, je crois qu'elle ne voudrait pas.

— J'espère que non, répondit Narraway avec émotion.

Une légère rougeur se répandit sur ses joues, et il changea brusquement de sujet.

— Méfiez-vous de Talbot. Carlisle ne sera pas forcément là pour sauver votre peau la prochaine fois. Vous avez une dette envers lui – vous vous en rendez compte, j'imagine ?

— Oui... mais...

Sur le point d'ajouter que cela n'aurait aucune incidence sur les questions qu'il comptait poser à Carlisle, Pitt se demanda subitement si c'était bien vrai. Il avait évité cette rencontre en partie parce que démasquer Carlisle, voire le poursuivre, comportait sa part de danger. Cependant, il n'avait pas non plus oublié la dette qu'il avait envers lui.

— Je suppose que je n'aurais pas dû..., commença-t-il.

— Ne soyez pas stupide, Pitt, répliqua Narraway d'un ton sec. Vous ne pouvez pas traverser la vie sans contracter de dette envers quiconque. C'est rarement une affaire d'argent : il s'agit d'amitié, de confiance, d'aide quand on en a besoin, d'une main pour vous guider lorsque vous êtes seul dans les ténèbres. On donne cela quand on le peut, sans quêter de remerciement, encore moins de réciprocité.

On se cramponne à cette main-là lorsqu'on se noie et on n'oublie jamais à qui elle appartenait.

Pitt garda le silence.

— Carlisle ne vous demandera rien, affirma Narraway avec conviction. Vous avez plusieurs fois passé l'éponge sur sa conduite.

— Et il m'a aidé plus d'une fois. Bien sûr qu'il ne me demandera rien ! Mais j'en aurai conscience quand même.

— Ce n'est pas tout.

Narraway tendit la main vers la théière et les resservit.

— Si vous passez au crible la vie de Kynaston, cela se saura. Êtes-vous certain d'être prêt à affronter tout ce que vous trouverez ? L'ignorance est parfois une sorte de sécurité. Vous risquez de perdre des alliés de poids, des gens qui souffriraient de voir leurs habitudes personnelles étalées au grand jour. De telles connaissances vous vaudront plus d'ennemis qu'elles n'ont de valeur pour vous. Votre profession est un numéro d'équilibriste : savoir, tout en feignant de ne pas savoir. Vous avez besoin de devenir meilleur acteur, Pitt, et de paraître moins moralisateur.

— À vous entendre, on pourrait me prendre pour un pasteur provincial, plus enclin à manifester sa supériorité morale que sa compassion, commenta Pitt, dégoûté.

Narraway secoua la tête.

— Non. Je me souviens seulement de ma façon d'être à votre âge.

Pitt éclata de rire.

— Quand vous aviez mon âge, vous aviez vingt ans de plus que moi !

— Par certains côtés, accepta Narraway. Et j'ai vingt ans de moins que vous par d'autres. Il vaudra infiniment mieux que ce soit moi qui me renseigne et qui vous dise ce que vous avez besoin de savoir, rien de plus.

Pitt ne protesta pas.

— Merci, murmura-t-il.

Le lendemain, Pitt reçut une missive assez sèche de son beau-frère, Jack Radley, lequel sollicitait un entretien. Puisqu'il s'agissait apparemment de l'affaire Kynaston, Pitt n'était guère en mesure de refuser. Il vit Jack seul, sinon en tête en tête, sur les quais non loin de la Chambre des communes. C'était une matinée fraîche et venteuse, comme souvent au début du mois de mars, et la bise qui soufflait de la Tamise, chargée d'une odeur de sel, n'incitait guère à la flânerie. Ils marchèrent donc d'un pas vif.

Jack alla droit au but.

— On m'a dit que vous posiez des questions concernant Dudley Kynaston, Thomas. S'il a une maîtresse, en quoi cela concerne-t-il la Special Branch, et pourquoi chercher à savoir de qui il pourrait s'agir ?

Jack avait parlé d'un ton à la fois acerbe et critique, qui ne lui ressemblait guère. Pitt et lui avaient des points de vue divergents sur bien des choses, mais, en général, leurs discussions demeuraient amicales. Son hostilité prit Pitt au dépourvu.

— Si cela ne me concernait pas, je ne serais pas en train de me renseigner, répondit-il. Encore que je ne me sois pas rendu compte que c'était si évident.

— Oh ! Vraiment ! s'impatienta Jack. Vous voulez savoir où il était et avec qui, à quels dîners et pièces de théâtre il a assisté – et vous vérifiez tout. N'importe qui peut deviner où vous voulez en venir.

Il se tassa légèrement contre le vent et remonta son foulard en soie blanche.

— Ne me dites pas que vous le soupçonnez de vol, de détournement de fonds ou de tricherie aux cartes. Ou encore de boire à l'excès ou de parler à tort et à travers. Tout le monde vous dira que Dudley Kynaston est un honnête homme, issu d'une famille respectable, qui se conduit en gentleman et est intensément loyal à son pays et ce qu'il représente.

Il se tourna vers Pitt.

— S'il a une maîtresse, la belle affaire ! Peut-être que sa femme est ennuyeuse à mourir, ou que c'est une mégère qui rit quand elle se brûle.

Pitt le saisit par le bras, l'obligeant à s'arrêter. Ils se firent face dans le vent.

— Vous dites cela avec beaucoup de conviction, Jack, accusa-t-il.

Il n'avait pas tout à fait oublié la réputation qu'avait eue son beau-frère avant son mariage.

Jack s'empourpra. Sous ses cils superbes, ses yeux étaient pleins de colère.

— Vous êtes un insupportable père-la-morale parfois, Thomas. On vous a peut-être choisi pour que vous soyez le gardien des secrets de la nation, mais personne ne vous a nommé garant de notre vertu. Laissez ce pauvre homme en paix avant de ruiner sa réputation par vos soupçons.

— Je me moque éperdument de sa moralité ! riposta Pitt entre ses dents. J'essaie de prouver qu'il n'a pas assassiné deux femmes ! Or je ne pourrai pas y parvenir s'il continue à me mentir sur ses faits et gestes.

— Je pensais que vous ignoriez à quand remontait la mort de la seconde victime, répliqua Jack aussitôt.

— En effet ! confirma Pitt en élevant la voix à son tour. En revanche, je sais à quelques heures près quand elle a été jetée dans la carrière et je suis pratiquement sûr de la manière dont on l'a transportée. Si Kynaston voulait me dire où il se trouvait et que je puisse en obtenir confirmation, il cesserait d'être suspecté.

— Pourquoi diable le soupçonnez-vous donc ?

— Vous devriez avoir le bon sens de ne pas me poser cette question. Vous savez parfaitement que je ne peux pas vous le dire.

Toute colère déserta la voix de Jack.

— Il doit avoir des raisons très personnelles…

— Il faut que je le sache ! insista Pitt, exaspéré. Je ne vais pas le révéler au monde entier. Qu'il prouve qu'il n'est pas coupable et je laisserai la police enquêter ! Si cette affaire ne constitue pas une menace pour Kynaston, elle n'a rien à voir avec la Special Branch.

Jack le regarda, incrédule.

— Vous croyez vraiment que la détermination de Kynaston à taire l'identité de sa maîtresse pourrait représenter une menace pour la sécurité de l'État ? Allons, Thomas ! Cet argument ressemble fort à un prétexte invoqué par un fonctionnaire ambitieux pour agiter ses pouvoirs tout neufs et embarrasser ses supérieurs. C'est indigne de vous.

Sidéré, Pitt se redressa. Malgré le soleil, le vent froid du fleuve sembla soudain transpercer son manteau comme s'il était en coton, le glaçant jusqu'aux os.

— La femme de chambre des Kynaston s'est enfuie la veille du jour où on a découvert le premier corps, Jack, expliqua-t-il, à la fois blessé et furieux. Parce qu'elle savait quelque chose qui lui a fait redouter d'être tuée. Et ce n'est pas une supposition ! Elle a été vue depuis, des gens lui ont parlé. Pas nous – nous n'avons pas réussi à la retrouver –, mais d'autres, qui sont totalement étrangers à cette affaire. Maintenant, deux femmes sont mortes, semblablement mutilées, jetées dans la même carrière. Des indices matériels, que Kynaston n'a pas niés, le lient à chacune des victimes. Il ment sur ses faits et gestes et refuse de dire quoi que ce soit hormis qu'il a une liaison. Il doit le prouver, ou permettre à sa maîtresse de confirmer, fût-ce discrètement, à la Special Branch, qu'il était avec elle. Cet homme travaille sur des projets extrêmement sensibles, qui relèvent du secret d'État. Voudriez-vous que je me contente d'une vague réponse ?

Jack semblait transi, lui aussi. Son visage n'exprimait plus la colère, néanmoins il était pâle et crispé.

— Pensez-vous qu'il l'ait tuée ? demanda-t-il tout bas.

— Je ne veux pas le penser. Cependant, il me cache davantage que le nom de la femme avec qui il a une liaison.

Jack garda le silence.

— Préféreriez-vous être accusé de meurtre publiquement ou d'infidélité en privé ?

— C'est absurde, dit Jack, morose, les traits altérés par l'inquiétude, les épaules voûtées. Protège-t-il quelqu'un, à votre avis ? Il est très attaché à sa famille.

— Certes, ironisa Pitt. C'est pourquoi il a une maîtresse !

Jack cilla, comme si Pitt l'avait frappé.

— Peut-être cela vaut-il mieux que de quitter son épouse et de l'humilier publiquement, suggéra-t-il, si bas que le gémissement du vent faillit emporter ses paroles.

Pitt le dévisagea. Cette possibilité ne lui était pas venue à l'esprit. Une pensée plus consternante encore lui succéda. Jack parlait-il de Kynaston ou de lui-même ? Charlotte avait fait allusion à la tristesse d'Emily, et il en avait lui-même été témoin. La dernière fois qu'il l'avait vue, il avait été frappé par sa pâleur et ses traits tirés. Il n'était pas incongru qu'Ailsa Kynaston l'eût prise pour la sœur aînée de Charlotte. Était-ce pour cette raison que Jack s'irritait à ce point de voir Pitt enquêter sur Kynaston ?

Il ne pourrait confier cette crainte à Charlotte. Son affection pour Emily et sa propre franchise la trahiraient aussitôt.

— Je sais qu'on vous a proposé un poste auprès de Kynaston, dit-il. Soyez prudent, Jack. Réfléchissez avant d'accepter. Vous avez beaucoup à perdre.

— Vous affirmez qu'il y a des indices qui lient Kynaston aux femmes assassinées ? Vous en êtes certain ?

— Absolument. Ne me demandez pas de précisions car je ne peux vous en fournir. Ils ne prouvent pas qu'il est coupable, mais ils le suggèrent. Si vous avez la moindre influence sur lui, Jack, conseillez-lui de s'expliquer. Je ne peux lâcher l'affaire !

Jack le dévisagea longuement, calmement. Puis il le salua d'un bref signe de tête, pivota et s'éloigna, retournant vers la Chambre des communes et la tour de Big Ben qui se dressait contre le ciel chargé de nuages.

Pitt ne parla pas à Charlotte de sa conversation avec Jack. Elle le connaissait beaucoup trop bien : même si elle ne lui posait pas de questions, elle déduirait de son malaise qu'il lui cachait quelque chose et imaginerait sans doute le pire, autrement dit que le fossé entre Jack et Emily était plus profond qu'elle ne l'avait supposé. Emily et elle se querellaient parfois pour des broutilles, mais, au fond, Charlotte était intensément loyale. Elle revoyait Emily sous les traits de la petite sœur, de deux ans plus jeune qu'elle, qu'il était dans sa nature de protéger. Non qu'Emily en eût besoin, d'ailleurs. Elle avait toujours été suprêmement capable de veiller sur elle-même – jusqu'à maintenant.

Ce soir-là, Pitt était assis dans son grand fauteuil au coin du feu, et observait Daniel et Jemima qui reconstituaient un grand puzzle. Ils avaient trois ans d'écart. Jemima avait toujours un temps d'avance sur son frère. Il en serait ainsi durant toute leur vie, jusqu'au moment où l'âge commencerait à être un désavantage. Pour l'instant, il jouait en faveur de Jemima. Tandis que Pitt la regardait à la dérobée, elle fit mine de tendre la main vers une pièce, puis la laissa retomber et sourit en voyant que Daniel s'en emparait et la mettait en place.

Une brusque bouffée d'émotion envahit Pitt, presque bouleversante. Il reconnaissait certains de ses traits de caractère chez Jemima, mais surtout ceux de sa mère. Ce moment de gentillesse discrète, de générosité silencieuse, était exactement ce qu'il avait observé chez Charlotte. Jemima n'avait pas seize ans, et pourtant, elle possédait l'instinct de chérir et de protéger.

Comment pouvait-il protéger Jack, ou Emily, dans cette triste affaire, sans franchir les limites de sa propre intégrité ?

Jack avait commis une grave erreur de jugement par le passé. Certains ne manqueraient pas de le rappeler à son supérieur pour mettre en doute ses compétences. Quant à lui, son devoir consistait à garantir la sécurité de la nation, et cela passait avant toute obligation envers ceux qu'il aimait. Nul individu investi de la confiance de l'État ne pouvait favoriser les siens. Le faire était, en un sens, la trahison absolue du serment qu'il avait prêté, et de la foi placée en lui.

Et pourtant, il détenait des secrets qu'il aurait préférer ignorer, connaissait des faiblesses qu'il ne pouvait protéger. Il avait ses propres dettes et loyautés : sans honneur et sans affection, la vie n'était qu'un vide, une longue marche vers le néant.

Carlisle leur avait rendu service à tous, à un moment ou à un autre, et surtout à Vespasia. Si ce dernier était impliqué, ainsi que Pitt le craignait de plus en plus, il se devait de la laisser entièrement en dehors de son enquête. Sinon, il risquait fort de la placer devant un dilemme.

Peut-être Victor Narraway était-il le seul à qui il puisse faire confiance sans lui imposer un intolérable fardeau.

Pourtant, en repensant à leur dernière rencontre, Pitt se demandait s'il n'était pas déjà compromis. Ses sentiments à l'égard de Vespasia dépassaient la simple amitié. Après ses multiples aventures de jeunesse, après la brève attirance qu'il avait eue pour Charlotte, cet attachement-là était-il destiné à être le véritable amour de sa vie ?

Qu'éprouvait Vespasia envers lui ? Plus que de l'amitié, de l'intérêt, de l'affection ? Aucun homme, surtout un homme aussi sensible que Victor Narraway sous sa carapace, ne peut se contenter de cela ! Quand on aime, on veut tout.

Si ce dernier intervenait dans l'affaire Kynaston, il se retrouverait dans une situation délicate vis-à-vis de Vespasia. Par conséquent, le mieux était de le tenir à l'écart, lui aussi.

Pitt était seul, plus seul qu'il ne se souvenait de l'avoir jamais été. Quoi qu'il décidât de faire concernant Somerset Carlisle, son jugement serait mis en cause. Était-il réellement l'homme qu'il fallait à ce poste ? Il possédait l'intelligence et l'expérience nécessaires pour mener une enquête. Il avait traqué et découvert la vérité à de nombreuses reprises là où d'autres avaient échoué. À ce titre, il avait mérité cette promotion. Pourtant, avait-il la sagesse requise ? Comprenait-il suffisamment le poids de l'argent et du pouvoir, les privilèges qui découlaient de l'histoire et du titre, les liens complexes qui unissaient les grandes familles du pays, voire d'Europe ?

Était-il totalement libre de ses choix, totalement imperméable à la corruption ? Il regarda les membres de sa famille réunis autour de lui dans la semi-pénombre. Et elle s'étendait bien plus loin : à Vespasia, Narraway, Jack et Emily ; plus loin encore, à la mère de Charlotte et à son mari. Et même à Somerset Carlisle. À tous ceux qui avaient partagé des moments de sa vie, qui l'avaient aidé ou blessé, à qui il devait l'honnêteté sinon la compassion.

Il ne voulait pas savoir si Somerset Carlisle avait déposé ces femmes mortes dans la carrière, mais il ne pouvait plus éviter de lui poser la question.

Si c'était lui, Pitt se refusait à imaginer qu'il eût pu les tuer ou payer quelqu'un pour s'en charger. Par conséquent, elles étaient déjà mortes. Où les avait-il trouvées ?

Il y avait toujours à la morgue des corps non réclamés, des morts qui n'avaient pas de parents proches désireux de les enterrer. Il n'était guère difficile d'invoquer une lointaine relation, de prétendre qu'il s'agissait d'une ancienne domestique, ou de la parente d'une domestique, et de proposer d'offrir à cette personne un enterrement décent, par pitié. Et puis de remplir un cercueil de sacs de sable ou de n'importe quoi d'autre, pourvu que le poids soit approprié.

Cela expliquerait que les corps aient été conservés au froid et dans un lieu propre. Et aussi qu'ils aient mis si longtemps à réapparaître – Carlisle avait dû attendre d'en dénicher un susceptible de convenir. Il fallait que ce fût de jeunes domestiques, seules au monde et qui avaient connu une mort violente. Il avait dû passer Londres au crible pour se les procurer.

À supposer, bien sûr, qu'il soit responsable !

Rien n'étayait cette hypothèse, hormis ce que Pitt savait de Carlisle et de sa personnalité.

Comment obtenir des preuves ? Il pouvait demander à ses hommes d'éplucher les archives d'état civil pour dresser la liste des femmes mortes récemment dans la région de Londres, en se concentrant sur celles qui avaient subi le même type de blessures que celui des deux victimes. Ensuite, il s'agirait de déterminer lesquelles n'avaient pas été réclamées par leurs familles et si un bienfaiteur avait offert de payer leur enterrement.

Et après ? Faudrait-il les exhumer pour vérifier si les cadavres étaient bien là, ou s'ils avaient été remplacés par des sacs de sable ? Peut-être, mais seulement en dernier ressort, et il devrait appuyer cette requête par des arguments autrement plus convaincants qu'une imagination débordante.

Il ordonnerait que ces recherches soient effectuées, discrètement. Pas d'exhumations avant d'avoir des preuves.

Entre-temps, il résolut d'en apprendre davantage sur Carlisle. À quoi s'intéressait cet homme en privé, à part la politique et les réformes sociales, les nombreuses batailles qu'il avait menées contre l'injustice ? Qui étaient ses amis, hormis Vespasia ? À qui avait-il pu demander de l'aide dans cette extraordinaire entreprise ? Connaissait-il Kynaston personnellement ? Y avait-il d'autres liens qui valaient la peine d'être creusés ?

Il devait procéder avec grand soin et sans donner ses raisons. S'il s'adressait à trop de gens, Carlisle l'apprendrait inévitablement.

Pitt opta d'abord pour une vieille connaissance de Carlisle, un architecte hautement respecté du nom de Rawlins. Il l'invita à déjeuner dans un restaurant aussi discret que coûteux, sous prétexte qu'il songeait à faire appel à Carlisle au Parlement. Tout naturellement, il en vint à interroger Rawlins sur le passé de ce dernier.

— Il était imprévisible, déclara Rawlins avec un sourire amusé. Moi, je rêvais de construire des tours et des clochers qui atteindraient le ciel. Lui rêvait de les escalader ! J'avais énormément d'affection pour lui ; c'est toujours le cas, d'ailleurs, même si nous nous voyons moins. Mais je ne l'ai jamais compris. Je n'ai jamais su le fond de ses pensées, conclut-il en sirotant l'excellent vin rouge qui accompagnait leur rôti de bœuf.

Pitt patienta. Il devinait à l'expression concentrée de Rawlins que celui-ci fouillait dans ses souvenirs, s'efforçant de comprendre quelque chose qui lui avait longtemps échappé.

— Il est parti en Italie sans avoir terminé ses études, reprit-il lentement. Je n'ai jamais su pourquoi. Il aurait pu faire une belle carrière à l'université.

— Peut-être à cause d'une femme ? suggéra Pitt.

Jusqu'à présent, il n'y avait eu aucune mention d'une histoire d'amour, seulement quelques liaisons passagères, rien qui eût capturé son cœur.

— Je l'ai pensé à l'époque, admit Rawlins.

Il eut un léger haussement d'épaules et but une nouvelle gorgée de vin.

— J'ai appris longtemps après qu'il était en réalité parti lutter aux côtés des partisans qui se battaient pour l'unification italienne. Il ne m'en a jamais parlé. Je l'ai su par une femme que j'ai rencontrée à Rome, des années plus tard. Elle parlait de ses exploits avec tant d'admiration, de nostalgie, que je me suis demandé si elle n'avait pas été amoureuse de lui.

Il esquissa un sourire gêné.

— J'étais jaloux. À entendre cette femme, il était drôle, incroyablement courageux, absolument impulsif – en fin de compte, pas si différent de l'homme que j'avais connu.

Il poussa un soupir et prit une nouvelle bouchée de viande.

— Il a échoué dans une prison italienne, quelque part dans le Nord, avec les deux épaules démises. Il a dû affreusement souffrir. Il n'en a jamais parlé non plus. Je n'ai pas la moindre idée de ce qui lui est arrivé, ni comment, mais je pourrais hasarder une demi-douzaine d'hypothèses quant à la raison.

Pitt évita le regard de Rawlins, se concentrant sur sa propre assiette.

— Avez-vous jamais entendu dire qu'il ait usé de violence envers quiconque ? Peut-être en étant convaincu que la fin justifie les moyens ?

Il ne désirait pas entendre la réponse et faillit revenir sur sa question. Ses muscles s'étaient raidis, comme s'il anticipait un coup.

— Je ne peux rien vous affirmer, répondit Rawlins à voix basse. Je ne l'ai jamais vu avoir recours à la violence. Au contraire, quand il était étudiant, il faisait tout son possible pour l'éviter. Il discutait avec passion, sans pour autant chercher querelle à autrui. C'était un homme de convictions, prêt à s'engager pour les causes qui lui tenaient à cœur. Un caractère entier. À en juger par ses discours au Parlement, et le peu de ce que je sais de lui aujourd'hui, il n'a pas changé. Je suis désolé de ne pouvoir vous être plus utile.

— A-t-il des amis qui devraient m'inquiéter ? demanda Pitt d'un ton dégagé.

— Vous inquiéter ?

— Des membres de la pègre, ce genre de chose ?

Rawlins sourit.

— Carlisle ? C'est bien possible. C'est un homme de goûts éclectiques et de loyautés particulières. Mais s'il fait une promesse, il la tiendra.

— C'est bien ce que je pensais.

Ils terminèrent leur repas en parlant d'autre chose. Rawlins était un homme agréable, intelligent et courtois. Pitt le trouva sympathique, et plus facile à croire qu'il ne l'aurait souhaité.

Rien de ce qu'il avait appris au cours de ces deux jours n'avait montré Somerset Carlisle sous un jour différent de l'homme qu'il connaissait, celui qui avait joué un rôle aussi grotesque que dangereux dans l'affaire des cadavres de Resurrection Row[1].

Au contraire, on lui avait dépeint un être que non seulement il aimait bien, mais se sentait désormais obligé d'admirer. Même s'il était tout à fait capable d'avoir fait précisément ce que Pitt redoutait.

1. Cf. *Resurrection Row*, 10/18, n° 2943.

13

Le lendemain matin, sur le trajet du bureau, Pitt fut ralenti par un accident qui avait viré au chaos sur Euston Road. Les véhicules qui s'efforçaient de contourner les lieux avaient fini par se retrouver immobilisés, sans qu'aucun eût la place de faire demi-tour pour se dégager.

Stoker l'attendait, la mine grave.

— Ne prenez pas la peine de retirer votre manteau, déclara-t-il dès que Pitt eut franchi le seuil.

Ce dernier s'arrêta net.

— Pas un autre corps !

— Non, monsieur. Il s'agit du même. Whistler veut vous voir. Et si ça ne vous ennuie pas, j'aimerais venir aussi.

Pitt n'avait aucune objection, mais il était intrigué.

— Pourquoi ? demanda-t-il avec espoir.

Stoker fixa sur lui ses grands yeux gris et limpides.

— Je veux en apprendre davantage sur le genre d'homme capable de faire subir ça à une femme. Savoir qui Miss Ryder pense fuir.

— Vous croyez toujours qu'il y a un lien avec Kynaston ? insista Pitt, l'estomac noué.

— Je l'ignore, monsieur, mais elle croit que oui. Si je pouvais la trouver, je lui poserais la question.

— Vous n'avez pas fait de progrès à ce sujet ?

— Guère.

Stoker marqua une pause et prit une profonde inspiration.

— Cela dit je ne vais pas renoncer.

Il y avait une légère couleur sur son visage osseux, une sorte de rougeur. Il regarda Pitt d'un air de défi, sans offrir d'explication.

— Eh bien, si vous réussissez, vous le lui demanderez, commenta-t-il en remettant son chapeau. En attendant, dépêchons-nous d'aller voir Whistler. Juste ce que j'ai envie de faire pour commencer une matinée froide et pluvieuse : être coincé dans un embarras de circulation, et puis aller à la morgue. Venez !

Ils durent patienter quelques minutes avant de pouvoir héler un fiacre. Enfin, ils traversèrent la rue pour s'engouffrer dans l'un d'eux, marchant dans les flaques, leur pantalon trempé plaqué à leurs jambes.

— Si quelqu'un essaie d'incriminer Kynaston, c'est forcément une personne qui connaît très bien les lieux, observa Stoker au bout de quelques minutes. Et qui le connaît bien aussi. Soit il sait que Kynaston ment, soit il le fait chanter pour l'empêcher de nous dire la vérité.

Il regarda Pitt de biais dans la lumière grisâtre.

— C'est fort probable, admit celui-ci. Ce qu'il faut découvrir, c'est pourquoi. À quelles fins ? J'aimerais penser qu'il s'agit d'une vengeance personnelle quelconque, pourtant rien ne semble l'indiquer.

Ils quittèrent Seymour Place pour s'engager dans Edgware Road, puis tournèrent à gauche et immédiatement à droite dans Park Lane.

— Eh bien, j'imagine que Rosalind Kynaston serait furieuse si elle savait qu'il a une maîtresse, lui fit remarquer Stoker. Et elle aurait pu prendre la montre et la chaîne sans difficulté.

— Elle le détesterait peut-être, répondit Pitt d'un ton raisonnable, mais elle ne chercherait pas à le ruiner. La disgrâce de Kynaston serait la sienne. Et s'il perdait sa source de revenus, elle en pâtirait aussi ! Elle a beau appartenir à une famille respectable, elle n'a pas de fortune propre. À moins que vous ne pensiez qu'elle a un amant également ! Quelqu'un qui l'épouserait, en dépit du scandale ? Je suppose que c'est possible, cependant cela me paraît peu probable, pas à vous ?

Stoker réfléchit.

— Je ne connais guère les femmes, monsieur. Moins bien que vous, qui avez une épouse et une fille…

— Je ne suis pas sûr qu'aucun homme connaisse les femmes, commenta Pitt, pince-sans-rire. Disons que mon ignorance n'est pas aussi totale que la vôtre. Alors ?

— Mrs. Kynaston ne me semble pas être le genre de femme qui aurait un amant, répondit Stoker, évitant avec soin son regard. Je me souviens de l'époque où ma sœur Gwen est tombée amoureuse de son mari. Je ne savais presque rien de lui, mais bon sang, je voyais bien qu'il se passait quelque chose ! Ce sont de petits détails qui m'ont mis la puce à l'oreille, la manière dont elle se coiffait, le soin qu'elle mettait à s'habiller, pas seulement de temps à autre, tous les jours ! Avec le petit sourire en coin du chat qui a lapé la crème. Et même sa façon de marcher, avec un petit froufrou de ses jupes, comme si elle savait qu'elle allait dans un endroit spécial.

Pitt ne put s'empêcher de rire, en dépit du froid et de l'inconfort du fiacre. Il avait remarqué exactement ce que Stoker décrivait chez Charlotte, des années auparavant, lorsqu'il la courtisait. Il n'y avait rien compris alors : tantôt elle débordait de bonheur, tantôt elle était plongée dans les affres du désespoir, mais elle était toujours éblouissante de vie.

Il l'avait vu chez Emily aussi, quand elle avait commencé à s'intéresser sérieusement à Jack Radley. Cependant, c'était une autre histoire et, en ce moment, elle était plus douloureuse que plaisante.

Et, bien sûr, Jemima commençait à se conduire ainsi. Elle grandissait si vite ! Pitt savait quels jeunes hommes elle aimait bien, et lesquels ne l'intéressaient aucunement. Elle était jolie, aussi brave et vulnérable que sa mère, se croyant sophistiquée et pourtant on lisait en elle à livre ouvert. Ou était-ce seulement lui qui y parvenait, parce qu'il l'aimait et qu'il l'aurait protégée de toute douleur, si ç'avait été possible ?

Le père de Charlotte aurait voulu la préserver de la catastrophe sociale, et plus encore, financière, que signifiait une union avec un policier. Le seul destin pire eût été de ne pas se marier du tout, et encore ! Par chance, sa mère avait eu plus de bon sens.

En aurait-il, lorsqu'il s'agirait de marier Jemima ?

Inutile d'y penser maintenant. Il avait des années devant lui ! Des années !

Ils s'approchaient lentement de la Tamise. Sans doute le cocher allait-il longer les quais de l'Embankment, avant d'emprunter un pont menant sur la rive sud.

Pitt regarda Stoker avec un respect nouveau. Il n'avait pas cru ce dernier doté de tels talents d'observation. Au fond, il le connaissait bien peu, malgré la compétence, l'intelligence et la loyauté dont il avait si souvent fait preuve !

— Donc, à votre avis, Rosalind Kynaston n'a pas de liaison ?

— Exactement, monsieur. Elle a l'air d'une femme qui n'a guère de raisons d'être heureuse.

— Croyez-vous qu'elle soit au courant de celle de son mari ?

— C'est probable. D'après mon expérience, les femmes savent, même si elles ne peuvent pas se l'avouer. Bien entendu, en dehors de la bonne société, elles n'ont ni fortune ni belle maison à perdre, et pas non plus le même besoin de plaquer un sourire sur leur visage et de faire comme si de rien n'était. De toute façon, je vous parie tout ce que vous voulez que ce n'est pas elle qui a tué ces femmes – ou qui les a défigurées !

Pitt frissonna malgré lui.

— Certes. Cela étant, vous restez persuadé que toute cette affaire a un lien avec les Kynaston, quel que soit le coupable ?

— Aucun doute, acquiesça Stoker. Seulement, je ne sais pas comment ! Je passe et repasse tout ça dans ma tête, mais je n'arrive pas à trouver une logique. Pour commencer, pourquoi ces mutilations ? Qui irait découper la chair de quelqu'un qui est déjà mort ? La seule raison qui me vienne à l'esprit serait de dissimuler leur identité. Or nous n'en avons pas la moindre idée, de toute manière.

— Ou d'attirer l'attention sur l'incident, intervint Pitt, réfléchissant à voix haute.

— Vous voulez dire que la découverte de deux femmes jetées dans une carrière n'aurait pas suffi à éveiller l'attention ? s'écria Stoker, incrédule.

— Cela n'aurait pas suscité autant de gros titres que deux femmes mutilées de la même façon.

— Mais à quoi cela pourrait-il servir ?

Stoker dévisageait Pitt avec curiosité, attendant une réponse.

— Vous voulez dire que cela a été fait pour pointer le doigt vers Kynaston ? Comme les mouchoirs ?

— Peut-être.

— Pourquoi ? répéta Stoker.

— C'est là le problème, répondit Pitt, s'efforçant d'être honnête sans pour autant mentionner Somerset Carlisle.

S'il ne le nommait pas, Stoker saurait qu'il éludait sa question, et c'était là une insulte qu'il ne méritait pas. Cela porterait aussi atteinte à la confiance qui régnait entre eux, un des plus grands atouts de Pitt. Sans la confiance de ses hommes, il était seul. Il sentait avec acuité que Talbot et ses pareils au gouvernement n'avaient aucune foi en lui. Même à Lisson Grove, il n'avait pas encore acquis le profond respect que ses subordonnés avaient eu pour Victor Narraway.

— Une idée qui m'est venue, reprit Pitt alors qu'ils traversaient le fleuve, c'est que si Kynaston était soupçonné et que le filet semblait se resserrer autour de lui, il serait extrêmement reconnaissant à quiconque prouverait son innocence…

— Il ne nous remercierait pas longtemps, monsieur, lui fit remarquer Stoker avec une étrange douceur.

Pitt évita son regard, soudain à la fois ému et amusé que son subordonné tente de lui épargner une désillusion, cette douleur à laquelle nul ne peut échapper de temps à autre. Car c'est une réalité, aussi amère et aussi âpre que la morsure glaciale des vents printaniers qui, si souvent, emportent les premières fleurs.

Il devait répondre sans attendre, dissiper le malentendu avant qu'il ait pris forme.

— Je sais, Stoker. J'envisageais la possibilité que quelqu'un d'autre propose de le tirer d'affaire – quelqu'un envers qui il aurait ensuite une dette considérable.

Stoker écarquilla les yeux.

— Je vois ! Il paierait sûrement jusqu'à la fin de ses jours. Ce serait très habile, en effet. Et nous passerions pour des imbéciles. Nous risquerions fort d'être moins écoutés la prochaine fois que nous soupçonnons quelqu'un !

Cette idée n'avait même pas effleuré Pitt. Il se le reprocha. C'était en effet une possibilité extrêmement inquiétante.

— C'est vrai, souffla-t-il, d'une voix à peine audible par-dessus la rumeur de la circulation dans Rotherhithe Street. Cette affaire devient de plus en plus trouble, n'est-ce pas ? La question est toujours la même : qui ?

— Il semble y avoir des indices contradictoires, monsieur. Il manque une pièce déterminante au tableau. Et puis pourquoi quatre femmes différentes ?

Pitt resta un instant perplexe.

— Kitty Ryder, la première victime, la seconde et la maîtresse, énuméra Stoker. Il est impossible que deux de ces femmes ne soient qu'une seule et même personne.

— Je ne vois rien qui l'explique, admit Pitt. Les deux mortes sont liées par plusieurs circonstances : le lieu où on les a découvertes, qui n'est pas nécessairement celui où elles ont été tuées ; le fait qu'elles ont été gardées quelque part avant d'être jetées dans la carrière ; les mutilations, abominables et apparemment gratuites. Tout cela sans parler du fait que l'une avait sur elle la montre de Kynaston et l'autre sa chaîne.

Stoker hocha la tête.

— Et s'il ne s'agissait pas des femmes, mais de Kynaston ? Si on essayait de le faire chanter ou de le forcer à faire quelque chose ? Ou à ne pas le faire ?

— C'est possible.

C'était possible, en effet – auquel cas Somerset Carlisle ne jouait aucun rôle dans cette histoire. Voilà pourquoi, en dépit du soulagement qu'il aurait eu à le croire, Pitt en doutait.

— Vous avez une autre idée, monsieur ?

— Seulement une hypothèse.

Il ne pouvait plus l'exclure. Il mentait à Stoker et se mentait à lui-même. Somerset Carlisle avait l'esprit aussi tranchant qu'un rasoir. Pourquoi s'était-il donné tant de mal : le vol des corps, la mutilation, qui avait dû être atroce, presque insupportable, mais qu'il avait accomplie tout de même – si c'était bien lui ?

Une seule solution était susceptible de justifier tout cela : la dénonciation d'un acte de haute trahison.

— Monsieur ?

La voix de Stoker l'arracha à ses réflexions.

— Peut-être veut-on nous obliger à creuser jusqu'à ce que nous découvrions un autre crime, plus grave encore.

— Plus grave que le meurtre ? demanda Stoker, d'une voix durcie par la colère et l'incrédulité.

— Oui, pire que le meurtre, répondit Pitt d'un ton égal. La haute trahison.

Stoker se raidit brusquement et déglutit avec difficulté.

— Oui, monsieur. Je n'ai jamais songé à ça... pas... pas dans cette histoire.

— Espérons que vous n'aurez pas besoin de le faire, répondit Pitt en regardant droit devant lui. Ce n'est qu'une idée...

— Non, monsieur, le contredit Stoker en se tournant lui aussi. C'est notre travail.

Whistler les attendait dans son bureau, devenu péniblement familier à Pitt ces derniers temps. Cette fois, le médecin était occupé, et son humeur n'allait pas l'inciter à leur proposer un thé.

— Les journaux l'ont su, dit-il d'un ton sec. Je voulais juste vous préciser qu'ils ne l'ont pas appris par moi.

Il toisa Pitt comme si celui-ci semblait en douter.

— On dirait des chiens qui flairent l'odeur de la mort ! reprit-il d'un ton amer. Je ne sais pas ce qu'ils vont faire de ce nouveau cadavre – tout et n'importe quoi, sans doute.

Un frisson le secoua.

— Les mutilations ont eu lieu après la mort, je vous l'ai déjà dit. En revanche, la fracture du crâne est antérieure et les hématomes datent du même incident. Ils ne peuvent apparaître après la mort. Pas de circulation sanguine.

Pitt le dévisagea.

— Est-ce un coup à la tête qui l'a tuée ?

Il ne savait pas ce qu'il voulait que Whistler réponde. C'était un cauchemar. La seule façon d'en sortir était de se réveiller.

— Un coup, répéta Whistler, tournant le mot dans son crâne, l'air de l'examiner.

— Eh bien ? s'impatienta Pitt.

— Un objet dur et plat, répondit Whistler lentement. Elle présente beaucoup d'ecchymoses, difficiles à définir précisément. Elle est morte depuis trop longtemps. À mon avis, elle est tombée dans un escalier et s'est fracassé le crâne sur le sol.

Pitt sentit le soulagement déferler en lui, avec une intensité proche de la douleur qu'on éprouve quand un membre gelé revient à la vie.

— Par conséquent, elle n'a pas été assassinée ?

— Je n'ai aucune raison de le penser, admit Whistler. Mais quel dément monstrueux l'a défigurée après, c'est une autre question – la vôtre, pas la mienne !

Pitt le remercia d'un signe de tête, et ils s'en allèrent.

Pitt décida de commencer par une visite à Somerset Carlisle. Si ce dernier avait perpétré ces actes épouvantables dans le but de le contraindre à enquêter sur Kynaston, le moment était venu de le mettre au pied du mur.

Il hésita longuement à l'avertir de sa venue. S'il demandait un rendez-vous officiel, il devrait peut-être fournir des raisons, tandis que l'effet de surprise lui donnerait l'avantage. Néanmoins, s'il arrivait à l'improviste, Carlisle risquait d'être sorti. Et cette approche ne manquerait pas de paraître sournoise. Il finit donc par décrocher son téléphone. Carlisle ne s'opposa pas le moins du monde à sa visite ; de fait, il laissa entendre que Pitt était le bienvenu.

Un valet en habit sobre l'accueillit à la porte et le conduisit au salon, une pièce agréable et originale où Carlisle passait ses rares soirées à la maison, au coin du feu qui, l'hiver, réchauffait la pièce. En été, il se contentait de tirer les lourds rideaux devant la porte-fenêtre.

— L'affaire doit être importante, commenta son hôte avec un sourire ironique. Il fait un temps affreux. Que ne donnerait-on pas pour voir arriver le printemps, n'est-ce pas ? Enfin, je suppose que nous ne l'apprécierons que davantage quand il viendra. Asseyez-vous.

Il désigna un verre posé sur la table basse.

— Un whisky ? Ou bien du sherry ? Ou un thé ? ajouta-t-il avec une légère grimace.

— Plus tard, répondit Pitt. Si vous avez toujours envie de me l'offrir.

Il avait la bouche crispée, la gorge sèche en pensant à la scène déplaisante qui allait suivre. Un bon whisky l'aurait réchauffé. Depuis qu'il avait été promu chef de la Special Branch et qu'il jouissait de revenus plus confortables, il avait appris à faire la différence entre un whisky ordinaire et un meilleur. Mais, ce soir-là, il avait besoin d'avoir les idées claires. Il ne pouvait se permettre d'accorder le moindre avantage à Carlisle.

— C'est grave à ce point ?

Carlisle lui indiqua un fauteuil et se rassit en face de lui. Son visage intelligent reflétait une tension similaire à celle qui nouait les entrailles de Pitt.

Il n'aurait servi à rien de tourner autour du pot.

— Je le crois.

Carlisle sourit, comme s'ils disputaient un jeu de société sans le moindre intérêt.

— Et qu'attendez-vous de moi ? Je ne connais personne qui tue des femmes et les abandonne dans des carrières de gravier. Croyez-moi, si c'était le cas, je vous l'aurais déjà dit.

Pitt lui rendit son sourire.

— À vrai dire, ce qui m'inquiète en ce moment, c'est moins la manière dont elles ont péri que leur lien apparent avec Dudley Kynaston.

Il jeta un coup d'œil autour de la pièce avec un intérêt qui alla croissant. Son regard s'attarda sur un magnifique tableau, l'œuvre d'un artiste très doué, qui valait sans doute une petite fortune. Carlisle l'avait-il choisi ou en avait-il hérité ?

Celui-ci attendait qu'il poursuive. Pouvait-il se montrer direct ?

— La montre de Kynaston a été retrouvée sur la première victime, expliqua-t-il en observant avec attention le visage de Carlisle, dont l'expression ne changea qu'imperceptiblement. La chaîne sur la seconde. Parmi d'autres objets peut-être moins parlants.

Carlisle hésita. À l'évidence, il était partagé : allait-il traiter la question à la légère ou affronter la véritable bataille ? Il dut opter pour la seconde solution, car toute trace d'humour s'évanouit dans son regard. Soudain, à la lueur du feu et des appliques à gaz, les rides de son visage semblèrent plus profondes. Il était plus âgé que Pitt. Sans doute avait-il plus de cinquante ans à présent. Son énergie le faisait parfois oublier.

— Voilà un lien de taille. Comment l'explique-t-il ?

— Il affirme que sa montre lui a été dérobée par un pickpocket.

— Et vous le croyez ?

— Je suis enclin à le faire. Il n'aurait pas été au-delà de vos capacités de commanditer ce vol.

— Grands dieux ! Voilà un compliment à double tranchant. Une entreprise dangereuse, ne pensez-vous pas ?

— À l'extrême, acquiesça Pitt. Par conséquent, vous aviez une très bonne raison de vous y prêter. Je ne peux imaginer qu'une quelconque liaison amoureuse vous ait ému au point que vous auriez utilisé ces femmes pour attirer mon attention.

— Kynaston a parfois laissé son cœur guider son esprit, répondit Carlisle d'un ton sec en choisissant ses mots. Ne vous méprenez pas : ne pas aimer revient à mourir à petit feu. Ou peut-être est-ce pire que cela. Peut-être est-ce hésiter sur le rivage de la vie et ne jamais entrer dans l'eau. Seulement, si on va trop loin, on risque non seulement de se noyer, mais aussi d'en entraîner d'autres avec soi.

— Certes, admit Pitt. Cependant, je crois que vous avez une idée très précise en tête.

Carlisle haussa les sourcils.

— Peut-être. Mais vous faites appel à moi, et non l'inverse.

— Vraiment ? insista Pitt avec douceur. Il me semblait que c'était bien l'inverse, précisément, et qu'il était temps pour moi de réagir.

— Ah bon ? Qu'est-ce qui a pu vous donner cette impression ? Ou avons-nous dépassé ce stade, à présent ?

— Nous l'avons dépassé, oui.

— Je vois. Et votre réponse ?

Carlisle était assis immobile, son whisky oublié. De fait, il n'avait pas bu plus de quelques gorgées. À la lueur du feu, le breuvage avait pris une couleur ambrée et ressemblait à un joyau dans le verre en cristal taillé.

— Vous avez toute mon attention. Je vous écoute.

Son hôte garda le silence.

— Allons ! reprit Pitt, plus sèchement qu'il n'en avait eu l'intention.

Il était à bout de nerfs. Il ne pouvait se permettre de perdre cette manche. Il savait par expérience que Carlisle n'aurait pas agi à la légère ni risqué sa liberté, voire sa vie, à moins que l'enjeu ne fût assez important pour le justifier.

— J'ai enquêté sur Kynaston, en vain, continua-t-il. Kitty Ryder est partie en pleine nuit, sans rien emporter, parce qu'elle avait peur. Je doute qu'elle ait réagi ainsi seulement parce que Kynaston avait une maîtresse, sauf peut-être si c'était l'épouse d'un homme particulièrement puissant.

Il n'y avait aucune conviction dans ses paroles. Il ne croyait pas un instant à cette théorie.

— Cette hypothèse est indigne de vous, Pitt, commenta Carlisle d'un ton déçu. Pourquoi donc me soucierais-je de savoir avec qui couche Kynaston ?

— Vous vous en moquez, admit Pitt. Par conséquent, je me demande ce qui vous a incité à vous livrer à cette farce macabre. Car il s'agit bien d'une farce, n'est-ce pas ?

Carlisle garda ses yeux rivés aux siens.

— Vraiment ? murmura-t-il.

— Si je ne découvre pas la vérité, oui, c'en est une ! riposta Pitt, les nerfs tendus à craquer.

Une lueur de peur traversa le regard de Carlisle, si fugace que Pitt ne fut même pas certain de l'y avoir vue.

— Je ne crois pas que vous ayez tué l'une ou l'autre de ces femmes, ajouta-t-il. Vous ne les avez même sûrement jamais vues en vie.

Carlisle exhala lentement. Quelque chose en lui se détendit presque imperceptiblement.

— Et vous avez mis la montre et la chaîne sur elles.

Il ne mentionna pas les mutilations : cette horreur demeura en suspens entre eux.

— Vous êtes le meilleur enquêteur que je connaisse, dit Carlisle, d'une voix un peu rauque, comme s'il avait la gorge nouée, les poumons privés d'air.

— Alors ? Que voulez-vous que je trouve ?

Pitt se pencha vers lui.

— Vous avez abandonné des femmes en pâture aux animaux ! Qu'est-ce qui peut bien compter autant pour vous, Carlisle ? Un meurtre ? Plusieurs meurtres ?

Il marqua une pause, prenant soin de prononcer clairement ses mots.

— Ça n'est pas encore assez ! Il faut qu'il s'agisse de haute trahison !

Carlisle prit une longue inspiration.

— Connaissez-vous Sir John Ransom ?

— Pas personnellement. En quoi est-il concerné ?

— C'est un de mes amis. Il était étudiant à Cambridge en même temps que moi.

Pitt le laissa poursuivre, devinant que ce préambule était nécessaire. Une bûche s'effondra dans l'âtre, projetant une pluie d'étincelles que Carlisle ne parut pas remarquer.

— Il est venu me voir voilà deux ou trois mois, enchaîna-t-il. Il n'avait pas la moindre preuve de ce qu'il avançait, mais il croyait que certains faits très sensibles concernant un progrès récent en matière d'armes sous-marines étaient transmis à une autre puissance navale. Il n'a pas précisé laquelle. Je crois qu'il l'ignorait.

— Et la fuite émanait du ministère où travaille Kynaston, conclut Pitt.

— Exactement. Ransom était très inquiet, car il n'avait aucune idée de l'identité du coupable. Cependant, il n'y avait que trois possibilités. Les deux autres suspects ont été mis hors de cause depuis…

— Ce qui laisse Kynaston…, acheva Pitt à contrecœur. Cependant vous n'avez pas de preuves, sinon vous nous les auriez fournies.

— En effet.

— Par conséquent, vous avez voulu donner l'impression qu'il avait assassiné la femme de chambre de son épouse à cause d'une liaison réelle ou imaginaire, dans l'espoir que j'allais fouiner et découvrir le pot aux roses !

— C'est à peu près ça, avoua Carlisle. Mais vous prenez drôlement votre temps !

Il esquissa un sourire dur, qui ressemblait plutôt à une grimace.

— Vous le trouvez sympathique…

— Oui. Toutefois la question n'est pas là, rétorqua Pitt avec colère. Quelle que soit mon opinion de lui, je ne peux l'inculper de quoi que ce soit à moins d'avoir des preuves. Et puisque Kitty Ryder a été vue en vie après la découverte du premier cadavre et que le second ne lui ressemble pas, je n'ai aucune raison de l'accuser !

— J'ai commis une erreur, admit Carlisle, contrarié. J'ignorais que Kitty avait été vue. En êtes-vous sûr ?

— Oui. J'ai un assistant extrêmement consciencieux…

— Ah ! Le redoutable Stoker. Oui. Un homme excellent.

Carlisle eut un léger sourire.

— S'il parvenait à la retrouver, elle pourrait témoigner de ce qu'elle a vu ou entendu, et expliquer les raisons qui l'ont incitée à disparaître. Mais naturellement, il serait préférable d'avoir des éléments qui aient un peu plus de poids que la parole d'une femme de chambre en fuite.

— J'élargirai le champ des recherches, promit Pitt. Qui d'autre est mêlé à l'affaire ? Il doit bien remettre ces informations à quelqu'un ? Et pourquoi, pour l'amour du Ciel ?

Le simple fait de formuler la question à voix haute lui était douloureux. Il n'avait pas vraiment imaginé Kynaston coupable d'un délit plus grave que l'adultère, et n'avait pas vu en lui un homme capable de trahir son pays. Il avait beau s'être accoutumé à la désillusion, il en souffrait néanmoins.

Carlisle fit une moue d'excuse.

— Je n'en ai pas la moindre idée. Ce dont je suis sûr, c'est qu'il aura une foule de gens pour le défendre parce que personne ne voudra croire à sa culpabilité ! Le Premier ministre sera mécontent, à tout le moins !

— Je commence à m'habituer à mécontenter le Premier ministre, répliqua Pitt d'un ton sec. Cela semble aller de pair avec mon travail. En revanche, il ne suffira pas de mettre fin aux agissements de Kynaston…

— Oh ! je le sais. Il vous faudra savoir exactement quelles informations il a données et à qui. Et bien entendu, vous devrez traiter l'affaire dans la plus grande discrétion. Un procès ferait presque autant de dégâts que l'acte lui-même.

— Merci, Carlisle ! Je m'en rends compte ! coupa Pitt d'un ton cassant. Je préférerais aussi ne pas être obligé de vous poursuivre en justice ! J'accepte que vous n'avez tué personne, mais vous avez pris les corps de ces deux femmes là où ils se trouvaient – dans une morgue, j'imagine – et vous les avez déposés à la carrière. Et ce, après les avoir mutilés de façon à suggérer qu'elles avaient été tuées par une seule et même personne, à savoir Kynaston. Eh bien, j'ai reçu votre message et je l'ai compris. Vous avez réussi.

Carlisle était pâle, même à la lueur du feu.

— Je n'en suis pas fier, murmura-t-il. Mais Kynaston est un traître. Il faut le neutraliser.

— Je vais m'y employer de mon mieux, promit Pitt. Vous m'y aiderez, si je peux en trouver le moyen. Et à partir de maintenant, vous ferez exactement ce que je vous dis de faire… pour me donner une raison de ne pas vous inculper de vol et profanation de cadavre ! Sans compter que vous êtes un fichu casse-pieds !

— Iriez-vous…

Pitt le foudroya du regard.

— Oui ! Et si vous mêlez Lady Vespasia à cette histoire, je m'arrangerai pour que vous perdiez votre siège au Parlement !

— Je vous crois, murmura Carlisle. Je ne lui ai rien dit et je ne lui dirai rien, je vous en donne ma parole.

Pitt se leva.

— Merci au moins pour cela. Maintenant, je regrette de ne pas avoir accepté ce whisky !

— L'offre tient toujours…

— Non, merci. Je dois rentrer. Il est tard et il faut que je réfléchisse à la façon dont je vais éclaircir cette affaire, à partir de demain matin. À propos, où avez-vous dégoté les cadavres ? Dans une morgue ?

— Oui. Je veillerai à ce que ces femmes aient un enterrement décent quand vous en aurez terminé avec elles. Comme j'en ai pris l'engagement dès le début, ajouta-t-il.

Pitt le dévisagea un instant, cherchant en vain à mettre des mots sur ce qui s'était passé entre eux. Il se retourna et sortit.

Dehors, la pluie avait cessé, mais l'air était encore plus mordant. Les étoiles brillaient d'un éclat dur, signe qu'il allait geler dans la nuit.

Tout en marchant d'un pas vif sur le trottoir, il songea de nouveau à Carlisle. Cet homme l'exaspérait, pourtant il ne pouvait s'empêcher de bien l'aimer. Au fond, c'était un être qui osait croire à des idéaux qui le dépassaient, et qui atteignait, d'une manière insensée, au sublime. Un être seul.

Il se refusait à croire que Carlisle ait joué le moindre rôle dans la mort des deux femmes. Non, ce dernier s'était contenté de saisir sa chance. Pitt l'imaginait découpant soigneusement leurs visages inertes, au-delà de l'indignité et de la douleur, en s'excusant de se servir d'elles pour une cause qu'il jugeait noble et désespérée.

Il pressa le pas, affrontant le vent.

14

Désireuse de voir Emily plus souvent, Charlotte accepta sans hésiter de se rendre avec elle à une réception organisée en l'honneur d'un explorateur norvégien, qui devait donner une conférence. Non qu'elle s'intéressât particulièrement aux îles septentrionales ou aux oiseaux qui les habitaient. Le seul fait de penser à toute cette glace flottante lui donnait des frissons, au contraire.

Si Pitt avait été à la maison, ç'aurait été un sacrifice de s'absenter, mais il rentrait tard, absorbé par son enquête. Il lui avait révélé que Kitty Ryder était en vie, cependant, il n'avait toujours pas réussi à la trouver.

Pendant que Minnie Maude la coiffait – ce qu'elle faisait de mieux en mieux –, Charlotte réfléchit. Elle n'avait pas interrogé Pitt de nouveau, devinant à son expression qu'il était profondément préoccupé et qu'il s'était passé quelque chose dont il ne pouvait lui parler. Cela ne signifiait pas qu'elle ne fût pas libre d'essayer de se renseigner par ses propres moyens.

Contrairement à Pitt, elle était bien placée pour comprendre le milieu de Dudley Kynaston, celui où elle avait grandi et où Emily évoluait depuis toujours. Un milieu qui resterait toujours étranger à son mari, au moins dans certaines de ses valeurs, même s'il faisait de son mieux pour y paraître à l'aise.

Emily arborait une robe vert pâle, à la coupe exquise, parfaitement appropriée à l'événement et superbement mise en valeur par des boucles d'oreilles en diamant et émeraude. Charlotte reconnut en elle une « tenue de combat », une opinion qui se confirma lorsqu'elle donna à sa sœur un baiser rapide sur la joue. Le parfum qu'elle décela était si subtil qu'elle eut envie de s'approcher davantage pour mieux le sentir. Elle n'en connaissait pas le nom, et il était à n'en pas douter fort coûteux. C'était le genre de chose qu'une femme s'achète si elle ne regarde pas au prix.

Dès qu'elles furent installées dans la voiture d'Emily, Charlotte posa la question qui lui brûlait les lèvres.

— Pourquoi as-tu choisi cette conférence ?

Emily sourit. Même dans la semi-pénombre et la faible lueur des réverbères, sa satisfaction était visible.

— Parce que Rosalind et Ailsa Kynaston y vont. J'ai récemment commencé à fréquenter Rosalind. Compte tenu des circonstances, cela n'a été ni difficile ni déplacé. Si Jack accepte un poste auprès de Dudley Kynaston, nous deviendrons peut-être tous amis.

— Et cela va-t-il arriver ?

Brusquement, Charlotte ne s'inquiétait plus pour les Kynaston, ni pour Kitty. Elle ne songeait qu'à Jack, redoutant une nouvelle déception qui affecterait profondément Emily.

— Tu espères que non, n'est-ce pas !

L'ombre d'un défi perçait dans la voix de sa sœur.

— Il est brillant, vraiment. Peut-être l'ignores-tu ? Ce serait très intéressant pour lui de travailler avec

Kynaston, d'autant qu'il s'agirait d'une promotion. Mais tu dois le savoir, puisque tu y as réfléchi !

Charlotte, qui s'était promis d'être patiente et gentille, oublia ses bonnes résolutions.

— Je souhaite qu'il accepte, à condition que Kynaston soit innocent, rétorqua-t-elle sèchement. Qu'il ait ou non eu une liaison avec la femme de chambre importe peu, je suppose, sauf à son épouse, et peut-être à la domestique en question. Mais s'il a tué quelqu'un, je préférerais que Jack ne travaille pas pour lui, en effet. S'il devait être inculpé, il irait en prison, de toute façon.

Elle prit une profonde inspiration.

— Et même si c'était son épouse qui avait tué, si invraisemblable que cela paraisse, je préférerais qu'aucun de ceux que j'aime ne soit mêlé à cela.

— Jack sera content de savoir que tu l'aimes, commenta Emily, glaciale. Mais où vas-tu chercher des histoires aussi grotesques ? Si toutes les femmes de Londres devaient assassiner la maîtresse de leur mari, nous aurions du sang jusqu'aux genoux !

— C'est peu probable, répliqua Charlotte, sur le même ton. Elle n'a pas été poignardée. Elle a été rouée de coups et défigurée. Le sang a à peine été versé.

— Tu es ignoble ! accusa Emily.

— Ne sois pas idiote ! C'est toi que j'aime. J'ai beaucoup d'affection pour Jack, mais cela cesserait immédiatement s'il te faisait souffrir.

— Il ne…

Emily s'interrompit aussitôt, des larmes jaillissant de ses yeux pour rouler le long de ses joues. À tout autre moment, Charlotte aurait prononcé des paroles de réconfort ou étreint sa sœur. Mais à cet instant, l'atmosphère entre elles était trop tendue. Elle demeura silencieuse, donnant à Emily le temps de se ressaisir. Quand elle pensa avoir assez attendu, elle entama une autre conversation.

— Comment trouves-tu Rosalind ? demanda-t-elle, sincèrement intéressée.

— Plutôt sympathique, à vrai dire, répondit Emily d'une voix redevenue presque égale. Elle lit beaucoup et s'intéresse à toutes sortes de sujets extraordinaires : les voyages, les explorations, les fouilles en Grèce et en Mésopotamie – apparemment, on a fait dans des tombes des découvertes stupéfiantes. Elle se passionne aussi pour les plantes. Quand je suis allée avec elle à Kew Gardens, elle m'a expliqué d'où venaient des dizaines d'arbres et de fleurs. J'avoue que j'avais une arrière-pensée en commençant à la fréquenter, mais ce n'est plus le cas. Elle est tout sauf la créature ennuyeuse que j'imaginais.

— J'ai hâte de la connaître mieux, murmura Charlotte.

Les paroles d'Emily l'avaient surprise. Pitt n'avait guère parlé de Rosalind, aussi l'avait-elle supposée plutôt quelconque. Avait-elle pensé que c'était forcément le cas, puisque son mari avait une maîtresse ? Toutes les femmes mariées étaient-elles coupables de se rassurer ainsi ? En se disant que, si un homme cessait de s'intéresser à son épouse, c'était parce qu'elle devait être froide, ennuyeuse, laide – et qu'il suffisait d'éviter de l'être pour ne pas être frappée par un tel sort ?

Emily était peut-être malheureuse, mais elle n'avait rien perdu de son aisance en société. Elle pouvait toujours donner l'impression qu'une rencontre minutieusement préparée était tout à fait fortuite. Charlotte et elle se retrouvèrent debout non loin de Rosalind et d'Ailsa Kynaston. Il était clair que les deux femmes se connaissaient bien, mais personne ne les aurait prises pour deux sœurs. Sobrement vêtue d'une robe couleur prune, sans doute très chère, Rosalind était gracieuse, sans plus. Ailsa, en revanche, avec sa taille élancée, ses gestes fluides, la vivacité de ses traits et l'éclat blond vénitien de ses cheveux, attirait inévitablement le regard. Les tons bleu foncé de sa robe ne faisaient que souligner son énergie.

Elles se saluèrent avec plaisir, se félicitant que le hasard eût si bien fait les choses. Ailsa et Rosalind se souvenaient de Charlotte et se déclarèrent ravies de la revoir. Si elles pensèrent aussitôt à Pitt et aux terribles circonstances qui l'avaient amené chez Rosalind, elles furent trop polies pour y faire allusion.

La conversation fut détendue et roula sur des banalités. Emily, très en verve, se montra intéressante et spirituelle. Elle faisait rire Rosalind, laissant Charlotte libre d'écouter et d'observer le langage des regards et des gestes entre les deux belles-sœurs. Si c'était là son intention, elle n'aurait pu faire mieux.

— Je suis heureuse que tant de gens soient venus, dit Rosalind en promenant un regard sur le public de plus en plus nombreux. J'avoue que je craignais qu'il n'y ait guère de monde.

— Nous partirons tous reconnaissants que notre printemps, bien que frisquet, ne soit pas aussi rude qu'il pourrait l'être, commenta Emily.

Ailsa haussa les épaules avec grâce.

— Le Nord possède une beauté pure que bien des gens admirent.

Elle ne contredisait pas vraiment Emily, mais sa voix était empreinte de froideur.

— Connaissez-vous bien le Nord ? s'enquit cette dernière avec enthousiasme.

Un instant, Ailsa hésita, prise au dépourvu par la question.

— Je m'y suis rendue plusieurs fois, admit-elle. Les paysages sont magnifiques et on s'habitue aux températures. D'ailleurs, l'été n'est pas froid du tout, il est même plus lumineux qu'ici… souvent.

— Vous connaissez donc des endroits similaires à ceux dont le Dr Arbuthnott va parler, conclut Emily avant de se tourner vers Rosalind. Vous y êtes allée aussi ?

Rosalind sourit.

— Oh, non ! J'ai peur de ne jamais être allée plus au nord que Paris, qui est à mes yeux une ville merveilleuse.

— Paris est au sud d'ici, ma chère, intervint Ailsa doucement.

Charlotte la regarda. Elle souriait, mais sans chaleur, en dépit du ton qu'elle avait employé. Si elle avait eu de l'affection pour Rosalind, songea Charlotte, elle se serait abstenue de faire cette remarque.

Rosalind rougit très légèrement.

— Je le sais. Peut-être aurais-je dû préciser « sur le continent ».

Divers commentaires vinrent à l'esprit de Charlotte, tous susceptibles de remettre Ailsa à sa place, mais elle les retint.

— J'adorerais voyager, se contenta-t-elle de dire. Peut-être le ferai-je un jour. Cependant, à mes yeux, les gens sont plus fascinants que les villes, même les plus magnifiques d'entre elles. Et je suis reconnaissante aux explorateurs comme le Dr Arbuthnott de nous faire partager leurs photographies de ces endroits que je ne visiterai jamais.

— Voilà une vie bien remplie, commenta Ailsa.

Charlotte feignit de mal comprendre. Elle était agacée que sa propre existence soit traitée avec tant de condescendance, mais surtout offensée pour Rosalind, qui, à en juger par son expression, avait ressenti cette pique plus vivement encore.

— Vraiment ? Sur les photographies que j'ai vues, il ne semblait pas avoir plus de quarante-cinq ans. Peut-être ne sont-elles pas récentes ?

Ailsa la dévisagea, et subitement un éclair d'amusement, presque d'appréciation, traversa ses traits. Charlotte comprit qu'elle avait du respect pour ceux qui se défendaient. Elle lui sourit avec tout le charme dont elle était capable lorsqu'elle le désirait, et vit qu'Ailsa comprenait.

Elles s'installèrent et un silence attentif se fit dans la salle. Le Dr Arbuthnott apparut et, dès que les applaudissements eurent cessé, la conférence commença.

Ses propos ne manquaient pas d'intérêt, pourtant Charlotte ne pouvait se permettre d'y consacrer toute son attention. Emily et elle avaient finalement décidé de s'asseoir immédiatement derrière Ailsa et Rosalind, ce qui leur donnait la possibilité de les observer tout en faisant mine de se concentrer sur l'orateur.

Toutes les deux se tenaient très droites, comme leurs gouvernantes le leur avaient appris dès le plus jeune âge. Contrairement à la beauté, le maintien s'acquérait, ainsi que le timbre de la voix et la clarté de l'élocution. Avoir quelque chose d'intéressant à dire était, bien entendu, une tout autre question.

Rosalind s'inclina vers Ailsa et murmura quelque chose, si bas que Charlotte ne saisit pas ses paroles.

Ailsa se contenta d'acquiescer sans répondre, et ne se pencha pas davantage vers Rosalind. Puis elle promena un regard sur l'assistance, cherchant probablement une connaissance. Elle répéta l'opération un peu plus tard, avec la même discrétion, un manège qui intrigua Charlotte au plus haut point.

Sa curiosité ne tarda pas à être satisfaite. Une fois la conférence terminée, des rafraîchissements furent servis. Une partie non négligeable de membres de l'assistance s'approchèrent du Dr Arbuthnott pour le féliciter et lui poser d'autres questions sur les océans du Grand Nord.

Laissant Emily en grande conversation avec Rosalind, Charlotte suivit de loin Ailsa qui s'éloignait. Elle se fraya un chemin derrière elle, feignant de chercher une relation, au risque de passer pour une excentrique. Avec un peu de chance, elle ne reverrait jamais aucune des personnes présentes. D'ailleurs, si elles trouvaient son attitude étrange, elles veilleraient à l'éviter à l'avenir.

Sa détermination fut récompensée. Espérant sans doute échapper à l'atmosphère confinée et au bruit des conversations, Ailsa était passée sous une arche élégamment sculptée qui donnait sur une pièce adjacente, une petite galerie aux proportions élégantes qui ne menait nulle part hormis à une haute fenêtre.

Charlotte s'arrêta sur le seuil, n'osant se hasarder à l'intérieur. Plusieurs glaces agrémentaient la pièce et, si elle passait devant l'une, elle ne manquerait pas d'attirer l'attention. Or, elle tenait à tout prix à éviter une confrontation. Ce serait par trop gênant, car Ailsa devinerait aussitôt qu'elle avait été espionnée.

Elle se figea soudain. Par le plus grand des hasards, elle voyait le reflet d'Ailsa dans une des glaces, alors que la jeune femme elle-même était hors de vue. Ailsa était immobile, à côté d'Edom Talbot. À en juger par leur proximité, il n'y avait personne d'autre dans la pièce. Il changea de position et se plaça derrière elle, de sorte que Charlotte ne vit plus que ses bras qui entouraient tendrement la taille d'Ailsa, et ses épaules au-dessus de celles de la jeune femme.

Celle-ci ne bougea pas. Elle souriait vaguement, non comme si elle était contente, plutôt un peu amusée.

Les mains de Talbot remontèrent, et il lui caressa lentement les seins. Ses gestes étaient assurés. À l'évidence, il ne s'attendait pas à être repoussé.

Les traits d'Ailsa s'étaient durcis. Elle n'était pas surprise, mais il la dégoûtait. Charlotte percevait sa répugnance aussi intensément que si elle avait été à sa place. Les muscles de son cou s'étaient raidis, comme si elle retenait sa respiration.

Charlotte réfléchissait à toute allure. Pourquoi Ailsa tolérait-elle ces avances ? Elle était tout à fait capable de s'extraire de pareille situation. Pourtant, elle n'en fit rien.

Talbot se pencha et se mit à l'embrasser doucement dans le cou et sur l'épaule. Elle sembla lutter pour maîtriser ses émotions. Contrairement à Charlotte, qui lisait son dégoût comme si ç'avait été le sien, il ne voyait pas son visage.

Puis Ailsa se retourna, lui rendit un baiser rapide et se dégagea en prononçant quelques mots. Talbot lui sourit en retour. Ils s'avancèrent.

Charlotte s'esquiva, redoutant de s'attarder davantage. Si elle croisait le regard d'Ailsa dans une glace, elle ne pourrait jamais expliquer sa présence.

Sur le trajet de retour, tandis que la voiture roulait à vive allure dans les rues brillamment éclairées, Charlotte relata la scène à Emily.

— Quoi ? se récria sa sœur. Vraiment ? Es-tu sûre que c'était Ailsa ?

— Bien sûr que oui ! Sans parler de sa robe, qui était tout à fait reconnaissable, je voyais son visage !

— Alors, peut-être ne s'agissait-il pas d'Edom Talbot ! Dudley Kynaston aurait-il pu arriver sans qu'on le voie ?

— Dudley ! Mais elle est la veuve du frère qu'il adorait ! protesta Charlotte.

— Ne sois pas naïve ! protesta Emily sur un ton plus incrédule que critique. Bennett est mort ! Quel plus beau compliment Dudley pourrait-il lui faire que de le remplacer ?

— C'est épouvantable ! répliqua Charlotte. Serais-tu aussi rapide à me remplacer, moi ?

Emily sourit.

— Oh, je ne sais pas. Je trouve Thomas plutôt adorable ! Et il ne serait jamais ennuyeux, si ?

Charlotte, sur le point de faire une remarque blessante, comprit juste à temps qu'Emily la taquinait et qu'elle allait se ridiculiser.

— Il ronfle.

Emily parut anéantie.

— Non !

Elle soupira.

— Jack aussi. Il est très beau endormi, avec ses longs cils. Mais il ronfle – de temps à autre.

Charlotte se tourna vers elle.

— Emily, parlais-tu sérieusement quand tu as suggéré qu'Ailsa pourrait être la maîtresse de Dudley ?

Emily redevint grave.

— Voyons, ce serait logique, n'est-ce pas ? Bien sûr, ce serait non seulement scandaleux, mais aussi un outrage à son frère adoré.

Elle s'interrompit.

— Sauf que Rosalind m'a dit qu'Ailsa ne s'était jamais remise de la mort de Bennett. Elle l'aime encore.

— Peut-être que Dudley le lui rappelle ? suggéra Charlotte, réfléchissant à voix haute. Et que dans un moment de faiblesse, elle a cédé à ses avances ?

— Quoi ? Et maintenant, elle ne peut plus dire non ? s'écria Emily, incrédule. Bien sûr que si ! Je parie qu'Ailsa pourrait dire non à n'importe qui. Si elle continue, c'est qu'elle y trouve son intérêt.

— De toute façon, ce n'était pas Dudley, je t'assure, insista Charlotte. J'ai vu le visage de Talbot. Il n'y avait pas d'erreur possible. Elle l'a autorisé à la toucher d'une manière très intime, mais au prix d'un effort.

— Talbot, murmura Emily, songeuse.

Elle demeura un instant silencieuse.

— Il y a tant de possibilités, dit-elle enfin. Nous devons en discuter plus longuement. Rentre à la maison avec moi. Il est encore tôt. Mon équipage te ramènera après. S'il te plaît ?

— Bien sûr, répondit Charlotte sans hésiter.

Peu importait qu'il s'agît vraiment de parler de ce qu'elles avaient observé ou de tenir compagnie à Emily. Peut-être ne voulait-elle pas rentrer seule – ou, pire encore, retrouver un Jack silencieux et distant. Peut-être même était-il tendu à cause de la situation concernant Kynaston, et, par conséquent, irritable. Le simple fait qu'il ne partageât pas ses préoccupations avec Emily était une source de chagrin, quelle qu'en fût la cause. Sans doute pensait-il la protéger.

Les hommes pouvaient être incroyablement stupides, parfois, trébucher sur l'évidence sans la voir.

Cependant, Emily aurait aussi dû avoir le bon sens de ne pas faire une montagne d'un rien.

D'un autre côté, il était possible que Jack commence à être moins amoureux. Dans ce cas, des changements plus radicaux s'imposaient, mais Charlotte ne se sentait pas en mesure d'aborder cette question. En revanche, elle était prête à raccompagner Emily et à rester une heure avec elle, si cette dernière le souhaitait.

— Penses-tu vraiment que toute cette histoire pourrait avoir un rapport avec Bennett ? demanda-t-elle lorsqu'elles furent assises au coin du feu.

— Pourquoi pas ? D'après Rosalind, c'était quelqu'un de bien. Gentil, séduisant et promis au plus bel avenir.

Charlotte réfléchit, consciente du regard d'Emily sur elle.

— Cela me semble un fardeau un peu lourd à porter, dit-elle enfin. Je comprendrais que Dudley éprouve à l'égard de son frère des sentiments mitigés. Mais Thomas dit qu'il a un portrait de Bennett dans son bureau. Apparemment, il l'admirait et, d'une certaine manière, s'efforçait de lui ressembler.

Elle frissonna.

— Tu dirais qu'à présent il veut parachever son œuvre en ayant une liaison avec la veuve de Bennett ?

— Eh bien, ce n'est pas impossible, si ?

— Non.

— De fait, il n'est même pas impossible qu'il ait entamé cette liaison avant la mort de son frère !

— Mais si Bennett était si merveilleux qu'on le prétend, pourquoi Ailsa aurait-elle été prête à le tromper, avec son propre frère de surcroît ?

Emily esquissa une petite moue.

— Tous les hommes qui sont séduisants et intelligents et charmants ne sont pas forcément si intéressants quand on en vient à les connaître… dans l'intimité…

— Tu veux dire au lit ?

— Évidemment.

Emily se mit à rire.

— Oh ! mon Dieu ! Je ne parlais pas de Jack. C'était un peu maladroit de ma part, n'est-ce pas ?

Charlotte était trop soulagée pour la contredire.

— Oui ! En effet. Mais j'accepte ton démenti. Penses-tu réellement que tout pourrait remonter aussi loin dans le passé ? C'était il y a… des années ! La pauvre Rosalind. Pas étonnant qu'elle ait l'air un peu… défaite.

Une ombre traversa le visage d'Emily.

— Oui. Tu as raison.

Elle hésita.

— Moi aussi ?

Charlotte avait marché droit dans un piège – peut-être pas délibéré, mais fatal. Et il était inutile de mentir ou d'éluder la question : Emily s'en apercevrait tout de suite.

— Tu es moins rayonnante que d'habitude, c'est un fait, concéda-t-elle à contrecœur.

Emily avait-elle voulu qu'elle mente, même si ni l'une ni l'autre n'ajoutait foi à ses propos ? Il était trop tard pour y penser. Elle devait ajouter quelque chose, tâcher de s'extraire de ce bourbier.

— Tu crois que Jack ne t'aime plus, ajouta-t-elle, mais cela ne veut pas dire que ce soit vrai ! Il y a des gens qui sont convaincus que la Terre est plate ! On a même brûlé des malheureux sur le bûcher pour cela, autrefois.

— Et même plusieurs fois, rectifia Emily, s'efforçant de sourire.

— À quoi cela sert-il de brûler des gens plusieurs fois ? contra Charlotte du tac au tac. Cela paraît un tantinet excessif, non ?

Emily se mit à rire malgré elle.

— Tu essaies de me réconforter ?

— J'essaie de t'inciter à voir les choses telles qu'elles sont.

Charlotte resservit du thé. De l'Earl Grey, à l'arôme subtil et délicat ; l'exact opposé de la conversation.

— Je viens d'avoir une autre pensée, murmura Emily. Elle est épouvantable ! Sommes-nous certains que Bennett soit mort de causes naturelles ? Il était très jeune pour mourir.

— Tu veux dire que Dudley l'aurait tué ? s'exclama Charlotte, stupéfaite. Que ce serait le secret découvert par Kitty ? Comment diable l'aurait-elle appris ?

— Je ne sais pas ! Les femmes de chambre découvrent toutes sortes de choses. Je n'ose même pas penser à ce que la mienne sait de moi. Par certains côtés, elle me connaît mieux que Jack. Et même mieux que toi !

Charlotte se força à suivre cette pensée jusqu'au bout.

— Si c'était le cas, Rosalind serait-elle encore vivante ? Soupçonne-t-elle la vérité, et a-t-elle un moyen de garantir sa sécurité ? Et d'ailleurs, pourquoi rester avec un mari qui préférerait de loin être avec une autre ?

— Pour se venger ? suggéra Emily, avant de se pencher vers elle. Ou alors, ils n'ont pas tué Bennett, mais il a tout deviné et s'est donné la mort par désespoir ? Je suis sûre qu'un médecin respectable aurait pu se laisser convaincre d'étouffer l'affaire.

— Et là serait le scandale ? Ce serait affreux ! Quelle trahison ! Quelle épouvantable tragédie ! Dudley n'aurait pas pu permettre que cela se sache. C'est si… sordide !

Elle ferma les yeux, comme pour faire disparaître cette hypothèse.

— Je me demande si on peut continuer à aimer quelqu'un après cela, ou si on finit par le haïr, parce que chaque fois qu'on pense à lui ou à elle, qu'on voit son visage, on se souvient de ce qu'on est devenu à cause des sentiments qu'on a eus à son égard. Ne crois-tu pas qu'un amour véritable doit nous inciter à donner le meilleur de nous-mêmes ? À être le plus noble, le plus courageux, le plus tendre possible ?

Emily la regarda.

— Si, murmura-t-elle.

Lentement, ses épaules se détendirent.

— Si. Je le pense.

Elle sourit.

— Je suis heureuse que tu sois venue ce soir, et que tu aies dit ce que tu as dit. Je veux réfléchir toute seule pendant un petit moment. Nous reparlerons de ces malheureux Kynaston demain ou après-demain.

Sur quoi, elle tendit la main vers la sonnette, prête à prier le valet de pied de raccompagner Charlotte chez elle.

15

Pitt s'était demandé s'il devait mettre Stoker au courant des informations qu'il avait obtenues de Carlisle, ce qui impliquait forcément qu'il lui dise ce qu'il savait de ce dernier. Cela incluait leurs relations passées, ou du moins le strict nécessaire pour que Stoker comprenne pourquoi Pitt lui faisait confiance.

Le lendemain matin, il se rendit compte que sa réticence portait surtout sur la manière de présenter le sujet, quels mots choisir, et quoi omettre. Tout avait commencé lorsque Carlisle était devenu son débiteur en raison de son silence dans l'affaire de Resurrection Row. Ensuite, au fil du temps, la balance s'était rééquilibrée. Maintenant, avec l'intervention de Carlisle dans le bureau de Talbot, c'était lui qui était redevable envers Carlisle.

Ce dernier avait-il agi par calcul ? Cela ne lui ressemblait guère. L'homme que Pitt avait connu autrefois aurait méprisé pareille manipulation. S'il était intervenu, c'était forcément pour rembourser une dette – ou parce que l'honneur l'exigeait.

On frappa un coup sec à la porte. À peine Pitt eut-il répondu que Stoker entra, refermant derrière lui. Rasé de près, il semblait impatient de passer à l'action, mais il avait aussi les traits tirés, des cernes autour des yeux. Stoker n'était pas homme à faire les choses à moitié : il menait son enquête avec ténacité, comme si retrouver la jeune femme disparue était devenu pour lui une affaire personnelle.

— Monsieur ?

— Asseyez-vous.

Il obéit, sans détacher son regard du visage de Pitt. Celui-ci lui résuma les événements de Resurrection Row, une dizaine d'années auparavant, et sa première rencontre avec Somerset Carlisle.

Stoker le dévisagea avec incrédulité, puis amusement, et enfin stupeur.

— Excusez-moi, monsieur, dit-il, redevenant sérieux. Vous n'êtes pas en train de dire que Carlisle a manigancé l'apparition de ces cadavres, si ? Dans le premier cas, je comprends, mais…

Il écarquilla les yeux.

— Si ! Mais pourquoi ? C'est… grotesque…

— L'autre fois aussi, je vous assure. Oui, je crois qu'il est aussi l'instigateur de cette mise en scène. Il a l'ingéniosité et les moyens nécessaires…

— Il n'a pas pu y arriver sans aide, monsieur ! coupa Stoker.

— J'imagine que son valet est impliqué, et qu'il préférerait mourir plutôt que de l'avouer. Il est au service de Carlisle depuis trente ans. Je me suis renseigné.

— Pourquoi ? répéta Stoker.

Il se tut brusquement, et la lumière se fit dans son esprit.

— Pour vous obliger à enquêter sur Kynaston ! Dans quel but ? Il n'a pas tué Kitty Ryder. Que pouvait-elle savoir à son sujet qui ait tant d'importance ? Et comment Carlisle l'aurait-il appris ? Elle ne connaît personne de ce genre… si ?

— J'en doute. Carlisle l'a su par John Ransom.

— Oh !

Stoker émit un soupir.

— Parlons-nous de haute trahison, monsieur ?

— En effet.

— C'est… épouvantable. Dans ce cas, nous devons l'arrêter coûte que coûte. J'aimerais rencontrer ce type, Carlisle. Lui serrer la main.

Pitt se sentit étrangement heureux. Il avait craint que Stoker ne soit mécontent de l'ingérence de Carlisle et ne déplore son étrange conduite. Stoker grimpa d'un cran dans son estime professionnelle et personnelle. Ce solitaire à la mine sombre, qui n'avait aucun passe-temps ordinaire, faisait preuve d'une loyauté inébranlable et, sous des extérieurs rigides, n'était pas dénué d'imagination.

— Je veillerai à vous présenter, promit-il. Si toutefois cela ne se produisait pas dans le cours normal des événements.

— Merci, monsieur.

Il y eut à peine une lueur dans le regard de Stoker, mais, l'espace d'un instant, sa bouche frémit comme s'il réprimait un sourire, voire un rire.

— Maintenant, nous devons retrouver Kitty Ryder. Vous pouvez prendre deux autres agents avec vous si vous le souhaitez. En plus d'élucider un meurtre déjà commis, il s'agit d'empêcher que continue la fuite de nos secrets militaires. Ne répétez pas un mot de cette conversation. Pour tous les autres individus concernés, elle est seulement un témoin en danger.

— Oui, monsieur. Kynaston ne va-t-il pas la chercher lui aussi ? s'inquiéta Stoker, visiblement anxieux.

— D'où mon objectif suivant. Déterminer précisément ce qu'il a entrepris pour la trouver.

Stoker se leva.

— À qui transmet-il ces secrets ? Nous devons le découvrir, monsieur.

— Je m'en rends compte, Stoker. Il n'agit pas seul, évidemment.

Stoker fronça les sourcils.

— Qu'est-ce qui peut bien pousser un homme tel que Kynaston à trahir son pays ? Ça ne peut pas être qu'une question d'argent. Il y a des choses autrement plus importantes dans la vie, à commencer par sa conscience…

— Je ne sais pas, admit Pitt. Peut-être le fait-il par amour ?

— Par aveuglement, plutôt, lâcha Stoker, avec dégoût. Quel amour peut-on offrir à quiconque quand on a vendu son honneur ? Et si c'est cette personne-là qui vous demande de le faire, c'est qu'elle ne vous aime pas !

— Je ne songeais pas à l'amour d'un homme pour une femme, répondit Pitt, donnant forme à sa réflexion tout en parlant. Peut-être pour ses enfants ? Les êtres que nous aimons sont tous des otages en puissance…

— Les enfants de Kynaston ? répéta Stoker, songeur. Ce sont des adultes, ou presque. Mais je demanderai à quelqu'un de vérifier, si vous pensez que cela en vaut la peine.

— Oui, faites-le avant de vous remettre à la recherche de Kitty.

Stoker parti, Pitt pensa de nouveau à Kynaston. Si Kitty avait par mégarde découvert des informations compromettantes le concernant et qu'elle avait fui, craignant pour sa vie, Kynaston n'avait-il pas essayé de la retrouver ? Même effrayée, elle risquait de se confier à quelqu'un, ne serait-ce que pour se protéger, ou pour se libérer du secret qu'elle portait.

Sauf que, eût-elle accusé Dudley Kynaston d'être un traître, qui l'aurait crue ? Inévitablement, de telles déclarations auraient fait grand bruit et attiré l'attention sur elle. Par conséquent, elle avait peut-être jugé plus sage de disparaître et de se rendre aussi invisible que possible.

Kynaston avait-il estimé qu'elle était trop terrifiée, et trop sensée, pour répéter quoi que ce fût ?

Il n'était certainement pas allé rôder dans les pubs et les ruelles lui-même. Et, dans une certaine mesure, il eût été normal qu'il la cherche. Kitty était à son service et avait disparu de sa demeure. Un homme honnête n'aurait eu aucun mal à justifier pareille démarche.

Peut-être serait-il intéressant de voir sa réaction si on lui posait la question.

Pitt comprit subitement qu'il avait encore du mal à croire que Kynaston soit un traître ; pire, qu'il soit prêt, le cas échéant, à assassiner une de ses domestiques pour se protéger.

Devait-il charger un de ses subordonnés de se renseigner ? L'affaire était suffisamment importante pour déplacer un employé affecté à l'une ou l'autre des tâches multiples qui incombaient à la Special Branch. Cependant, il ne voulait pas que d'autres participent à l'enquête. Il n'était pas prêt à expliquer ses raisons à Talbot ni à quiconque, au cas où Kynaston en entendrait parler et se plaindrait.

Il passa le plus clair de la journée à enquêter sur le terrain, comme autrefois lorsqu'il tentait d'élucider un meurtre. Il alla de quartier en quartier, posant sur Kitty Ryder des questions directes et d'autres qui l'étaient moins, afin de savoir si quelqu'un l'avait cherchée.

Dans nombre de descriptions, il reconnut Stoker. Dans certaines, Norton, le majordome de Kynaston.

— Oui, monsieur, déclara le serveur du *Pig and Whistle* en secouant la tête tristement, quelqu'un de très gentil, Mr. Norton. Très comme il faut. Il s'inquiétait, pour sûr.

Il s'essuya les mains sur son tablier.

— Pour lui, elle faisait partie de sa famille, en un sens. Je lui ai dit ce que je savais, pas grand-chose. Il m'a remercié, il a même laissé un gros pourboire et pourtant je n'ai guère pu l'aider. Va savoir où elle est allée, et pourquoi, d'ailleurs !

— Vous ne lui avez pas posé de questions ? insista Pitt.

L'homme secoua la tête.

— Non. Le cocher de Mrs. Kynaston est venu aussi. Il a drôlement insisté, mais quand on ne sait rien, on ne sait rien, pas vrai ? Il m'a interrogé sur le jeune Dobson, tant qu'il y était.

Intéressant, songea Pitt. Rosalind avait donc envoyé quelqu'un aussi, et apparemment quelqu'un qui avait creusé un peu plus.

Pitt remercia le serveur et continua son chemin, curieux de savoir si le cocher avait persévéré dans ses recherches sur Harry Dobson. Il ne fut guère surpris d'apprendre que oui, néanmoins il lui fallut le reste de l'après-midi et toute la journée du lendemain pour en être sûr. Il semblait qu'on eût donné carte blanche au cocher et ce dernier avait fait preuve de diligence et d'imagination, mais en vain. Stoker en avait d'autant plus de mérite d'avoir réussi à retrouver Dobson, même après que Kitty l'eut quitté.

Peut-être n'aurait-il pas dû être surpris que Rosalind eût essayé de savoir ce qu'il était advenu de Kitty. Celle-ci était sa femme de chambre, après tout. À sa place, Charlotte aurait écumé Londres, indifférente au danger et plus encore au coût ou au dérangement.

Avant d'aller voir Kynaston, Pitt résolut de s'entretenir avec le cocher pour lui demander à quel moment il avait renoncé. Si longtemps après, il était peu probable qu'il puisse l'aider, cependant aucune piste ne devait être négligée.

— Non, monsieur, répondit le cocher, perplexe.

Ils étaient dans l'écurie, debout devant les box où les chevaux considéraient Pitt avec curiosité. Le valet allait et venait, apportant du foin.

Les odeurs familières de la paille, du cuir et de l'huile de lin ramenaient Pitt à son enfance. Les chevaux raclaient le sol de leurs sabots, mâchonnant lentement, expulsant l'air par les naseaux.

— Vous n'avez pas à vous en excuser, dit-il à l'homme. Au contraire, c'est tout à votre honneur.

— Je voudrais bien l'avoir fait, assura le cocher. Mais non. Demandez à Mr. Kynaston, monsieur. J'étais occupé à l'emmener, lui ou la maîtresse.

— Ce n'est pas Mrs. Kynaston qui vous a envoyé ?

— Non, monsieur. Elle était peinée que Kitty ait disparu, hein, mais elle ne m'a jamais rien demandé. Je suppose qu'elle est partie avec ce menuisier qu'elle fréquentait. Il n'y a que Mr. Norton pour penser que non. Et la petite Maisie.

Il sourit et inclina la tête.

— Trop maligne pour rester fille de cuisine, celle-là. Soit elle fera fortune, soit elle tournera mal.

Pitt était intrigué. Le serveur avait paru sûr de lui et les autres informations qu'il lui avait données s'étaient révélées exactes.

— Vous avez été vu et reconnu. Pourquoi diable le nier ? C'était un acte parfaitement honorable. Je sais exactement où vous êtes allé.

— Puisque je vous dis que c'était pas moi ! Celui qui vous a raconté ça mentait. Demandez à Mr. et à Mrs. Kynaston. Ils vous le confirmeront.

Pitt le dévisagea ; l'homme avait un regard droit et franc, dénué de la moindre trace de duplicité. Brusquement une tout autre pensée lui vint à l'esprit. Ailsa aussi était « Mrs. Kynaston ». Était-il possible que son valet eût été chargé de cette tâche ?

Pourquoi Ailsa aurait-elle fait cela ? Pour rendre service à Rosalind, à l'insu de son mari ? Cette hypothèse en entraînait d'autres, la première étant que Rosalind soupçonnait ce dernier d'avoir joué un rôle dans la disparition de Kitty et n'osait pas lui avouer qu'elle continuait à s'y intéresser.

— Il a dû se tromper, en effet, admit-il. Merci.

Il tourna les talons et s'éloigna, l'esprit accaparé par une multitude de possibilités.

Ailsa avait-elle cherché Kitty pour le compte de Rosalind ou celui de Kynaston ? Essayait-elle de prouver qu'il était innocent, dans leur intérêt à tous ? Si Kitty était en vie, alors aucun meurtre ne pouvait lui être imputé.

Il gagna la cour de la demeure, se fraya un chemin entre les poubelles de cendres et les seaux à charbon et gravit les marches qui menaient à l'arrière-cuisine.

Kynaston n'était pas encore arrivé, si bien qu'il patienta dans le salon. Il aurait préféré rester dans la cuisine, mais Norton veilla à ce qu'il ne s'y attarde pas. Sans doute le majordome craignait-il qu'il n'entende les conversations des domestiques.

Lorsque Kynaston entra, il paraissait las et transi, néanmoins il se montra aussi courtois que d'habitude.

— Bonsoir, Mr. Pitt. Comment allez-vous ? demanda-t-il en s'avançant, la main tendue.

Pitt la serra, ce qu'il ne faisait pas d'ordinaire lorsqu'il interrogeait un suspect.

— Bien, merci. Excusez-moi de vous déranger de nouveau.

Kynaston lui indiqua un fauteuil au coin du feu et lui proposa un verre de whisky, que Pitt refusa.

— J'ai échangé quelques mots avec votre cocher, commença-t-il d'un ton dégagé. Nous essayons toujours de retrouver Kitty Ryder et, au cours de nos investigations, il est apparu qu'il l'avait cherchée – peut-être à ses heures de loisir, ou, plus probablement, à votre requête…

Kynaston parut interdit.

— Hopgood ? Vous en êtes certain ? Il ne l'a pas fait à ma demande, je vous l'assure. Je suis étonné qu'il en ait eu le temps. Peut-être était-il… attaché à elle ? J'admets que cela ne m'était pas venu à l'esprit.

— Vous ne l'avez pas prié de le faire ?

— Non, affirma Kynaston en soutenant son regard. J'ai chargé Norton de se renseigner ici et là, voilà déjà quelque temps. Il ne demandait pas mieux, mais il n'a rien appris. Je me suis résigné à penser qu'elle s'était enfuie avec son jeune ami, d'une manière fort cruelle, je regrette d'avoir à le dire. Ma femme était bouleversée, comme nous tous. C'était un geste étonnamment égoïste de sa part.

— À vrai dire, Hopgood a nié l'avoir cherchée, que ce soit de son propre chef ou sur vos instructions.

Kynaston paraissait toujours troublé.

— Peut-être s'agissait-il du cocher de Mrs. Ailsa Kynaston ? suggéra Pitt.

La main de son hôte se crispa sur le verre de whisky qu'il tenait à la main. Une goutte de liquide ambré tomba sur le sol.

— Ailsa ? Je pense que c'est… peu probable.

Il réfléchit.

— À moins que Rosalind ne l'ait priée de l'aider ? Ou qu'elle ne se soit imaginé…

Il laissa sa phrase en suspens.

— Peut-être avons-nous été mal renseignés, déclara Pitt tranquillement. Cela arrive. De toute façon, c'est secondaire à présent, puisque nous sommes certains qu'aucun des deux corps retrouvés à la carrière n'est celui de Kitty Ryder. Comme vous le savez, elle a été vue en vie après la découverte du premier, et le second ne lui ressemblait pas assez. J'ignore où elle se trouve, mais personne dans votre maisonnée n'est soupçonné d'être impliqué dans sa disparition. Je suis désolé que vous ayez été affecté par cette affaire.

Il fixa Kynaston, observant les muscles de son visage et de son cou, ses épaules, la main qui tenait le verre et celle qui reposait sur l'accoudoir du fauteuil. L'homme était tendu à craquer. C'était tout juste s'il respirait.

Feignant de n'avoir rien remarqué, Pitt esquissa un sourire dépourvu d'expression et garda le silence. L'art d'interroger consistait à laisser Kynaston dans l'embarras, à ne pas lui offrir de branche à laquelle s'accrocher.

Enfin, Kynaston prit une profonde inspiration et posa son verre.

— C'est un grand soulagement pour nous. Ma femme sera ravie. Kitty ne s'est pas bien conduite, mais Dieu merci elle n'a pas été… tuée.

Il esquissa une moue de dégoût.

— Je suppose que vous n'allez plus perdre de temps à la chercher. Un excellent résultat à tout point de vue, même s'il n'a pas été facile d'y parvenir. Je ne peux imaginer ce qui est passé par la tête de cette écervelée ! Enfin, peu importe, désormais.

— En effet, acquiesça Pitt. Naturellement, il faudra établir l'identité des deux femmes retrouvées. Cette tâche incombera à la police du quartier.

Kynaston poussa un long soupir.

— Merci. C'est très gentil à vous de vous être déplacé en personne pour nous en informer.

Il se leva lentement, avec une certaine raideur.

— J'espère avoir le plaisir de vous revoir prochainement, dans de meilleures circonstances.

— Moi de même. Bonne soirée, monsieur.

Contrairement aux soirs précédents, Pitt arriva chez lui assez tôt pour dîner en famille. Il chassa Kynaston de ses pensées et écouta la conversation des siens, leurs nouvelles et leurs idées. Daniel débordait d'enthousiasme à la perspective de jouer au cricket l'été suivant et semblait ne pouvoir penser à rien d'autre. Il parlait des différentes techniques de lancer, de frappe, de réception de la balle, et aussi, au grand amusement de Pitt qui s'efforçait de n'en rien laisser paraître, de stratégie. Il développa ses idées en détail durant le repas, le visage plein d'excitation, déplaçant divers condiments sur la table pour illustrer les positions possibles des membres de l'équipe.

Jemima levait les yeux au ciel, mais écoutait patiemment. Puis, histoire d'exhiber des talents que personne d'autre ne comprenait, elle parla longuement d'histoire médiévale en France, se souriant à elle-même tandis que son auditoire feignait d'être fasciné.

La soirée était déjà bien avancée quand Charlotte et Pitt se retrouvèrent seuls au coin du feu. Elle se mit aussitôt à lui raconter sa sortie avec Emily, ce qu'elle mourait d'envie de faire.

Pitt avait du mal à garder les yeux ouverts. La pièce était chaude, infiniment confortable. L'unique applique à gaz allumée diffusait une lumière douce. Le feu pétillait tranquillement dans l'âtre, les bûches se tassaient de temps à autre. De vieilles bûches de pommier, qui dégageaient un arôme acide et sucré.

— Comment va Emily ? demanda-t-il, s'efforçant de paraître intéressé.

— Elle essaie de s'occuper. Comme moi. Je crois que c'est en partie son problème – elle s'ennuie à mourir.

— Et de quoi s'occupe-t-elle ? Tu n'as pas dit que vous alliez à une conférence sur l'exploration des terres arctiques ? J'ai du mal à imaginer qu'elle se soucie de ce genre de choses.

— La conférence portait sur l'Atlantique Nord et la mer du Nord, rectifia-t-elle. Et non, je ne crois pas qu'elle s'en soucie plus que moi. Mais je dois dire que certaines des photographies étaient d'une beauté à couper le souffle.

— Tu n'as pas dit qu'elle… s'occupait ?

Il devait être à demi endormi. Il perdait le fil de la conversation.

Charlotte sourit et se pencha vers lui, les yeux brillants.

— Et comment ! Quant à moi, j'ai vu Ailsa, presque par hasard – enfin, je l'ai suivie – dans un tête-à-tête extraordinaire.

— Un tête-à-tête ?

— Un rendez-vous amoureux, Thomas ! Du moins, peut-être s'agissait-il plus de désir que d'amour. De désir de la part de l'homme et quelque chose de très différent de la part d'Ailsa. Je ne sais pas, pas encore. Mais j'ai bien l'intention de le découvrir.

Il se redressa légèrement.

— Pourquoi ? De quoi parles-tu ? Et en quoi cela t'inquiète-t-il ? Cet homme n'était pas Jack… si ?

— Non ! Bien sûr que ce n'était pas Jack !

Elle s'était redressée à son tour et se tenait droite comme un i.

— Penses-tu vraiment que je serais en train de te raconter ça tranquillement s'il s'agissait de Jack ? s'écria-t-elle, indignée. Je t'aurais fait venir ici avant le dîner pour t'en parler !

— Oh ! oui, bien sûr ! Dans ce cas, où est le problème ?

— Ailsa Kynaston était avec Edom Talbot !

Pitt se réveilla brusquement.

— Quoi ? Que dis-tu ?

— Tu m'as entendue, Thomas. Je la suivais et j'ai vu son reflet dans une glace. Il était derrière elle et il l'a enlacée… intimement. Si quelqu'un d'autre que toi m'avait fait cela, je lui aurais écrasé le pied.

— Et elle ne s'en est pas émue ?

— Si, mais elle a joué la comédie. Il lui a fallu quelques secondes pour se maîtriser…

— Tu en es sûre ? Comment le sais-tu ?

— Parce que je la voyais ! rétorqua-t-elle d'un ton farouche. Et puis elle s'est retournée et elle l'a embrassé. Mais elle s'est forcée ! Ça ne déclenche pas une centaine de questions dans ta tête ?

— Une bonne dizaine, au moins, en tout cas. J'avais commencé à me demander si elle n'était pas la maîtresse de Kynaston. Ce que tu m'apprends là change tout.

— Pas nécessairement. Elle pourrait être la maîtresse des deux.

— Des deux ? se récria-t-il, incrédule. Pourquoi diable permettrait-elle à Talbot de la toucher si elle ne l'aime pas ? Serait-ce pour induire les gens en erreur, leur faire croire qu'elle a une liaison avec lui, et pas avec Kynaston ?

— Je l'ignore, admit Charlotte. Cela me paraît être un effort inutile puisque personne ne la soupçonne, de toute façon. Sauf peut-être Rosalind ?

Il fit mine d'intervenir, toutefois elle ne lui en laissa pas le temps.

— Il y a une foule d'autres possibilités, Thomas. Et s'ils étaient amoureux depuis longtemps ? Même quand elle était mariée à Bennett Kynaston ?

— Talbot et elle ? demanda-t-il, sceptique.

— Non, bien sûr que non ! Dudley et elle ! Peut-être est-ce pour cela que Bennett est mort si jeune ?

— Mort de quoi ? On ne meurt pas d'avoir été trompé, même par son propre frère. À moins que tu ne sois en train de dire qu'ils l'ont tué ? Ce n'est pas un peu…

Il se tut. Cette hypothèse était affligeante, cependant pas pire que la haute trahison. Était-il concevable que toute cette tragédie soit de nature familiale et non politique ?

— Pourquoi pas ? Et si Kitty Ryder l'avait découvert, n'aurait-ce pas été terrible ? Bien sûr qu'elle se serait enfuie, pleine nuit ou pas ! J'aurais fait la même chose. Et bien sûr, ajouta-t-elle, il se peut que Rosalind l'ait su et qu'elle ait eu l'intention de les tuer tous les deux pour se venger, ou de les dénoncer…

— Tu laisses ton imagination s'emballer, coupa-t-il sèchement.

— Non, pas du tout ! Ce n'est pas parce que Rosalind a l'air de ne pas avoir assez de flamme pour casser la croûte d'un gâteau de riz qu'elle ne pourrait pas brandir cette épée au-dessus de leur tête !

— On ne casse pas la croûte d'un gâteau de riz avec une flamme, ma chérie !

— Ne sois pas pédant ! riposta-t-elle, exaspérée. Je parle de sa flamme intérieure. Il se passe quelque chose de louche, Thomas. Je te donne quelques pistes, c'est tout. À toi de voir laquelle est la bonne.

Il la regarda. Elle était perchée sur le bord du fauteuil, les yeux brillants, les joues rosies par l'excitation. Ses cheveux semblaient dorés à la lueur du feu. Jamais elle n'aurait pensé cela d'elle-même, mais pour lui, elle était incroyablement belle.

— Il y a assez de flamme en toi pour me préparer du gâteau de riz jusqu'à la fin de mes jours, lança-t-il d'un ton qu'il s'efforçait de garder léger en dépit de l'émotion qui l'envahissait.

— Je croyais que tu n'aimais pas le gâteau de riz !

— C'est vrai. Mais j'aime les flammes !

Elle éclata de rire, se leva et vint se blottir dans ses bras.

Quand Jack Radley téléphona à Vespasia pour lui demander s'il pouvait lui rendre visite dans l'après-midi, elle perçut aussitôt l'accent pressant de sa voix.

— Bien entendu, répondit-elle, comme si cela ne la dérangeait en rien.

De fait, elle avait prévu d'accompagner une vieille amie à une exposition de tableaux. Elles ne s'étaient pas vues ces temps derniers, hormis dans des soirées où les conversations frivoles étaient de rigueur. Elle s'était réjouie de cette rencontre, mais, à présent, il faudrait qu'elle prie sa femme de chambre d'envoyer un mot d'excuse à Mildred. Peut-être lui ferait-elle aussi livrer des fleurs. S'il s'agissait d'un problème familial, celle-ci comprendrait. Elle avait elle-même des filles et maintenant des petites-filles.

Vespasia se demanda si elle devait offrir une collation à Jack. Elle l'imaginait mal prendre le thé et de petits gâteaux, néanmoins c'était une excuse pour s'asseoir et avoir une conversation sans être dérangés. On ne s'interrompait jamais avant que le rituel ait été respecté à la lettre. Sans doute était-ce là ce que désirait Jack, même si un cognac aurait peut-être été plus à son goût.

Il arriva à l'heure dite, et Vespasia en fut flattée. Pour un homme aussi occupé que lui, la ponctualité était un compliment. De toute façon, Jack avait des manières irréprochables. Jeune homme, il avait toujours eu assez de tact pour ne pas abuser de l'hospitalité de ses hôtes. Séduisant, spirituel, sûr de lui, il s'habillait à la perfection, dansait avec grâce et avait vu la plupart des pièces en vogue. Surtout, il ne colportait jamais de ragots, ne parlait jamais des dames qu'il escortait dans les soirées et ne faisait jamais de comparaisons, ni de promesses qu'il ne pouvait tenir. Son charme n'était pas seulement superficiel : il y avait dans sa nature une intégrité digne de respect.

Il la salua avec chaleur et l'embrassa sur la joue. Puis il accepta son invitation à s'asseoir et l'assura qu'il serait ravi de prendre le thé.

Cependant, en dépit de son sourire, elle voyait qu'il était inquiet.

— Je vous en prie, mon cher, ne perdez pas de temps en politesses et dites-moi ce qui vous préoccupe.

Il sourit, visiblement soulagé.

— Je vous remercie. Emily a dû vous dire qu'on m'a proposé un poste auprès de Dudley Kynaston. J'aurais plaisir à travailler avec lui. C'est un homme intéressant, un esprit brillant, et – surtout – je m'occuperais d'un sujet spécifique plutôt que de généralités.

Il hésita.

— Je sais que Thomas enquête sur lui à cause de la disparition de sa femme de chambre et du corps qu'on a retrouvé dans la carrière voisine. De plus, Somerset Carlisle a posé des questions aux Communes, ce qui laisse entendre qu'un scandale est sur le point d'éclater. La femme de chambre n'a toujours pas été retrouvée, et le corps n'a pas été identifié non plus.

Jack se tut, guettant sa réaction.

— Oui, je suis au courant. Redoutez-vous de commettre un impair ?

Il parut embarrassé.

— Je ne peux me permettre d'accepter ce poste, et puis de m'apercevoir qu'il n'existe plus. Certes, Emily possède une fortune personnelle, mais j'ai toujours refusé de vivre des biens que son premier mari a placés en fiducie pour Edward. Ce n'est pas de l'orgueil, c'est…

— Une question d'honneur, acheva-t-elle pour lui. Il n'est pas pompeux de le dire. Je comprends et ne vous en estime que davantage. Vous êtes tiraillé entre la perspective de bénéficier d'un excellent revenu et le danger que représenterait une erreur de jugement. S'il se révélait que Kynaston s'est compromis dans une affaire plus sordide qu'une infidélité envers sa femme…

Jack cilla.

— Vous dites cela comme si pareille conduite était acceptable à mes yeux…

Elle lui sourit.

— Vous êtes trop sensible, mon cher. Je ne pensais rien de tel. Peu m'importe qui vous avez connu et jusqu'à quel point avant votre mariage avec Emily, et je crois qu'elle ne s'en soucie pas plus que moi. Je suis d'avis qu'il est tout à fait inacceptable de trahir la confiance d'autrui, mais je sais très bien que c'est plus courant qu'on ne le désirerait. On ne peut se permettre de juger d'autres hommes là-dessus quand on désire travailler pour eux. C'est un luxe au-delà de la plupart d'entre nous, par conséquent tout le monde feint de ne rien savoir. Dans l'ensemble, cela fonctionne très bien.

— Pas si on assassine une domestique et qu'on jette son corps derrière chez soi, commenta Jack, d'une voix morose, empreinte d'amertume.

— Avez-vous demandé son avis à Emily ? dit Vespasia, comme si l'idée venait de lui traverser l'esprit.

Il secoua la tête.

— Non. Je ne veux pas l'inquiéter. Ce n'est pas à elle de prendre cette décision pour moi, ni d'en subir les conséquences si je me trompe.

— Peut-être le désire-t-elle.

— Emily n'aime pas l'anxiété. Surtout quand elle ne peut rien y faire.

Vespasia sourit.

— Voulez-vous dire qu'elle ne peut rien y faire ou que vous préféreriez qu'elle ne fasse rien, et que vous vous inquiétez parce que, si vous lui confiez votre dilemme, elle essaiera de vous aider ?

La question était directe au point d'être brutale, car l'expérience avait appris à Vespasia que le recours aux euphémismes donne souvent naissance à des malentendus. Il est possible de parler de manière si détournée que personne n'a la moindre idée de ce à quoi il est fait allusion.

Il la dévisagea gravement.

— J'essaie de la protéger ! Elle est malheureuse depuis quelque temps, j'ignore pourquoi, et elle refuse de me l'avouer. Je crains de l'ennuyer. Peut-être me trouve-t-elle trop timoré.

Vespasia soupira.

— En dépit de votre charme, vous ne connaissez pas très bien les femmes, n'est-ce pas ? Tenteriez-vous de protéger Charlotte de la sorte ?

Il parut stupéfait.

— Non… elle ne le supporterait pas. Mais je ne suis pas marié à Charlotte. Nous ne serions d'accord sur rien et peu importerait…

Il se tut brusquement.

— Mon cher, si vous aviez un désaccord avec Emily, cela ne porterait pas à conséquence. Ce que vous ne devez pas faire, c'est l'ignorer. Si vous continuez ainsi, elle va croire que vous vous intéressez à quelqu'un d'autre…

— Elle me connaît trop pour s'imaginer une chose pareille, rétorqua Jack, d'une voix altérée par l'émotion. Je l'adore. En fait, je n'ose pas le lui dire parce qu'elle déteste vieillir, mais je pense que l'âge mûr lui va bien. Elle semble plus… naturelle, plus accessible. Avant, elle me paraissait infaillible, trop sûre d'elle, trop parfaite pour avoir besoin de mon soutien ou de ma protection…

Jack se tut, l'air coupable, comme s'il en avait dit plus long qu'il n'en avait l'intention. Il se mordit la lèvre et se détourna, baissant les yeux.

— Cela dit, j'ai peur qu'elle ne s'offense d'être aidée pour quoi que ce soit, elle est si indépendante…

Vespasia lui effleura doucement le bras.

— Mon cher Jack, en vieillissant, nous commençons tous à accepter que nous avons besoin d'avoir des amis, des êtres que nous aimons et qui nous aiment, qui nous offrent leur aide et parfois même quelques critiques, à condition qu'elles soient faites avec douceur. Vous allez peut-être découvrir qu'Emily a acquis une certaine sagesse.

Il la regarda, une lueur d'espoir dans les yeux.

— En ce qui concerne Dudley Kynaston, je vous conseille de ne pas vous engager pour l'instant, enchaîna-t-elle. Trouvez un prétexte pour attendre une semaine ou deux. Invoquez des questions à régler, un engagement de longue date. Et demandez l'avis d'Emily, que vous suiviez ou non ses conseils.

Il lui décocha un sourire éclatant.

— C'est promis. Puis-je prendre une autre tarte à la confiture ? Je me découvre une faim de loup, et elles sont délicieuses.

— Elles sont pour vous, déclara Vespasia. Vous pouvez toutes les manger !

Ce soir-là, Vespasia dîna avec Victor Narraway, non sans avoir longuement hésité à accepter son invitation. Elle, qui analysait si lucidement la situation d'Emily, avait du mal à appliquer la même logique à la sienne. Elle aimait la compagnie de Narraway plus que celle de quiconque. Il avait toujours été facile de lui parler, même lorsqu'ils étaient en désaccord. Pourtant, ces derniers temps, elle se sentait particulièrement vulnérable avec lui, comme si, à un moment donné, elle avait retiré l'armure émotionnelle qui la protégeait depuis des années. Elle se surprenait à se soucier qu'il appelle ou non, allait jusqu'à se demander ce qu'il pensait d'elle, et si leur amitié était aussi précieuse à ses yeux qu'aux siens.

Elle était plus âgée que lui, et cette différence d'âge, qui n'avait jamais eu la moindre importance par le passé, la tourmentait à présent. Il semblait ne pas en avoir conscience, mais il était beaucoup trop bien élevé pour ne pas se montrer galant. Et de toute façon, c'était une considération déplacée. Évidemment. Qu'allait-elle s'imaginer ?

À peine avaient-ils terminé l'entrée qu'il devint brusquement très grave.

— Il y a du nouveau dans l'affaire de Pitt, murmura-t-il en se penchant par-dessus la table pour qu'elle l'entende. Il semble que la femme de chambre, Kitty Ryder, ait été vue en vie depuis la découverte du premier corps, ce qui prouve qu'il ne s'agissait pas d'elle.

Sa voix était pressante, aussi Vespasia jugea-t-elle bon de ne pas l'interrompre. Il importait peu de lui dire qu'elle avait déjà appris cette information de la bouche de Charlotte.

— Le second corps n'était pas le sien non plus, continua-t-il. Il faut donc en conclure que ces deux cadavres ont été déposés là pour attirer l'attention de Pitt sur les Kynaston.

— Savez-vous dans quel but ? demanda-t-elle, l'estomac noué.

Allait-il lui poser la même question ? Ses loyautés étaient partagées. Sans en être certaine, elle croyait que Somerset Carlisle était l'auteur de ce geste, et qu'il avait soulevé la question au Parlement parce que personne ne semblait prendre l'affaire au sérieux. La conclusion s'imposait d'elle-même.

Narraway la dévisageait avec intensité.

— Je vous en prie, ne jouez pas la comédie avec moi, Vespasia, dit-il doucement. Je ne vous demande pas de répéter une confidence, mais je crois que vous savez qui a mis ces corps là-bas et pourquoi.

— Je le devine, admit-elle, cependant j'ai pris soin de ne pas poser la question.

C'était horriblement difficile. Si elle ne voulait rien refuser à Narraway délibérément, elle ne pouvait pas davantage trahir la confiance placée en elle – par qui que ce fût.

— Je… je ne vais pas le lui demander, Victor. Je crois qu'il me dirait la vérité, et puis je serais obligée de vous mentir…

Il sourit, comme si sa réponse l'avait sincèrement amusé, pourtant il y avait une pointe de douleur dans son regard. Elle l'avait blessé, et cette certitude la transperça avec une violence qu'elle n'aurait pas crue possible.

— Vespasia…

Il tendit la main par-dessus la nappe blanche et la posa sur la sienne, très doucement, mais avec trop de force pour qu'elle puisse se dégager.

— Croyiez-vous réellement que j'allais vous demander de le faire ? Je vous en prie, accordez-moi plus de sensibilité et plus d'affection à votre égard !

Elle le regarda, la gorge serrée, incapable de répondre et furieuse contre elle-même.

— Un tel homme n'accomplirait pas un acte aussi macabre sans raison, reprit-il. J'en conclus qu'il voulait que Pitt enquête sur Kynaston parce qu'il croit ce dernier coupable de haute trahison. La question est de savoir pour qui il agit et pourquoi. Je doute qu'il soit mû par l'appât du gain. Il doit avoir un mobile plus profond, beaucoup plus personnel. Êtes-vous d'accord avec moi ?

Elle sentit une larme rouler sur sa joue, accompagnée d'une immense bouffée de soulagement.

— Oui, murmura-t-elle. Trahir son pays est terrible. Je ne peux rien imaginer de pire, hormis peut-être se trahir soi-même.

Le serveur apportait leur plat principal. Ils se turent jusqu'à ce qu'il se fût éloigné.

— Dans ce cas, nous devons nous interroger sur ce qui, aux yeux de Kynaston, compte plus que son pays. Mais peut-être pas ce soir. Merci de m'avoir écouté. J'avais très envie de partager mes pensées avec vous. Vous me faites toujours voir les choses plus clairement. Voudriez-vous du vin ?

Elle lui tendit son verre en silence.

— Une dette d'honneur ? souffla-t-elle.

— Quelle dette d'honneur pourrait être plus importante que la fidélité à sa patrie ?

— Je l'ignore. C'est ce que nous devons découvrir.

16

Aidé par deux collègues, Stoker procédait par élimination, rayant peu à peu de sa liste divers endroits où Kitty Ryder aurait pu trouver refuge. À mesure que les possibilités se raréfiaient, il sentait le découragement le gagner.

Il avait posé tant de questions et entendu tant d'anecdotes à son sujet qu'il avait l'impression de la connaître. Il savait quelles chansons elle aimait, quelles plaisanteries la faisaient rire, il savait qu'elle aimait les marrons grillés, les pommes vertes, la pâte feuilletée, mais qu'elle n'en mangeait guère car elle ne voulait pas grossir. Elle aimait marcher sous la pluie en été, et détestait le faire l'hiver. Elle était fascinée par les étoiles et rêvait de posséder un chien un jour, si jamais elle avait sa propre maison. Stoker songeait que cela lui plairait aussi, et se remémorait avec une émotion surprenante les rêves qu'il avait caressés autrefois à propos de Mary. Il s'avouait à présent que l'amitié et la tendresse d'une femme lui manquaient.

Kitty aimait la mer, non pas la plage ni les falaises, mais l'horizon interminable, les grands navires qui semblaient déployer leurs ailes blanches dans le vent. Elle aimait regarder les oiseaux prendre leur envol à la lueur du crépuscule. S'il finissait par la rencontrer, il pourrait lui raconter certains de ses voyages, lui parler des pays qu'il avait visités. Jamais il n'avait pu évoquer ces souvenirs avec Mary, car elle détestait l'Océan. Pour elle, il représentait la solitude, la séparation d'avec tout ce qu'elle affectionnait. Les vastes horizons étaient propices à la rêverie, et Mary était pragmatique.

Où se terrait Kitty ? Était-elle encore en vie ou quelqu'un l'avait-il déjà retrouvée ?...

Il se refusa à aller jusqu'au bout de cette pensée.

Où aurait-elle pu se cacher tout en restant près du fleuve et des navires qu'elle adorait ? Il devait cesser de traquer chaque indice, se servir de son intelligence et de ce qu'il avait appris sur elle. Seule et effrayée, où était-elle allée puiser du réconfort et rassembler son courage ?

Quelque part où elle pouvait contempler la Tamise, respirer l'odeur salée de la marée, suivre le vol des oiseaux dans la lumière déclinante. Se laisser emporter par ses rêves, ne fût-ce qu'un instant.

Aurait-elle choisi Greenwich, près du Royal Naval College ? N'était-ce pas trop proche de Shooter's Hill ? Pourquoi pas l'autre rive, près de la gare, d'où on jouissait d'une vue dégagée sur les navires à l'ancre en face ?

Le soleil baissait lorsqu'il descendit du train. Il se dirigea vers le fleuve que les derniers rayons du couchant baignaient d'une lumière argentée. Une ligne brillante s'étendait telle une bannière à l'ouest, reflétée dans le sillage d'une péniche, embrasant la crête des vagues. Il s'attarda là dans le silence, savourant le spectacle, réchauffé par la beauté immaculée du ciel, songeant que rien ne pouvait l'abîmer ; il était à l'abri, hors d'atteinte des mains humaines.

Quand il se retourna, une femme se tenait à quelques mètres de lui, le visage encore tourné vers le crépuscule. Elle était grande, et son visage dans la semi-pénombre possédait une beauté qui le rendit muet. Il se contenta de la fixer. Elle semblait appartenir à ce lieu, au soir et au vaste ciel qui s'assombrissait. Une dernière touche de couleur, tel un écho du disque de feu, s'estompait à l'ouest.

Soudain elle prit conscience de sa présence et ses yeux s'écarquillèrent de peur.

— Ne craignez rien ! dit-il aussitôt en faisant un pas vers elle.

Il comprit brusquement que son geste l'avait effrayée et s'arrêta.

— Je ne vais pas vous faire de mal. J'admirais seulement le…

Il se tut. Il avait failli dire qu'il admirait le coucher de soleil, mais c'était plus que cela : c'étaient la couleur, la qualité de la lumière, la douceur et la tendresse des ombres. Était-il ridicule pour un homme de s'exprimer ainsi ?

Elle le dévisageait. Qu'avait-il à perdre ? C'était une inconnue qu'il ne reverrait jamais.

— … la lumière qui change, acheva-t-il. L'obscurité vient si délicatement…

— La plupart des gens ne voient pas cela, remarqua-t-elle avec surprise. Ils pensent que c'est une sorte de… mort. Êtes-vous un artiste ?

Il eut envie de rire ; l'idée était absurde, si éloignée de la vérité, et si enchanteresse en même temps. Une bouffée de regret l'envahit.

— Non, murmura-t-il. J'aimerais bien. Je suis seulement policier, en un sens…

La crainte se lisait de nouveau sur ses traits. Il n'aurait pas dû dire cela.

— Pas un policier normal, se hâta-t-il d'ajouter. Juste pour les espions, les anarchistes, les gens qui veulent bouleverser tout le pays…

— Qu'est-ce que vous faites ici ?

— Je réfléchissais, dit-il honnêtement. Je recherche une femme depuis des semaines, en vain. Je n'ai pas renoncé, mais j'avais juste… besoin d'un peu de paix. Peut-être qu'une nouvelle idée me viendra.

— C'est une espionne ? demanda-t-elle, curieuse.

Il eut un léger rire.

— Non ! Plutôt un témoin, je crois. Mais je sais qu'elle est en danger. Je veux la protéger.

Il aurait dû être plus honnête. Le crépuscule, la complicité de ce moment partagé l'exigeaient.

— Et je veux savoir ce qui l'a poussée à s'enfuir. Elle a tout abandonné derrière elle, toutes ses affaires, ses amis, tout.

La jeune femme était demeurée parfaitement immobile.

— Et ensuite ?

— Ensuite, nous saurons à quel genre de trahison nous avons affaire et nous pourrons intervenir.

— Et elle ? Vous allez la mettre en prison parce qu'elle ne vous a rien dit ?

— Bien sûr que non ! Nous ferons en sorte qu'elle soit en sécurité…

— Comment ? Ils ne sauront pas que vous l'avez trouvée ? Et pourquoi est-ce qu'on la croirait, elle, plutôt qu'eux ?

Il la dévisagea. Dans la délicate lumière grise, elle était superbe. Pas seulement jolie, magnifique. Ses cheveux semblaient châtain foncé. Au soleil, ils auraient pu être de n'importe quelle couleur, même auburn. Et elle était terrifiée. Elle voulait le croire et n'osait pas.

— Kitty…

Dès que le nom franchit ses lèvres, il se sentit ridicule. Il laissait cette scène l'affecter, son cerveau se ramollissait !

Elle se figea, comme un animal prêt à s'enfuir tout en sachant que cela ne servirait à rien. Le prédateur était bien plus fort et bien plus rapide qu'elle. Cependant, elle se battrait, il le voyait sur son visage.

— Je vous cherche depuis des semaines, soupira-t-il. Nous savons que Kynaston est un traître, mais nous ignorons pourquoi et comment il s'y prend. Et il ne sert à rien de l'arrêter sans ses complices. Il nous faut aussi arrêter ceux à qui il transmet ces secrets.

Elle n'avait pas dit un mot – n'avait certainement pas admis être Kitty Ryder, pourtant il le savait aussi sûrement que si elle l'avait fait. Son silence, sa peur étaient un aveu. Il comprit qu'il ne devait pas faire un pas de plus vers elle.

— Je m'appelle Davey Stoker. Je travaille pour la Special Branch. Vous n'avez plus besoin de fuir. Je vais vous emmener en lieu sûr…

— En prison ?

Elle secoua vivement la tête. Elle frissonnait, à présent.

— Je ne serai pas en sécurité là-bas ! Ces gens-là sont plus puissants que vous !

— Non ! Pas en prison. Pourquoi vous mettrais-je en prison ? Vous n'avez rien fait.

Une idée s'imposa à Stoker.

— Je vais vous emmener chez ma sœur par le train, tout de suite. Elle prendra soin de vous. Personne d'autre ne le saura. Vous ne serez pas prisonnière. Vous pourrez vous enfuir si vous le voulez…

— Votre sœur ? Elle est dans la police aussi ?

Il sourit.

— Non. Elle est mariée et mère de quatre enfants. Elle ne sait pas grand-chose de la Special Branch, sauf que j'y travaille.

— Vous n'êtes pas marié ? Ils ne penseront pas à me chercher là ?

— Non, je ne suis pas marié. Et ils ne savent rien de Gwen. De toute façon, ce ne sera pas pour longtemps.

— Pourquoi ferait-elle ça ? Pourquoi m'accepterait-elle chez elle ?

— Parce que je vais le lui demander, répondit-il simplement. Nous sommes… proches.

Elle resta silencieuse un instant, puis se décida.

— Je viendrai. Mais je vous préviens : je n'ai pas d'argent pour payer le train… pas pour aller loin.

— J'en ai. Que diriez-vous de manger d'abord ? Je meurs de faim. Vous aimez le poisson et les frites ?

— Oui… mais…

Il comprit.

— Ce n'est pas moi qui paie, c'est la Special Branch, assura-t-il, jugeant ce mensonge nécessaire pour qu'elle accepte.

Sans doute avait-elle faim aussi.

Elle hocha la tête et se mit à marcher très lentement en direction de la rue. Il se hâta de la rattraper et ils cheminèrent côte à côte, sans se toucher, chacun réglant son allure sur celle de l'autre.

Gwen n'hésita pas une seconde à accueillir Kitty. Après un seul regard à Stoker et à la jeune femme à l'air intimidé qui l'accompagnait, elle ouvrit grande la porte.

— Entrez, dit-elle aussitôt, s'adressant à Kitty. Nous allons boire un thé et puis je vous préparerai une chambre. Il va falloir se serrer un peu, mais ça ira. Ne reste pas dehors, Davey ! Allons, entre donc !

La chaleur de la maison l'enveloppa aussitôt, et il vit Kitty sourire. Gwen emmena la jeune femme au premier étage, ordonnant par-dessus son épaule à Stoker de mettre la bouilloire à chauffer.

Une heure plus tard, les enfants avaient été installés dans la même chambre et avaient reçu l'ordre strict de ne pas rester à bavarder toute la nuit. Gwen et son mari causaient dans la cuisine et Stoker et Kitty étaient assis dans le salon, où il faisait un peu frisquet parce que le feu venait seulement d'être allumé. C'était une pièce qu'on n'utilisait que pour les grandes occasions, et celle-ci semblait en être une.

Le moment était venu de parler de l'affaire.

— Pourquoi êtes-vous partie en pleine nuit, sans avertir personne et sans rien emporter ? demanda Stoker doucement, mais fermement.

Kitty prit une profonde inspiration et baissa les yeux.

— J'ai compris que Mr. Kynaston avait une maîtresse. Une fois qu'on y songe, ce n'est guère difficile à voir. Ce sont de petits détails, vous savez ?

Elle leva les yeux brièvement, puis les baissa de nouveau.

— Sa manière d'expliquer où il allait, de répondre à des questions que personne ne lui avait posées, mais pas à celles qu'on lui posait… On ne s'en rend compte qu'après coup.

— Vous avez été témoin de cela ? coupa Stoker.

— Parfois. Les gens de la haute société oublient que les domestiques ont des oreilles. Ils sont tellement habitués à nous voir silencieux la plupart du temps qu'ils ne s'imaginent pas que nous les observons et que nous sommes capables de tirer nos propres conclusions. Ou peut-être qu'ils s'en moquent. Si nous voulons rester à leur service, nous n'allons rien répéter à personne. Et peu importe ce que nous pensons d'eux…

— Dans ce cas, qu'avez-vous appris de si grave ? demanda Stoker, perplexe.

— Que sa maîtresse était Mrs. Kynaston… la veuve de son frère, celui dont le portrait est accroché dans le salon.

— Vous êtes bien sûre qu'il ne prend pas tout simplement soin d'elle à cause de son frère ?

Elle lui lança le genre de regard que lui décochait Gwen quand il avait dit quelque chose de tout à fait stupide.

— Si quelqu'un se mettait en tête de « prendre soin de moi » comme ça, je lui retournerais une gifle qu'il n'oublierait pas de sitôt, rétorqua-t-elle. Et je lui donnerais un bon coup de pied, aussi fort que je peux sans m'empêtrer dans mes jupons.

— Oh !

L'espace d'un moment, il ne trouva aucun commentaire. Il se sentait trop embarrassé.

— Savait-il que vous les aviez vus ? Pensait-il que vous en parleriez à sa femme ?

Elle haussa les épaules.

— Je ne crois pas. Je suppose qu'elle le savait déjà. Et de toute façon, elle n'aurait pas voulu penser que j'étais au courant. Parfois, il faut vivre avec certaines choses et la seule manière de les supporter, c'est de faire comme si de rien n'était.

Il étudia ses traits à la lueur du feu. Il voyait qu'elle était effrayée. Elle ne lui avait pas tout dit. Cette affaire, douloureuse, immorale, n'avait rien d'exceptionnel. Même les poètes et les rêveurs ne s'imaginaient pas que tous les époux soient heureux, ou fidèles.

— Miss Ryder… j'ai besoin de savoir, insista-t-il. De qui avez-vous si peur ? Savoir que Mr. Kynaston a une liaison avec la veuve de son frère est regrettable, mais – comme vous me l'avez vous-même fait remarquer – les domestiques savent toutes sortes de secrets. Lui avez-vous dit quoi que ce soit ?

Elle écarquilla les yeux.

— Non ! Pour qui me prenez-vous ? Un maître chanteur ?

Elle était en colère, blessée aussi.

Il se reprocha amèrement sa question.

— Non, pas du tout ! J'essaie de vous persuader de me révéler pourquoi vous vous êtes enfuie. Jusqu'ici, vous ne m'avez décrit qu'un mariage malheureux. Profondément malheureux, peut-être, mais il n'y a rien là qui concerne la Special Branch ou qui puisse représenter une menace pour vous. Qu'y a-t-il d'autre, Kitty ?

— La femme de Mr. Bennett, répondit-elle en le regardant bien en face. Avant, elle était mariée à quelqu'un d'autre… en Suède.

Il cilla.

— Cela a-t-il de l'importance ? Ou voulez-vous dire qu'elle est toujours mariée avec lui ? Si oui, son mariage avec Bennett aurait été un acte de bigamie. Y a-t-il une question d'argent ? A-t-elle hérité de Bennett ?

Elle secoua la tête.

— Je l'ignore. Elle paraît… vivre confortablement, mais pas dans le luxe.

— Et Mr. Kynaston savait que vous aviez découvert la vérité ? Comment cela s'est-il passé, à propos ?

— Elle séjournait à la maison pour un jour ou deux, comme souvent. J'avais préparé de la crème, faite spécialement pour garder les mains des dames blanches et douces. Il y en avait assez pour elles deux, et je lui en ai apporté.

Elle observait Stoker avec attention, le regard rivé à son visage.

— Elle a une bague, large et plate, sertie de pierres précieuses très originales. De toutes petites pierres. Elle ne la retire jamais d'ordinaire, pourtant il a fallu qu'elle le fasse pour mettre la crème, au cas où ça l'aurait abîmée.

— Continuez.

— Je suis allée faire le lit pendant qu'elle appliquait la crème. Ses bagues étaient sur la table de chevet, alors je les ai déplacées pour ne pas les faire tomber en secouant la courtepointe. Et j'ai vu l'inscription à l'intérieur de celle-là.

— Que disait-elle ? pressa-t-il, les pensées se bousculant dans son esprit.

— « Anders et Ailsa, Stockholm, juillet 1881 – unis pour toujours. » J'ai dû me figer, et je me suis rendu compte qu'elle me fixait. J'ai voulu dire quelque chose, mais ma langue était comme paralysée et la pièce tournait autour de moi comme si j'étais en pleine mer. Elle avait l'air furieux. Et puis, j'ai entendu Mr. Kynaston monter les marches. Elle est redevenue toute douceur et elle a fait l'innocente. Je suis sortie de la pièce et je suis descendue dans la cuisine.

— Que s'est-il passé ensuite ?

Kitty était toute pâle.

— Je ne l'ai vue qu'une seule fois, en traversant l'entrée. Je l'ai entendue dire à Mr. Kynaston qu'il manquait quelque chose dans sa chambre, un objet de valeur. J'ai compris qu'elle allait m'accuser de l'avoir volé.

Elle ferma les yeux, puis les rouvrit brusquement.

— J'ai fait une sottise. Je ne pouvais pas me permettre de perdre ma place ni ma réputation. Personne ne va engager une voleuse !

Elle déglutit avec peine.

— Je me suis arrêtée et j'ai déclaré à Mrs. Kynaston que je serais heureuse de l'aider à chercher cet objet. Je l'ai regardée droit dans les yeux. Elle a compris que je n'allais pas me laisser faire et elle a changé d'avis. Elle a dit qu'elle ne l'avait sans doute pas apporté et qu'elle regrettait d'avoir fait une erreur. Et puis elle m'a lancé un regard assassin et elle est montée se coucher.

Stoker admira son courage, sinon son bon sens.

— Avez-vous parlé de cette bague à Mr. et Mrs. Kynaston ?

— Non. Je suis retournée dans la cuisine, j'ai attendu que tout le monde soit couché, et puis je suis partie.

Elle hésita.

— Je suis sortie par-derrière et j'ai continué à marcher. Je savais que Harry s'occuperait de moi. Par la suite, j'ai lu dans le journal qu'on avait découvert un corps et j'ai pris peur, alors je suis repartie. De toute façon, ce n'était pas juste que je reste avec lui, parce que je ne voulais pas l'épouser. Je l'aime bien, mais pas à ce point-là.

— Et comment se fait-il qu'il y ait eu du sang et des cheveux sur les marches de la rue ? Et du verre brisé ?

Elle se détourna, embarrassée.

— Ça n'a pas de sens, insista-t-il tout bas. Il faut que je le sache.

— Je ne vous ai pas menti ! protesta-t-elle en levant les yeux vers lui de nouveau. Tout ce que je vous ai dit est vrai… Mrs. Ailsa est venue dans la cuisine. Elle avait un verre à la main et un drôle de sourire aux lèvres. J'ai deviné qu'elle allait s'en prendre à moi et j'ai couru à la porte, mais elle m'a rattrapée sur les marches. Elle m'a arraché une touffe de cheveux. Pour ce qui est du sang… c'était le sien. Elle s'est coupé le doigt en brisant le verre. Je ne lui ai pas fait de mal, je vous le jure ! Je n'ai même pas essayé…

— Je sais. Je ne vois pas pourquoi elle était si bouleversée que vous ayez lu cette inscription, cependant il doit y avoir un rapport avec la trahison que nous soupçonnons. Restez ici avec Gwen. Ne parlez de tout cela à personne d'autre – en fait, ne parlez à personne avant que je vous dise qu'il n'y a plus de danger.

Elle le regarda.

— Que se passera-t-il si vous échouez ?

— Je n'échouerai pas, affirma-t-il, un peu imprudent. Je réussis toujours. Mais je ne suis pas seul. Nous sommes nombreux. Restez à l'abri.

Il se leva.

— Gwen veillera sur vous jusqu'à mon retour. Je ne reviendrai peut-être pas avant quelque temps. Je vais être occupé et… et vous serez plus en sécurité si personne ne sait que vous êtes ici. Gwen ne porte pas le même nom que moi. Personne ne peut faire le lien avec moi. Je vous en prie… faites ce que je vous dis.

Elle hocha la tête, les yeux soudain emplis de larmes, peut-être parce que, dans l'immédiat au moins, elle était en sécurité.

Il dit au revoir à Gwen et à son mari dans la cuisine, et remercia sa sœur de nouveau. Puis il sortit et s'éloigna d'un pas léger, souriant à la nuit.

Le lendemain matin, à dix heures à peine, Pitt retrouva Narraway sur les quais de l'Embankment. Le vent de mars commençait à s'adoucir. Il était facile de croire que le printemps allait débuter d'ici un jour ou deux.

Tout en marchant, Pitt lui résuma brièvement ce que lui avait appris Stoker lorsqu'il était arrivé à Keppel Street, juste après sept heures. Narraway l'écouta sans l'interrompre.

— Dans ce cas, il semble logique qu'Ailsa Kynaston soit à l'origine de la trahison de Dudley, conclut-il lorsque Pitt eut terminé. La question est de savoir pourquoi et à qui il remet ces secrets ! Il est essentiel de nous renseigner sur elle !

— Sur Bennett aussi. Peut-être sur sa mort. Il se peut qu'il n'ait aucun rapport avec cette affaire, mais j'en doute. Et nous devons agir vite.

Narraway eut un petit sourire tendu.

— Je pensais bien que vous ne me disiez pas tout cela dans le seul but de satisfaire ma curiosité.

Pitt ne s'excusa pas.

— Vous avez des relations que je n'ai pas, vous connaissez des gens qui ne me font pas encore confiance. Je vais aller voir Sir John Ransom pour découvrir précisément à quelles informations Kynaston a accès. Il faut que je sache à qui vont ces documents et entre les mains de qui ils passent.

— Faites attention à la manière dont vous informez Ransom, avertit Narraway. Il sera peut-être sceptique. La famille Kynaston est très respectée depuis des générations.

— Il a déjà des soupçons, l'informa Pitt, se remémorant sa conversation avec Carlisle et la tristesse de ce dernier à cause de son ami trahi.

Il se tourna vers Narraway avec un sourire sans joie, manière de lui communiquer qu'il n'avait nullement l'intention de lui révéler comment il le savait. Non qu'il n'eût pas confiance en Narraway, mais il ne voulait pas mettre ce dernier dans une situation où il devrait cacher quelque chose à Vespasia. Ni l'un ni l'autre ne savait encore où tout cela mènerait.

Narraway ne posa pas de questions.

— Je vous tiendrai au courant, reprit Pitt en s'arrêtant. Si vous avez du nouveau, faites-le-moi savoir.

En dépit du soleil qui dardait ses rayons sur l'eau, la brise qui soufflait du fleuve était encore fraîche. Pitt songea au cabinet de travail de Kynaston et aux tableaux accrochés aux murs. Ce dernier avait dit qu'ils représentaient la Suède, et à l'évidence plusieurs d'entre eux étaient associés à des souvenirs personnels. Il en parla brièvement à Narraway, puis le remercia et entreprit de retourner au pont de Westminster. Il ne se réjouissait guère à la perspective de révéler à Ransom ce qu'il savait, mais cet entretien était inévitable et le plus tôt serait le mieux.

Ransom le reçut immédiatement. C'était un homme à l'air calme, grand et mince, au front haut et dégarni.

— J'espérais que vous ne viendriez pas, avoua-t-il en secouant la tête.

Ils se trouvaient dans son bureau, une grande pièce qu'il avait remplie de livres et de classeurs. Serrés les uns contre les autres sur les rayonnages qui couvraient trois des murs, ils débordaient pourtant sur les fauteuils et même jusque sur le sol. Pitt se demanda si Ransom s'y perdait ou s'il savait précisément ce que chaque pile contenait. Le regard posé et la voix douce et précise de son interlocuteur le firent pencher pour la seconde hypothèse.

— Je l'espérais aussi, répliqua Pitt. Cependant, j'ai peur que ce ne soit devenu nécessaire.

Ils étaient encore debout. D'une manière ou d'une autre, il ne semblait pas approprié de s'asseoir.

— Kynaston ? Ou suis-je en train de trop m'avancer ?

— Non. À dire vrai, vous me facilitez la tâche, avoua Pitt. Je n'ai pas encore de preuves, mais je ne vois aucune autre explication plausible.

Ransom avait pâli.

— J'essayais de me convaincre que j'avais tort, même si, en mon for intérieur, je crois que j'avais déjà accepté que c'était la vérité. Je vous remercie d'être venu. Allez-vous l'arrêter ?

Pitt secoua la tête.

— Pas encore. Il faut des preuves avant de salir le nom d'un homme. Je n'ai pas besoin de vous dire de ne pas lui donner accès à de nouveaux documents. Et je dois vous prier de dresser la liste des informations qu'il a pu transmettre à nos ennemis – ou même à nos alliés, d'ailleurs.

Ransom eut un sourire morose.

— Lorsqu'il s'agit d'armement, il n'est pas toujours facile de distinguer entre les deux. C'est la première fois qu'il se produit une affaire de ce genre depuis que je suis responsable du service. Bien sûr, j'y avais pensé – il le faut –, mais la réalité est plus douloureuse que je ne l'avais imaginé. J'apprécie cet homme. Qu'est-ce qui a bien pu le pousser à faire une chose pareille ?

— Je ne le sais pas encore. Peut-être ne le saurons-nous jamais.

Ransom le regarda, les sourcils froncés, le visage défait.

— Je suppose que, dans votre profession, vous avez constamment affaire à ce genre de chose. Comment continuez-vous à faire confiance à autrui ?

Il s'interrompit, cherchant les mots justes pour défendre son idée.

— Peut-on apprendre à se fier à son intuition ? Y a-t-il une sorte de logique, une formule qu'on peut utiliser ? Comment devine-t-on qu'un homme sympathique, en qui vous avez confiance depuis des années, est en réalité corps et âme au service d'une autre puissance, d'idéaux et de croyances totalement différents ? Commence-t-on alors à douter de chacun ?

— Non, répondit Pitt instinctivement. Car alors, ce sont les traîtres qui ont gagné. Avec le temps et l'expérience, on se fait des ennemis, pour de multiples raisons, mais aussi des amis. Des gens qui vont être ouvertement en désaccord avec vous, mais qui ne vous trahiront jamais, quoi qu'il arrive.

Ransom garda le silence.

— Moi aussi, j'apprécie Kynaston, enchaîna Pitt. Vous serez peut-être soulagé d'apprendre que Kitty Ryder, la femme de chambre disparue, est vivante et en bonne santé. Cela dit, je préférerais que vous ne rendiez pas cette information publique, pour sa sécurité.

— C'est déjà quelque chose, soupira Ransom en passant la main sur son front. Mais deux malheureuses sont mortes, qui qu'elles soient.

— Nous leur donnerons un enterrement décent, promit Pitt. Merci de m'avoir reçu, monsieur.

Ils échangèrent une poignée de main, sur quoi Pitt repartit, prêt à passer à l'étape suivante.

Narraway réfléchit longuement avant de décider à qui s'adresser concernant Bennett Kynaston et sa relation avec son frère. Certaines informations se révélèrent relativement faciles à obtenir : sa date de naissance, l'école et l'université qu'il avait fréquentées. Il fit les vérifications nécessaires, confirmant ainsi ce qu'il savait déjà. Nés dans une famille fortunée, les frères Kynaston jouissaient d'une situation privilégiée. Ils avaient reçu la meilleure éducation possible et manifesté des capacités intellectuelles au-dessus de la moyenne. Dudley semblait le plus sérieux des deux, Bennett le plus charmant. Rien ne laissait soupçonner la tragédie à venir.

Devinant que personne ne serait enclin à divulguer des secrets, Narraway comprit qu'il devrait faire appel à quelqu'un qui avait une dette envers lui. Avoir recours à ce procédé lui déplaisait, toutefois ne pas s'y résoudre eût été pire encore. Il est aisé de choisir entre le bien et le mal : n'importe qui peut le faire sans un instant d'hésitation. C'est le choix entre le mal et le pire qui met à l'épreuve le jugement d'un être.

Narraway hésita à peine. Il s'interrogea tout le long du chemin en allant voir Pardoe, l'homme en question, sans pourtant être tenté de faire marche arrière. Bien longtemps auparavant, Pardoe et lui avaient été amis à l'armée. À la suite d'une méprise sincère, Pardoe avait commis une grave erreur. Son geste aurait pu être interprété comme de la lâcheté, ce qui aurait non seulement ruiné sa carrière militaire, ce dont il ne se souciait pas à l'excès, mais aussi arrêté net son ascension sociale. Le mot « lâche » fermait irrévocablement toutes les portes. Narraway l'avait couvert, non sans risque. En fin de compte, il n'avait pas eu à en souffrir, cependant il s'était exposé au danger et, par conséquent, une dette existait bel et bien.

Il laissa un message à Pardoe, qui travaillait à Whitehall. Deux heures plus tard, ils se retrouvèrent pour déjeuner au club de Narraway.

Celui-ci alla droit au but. Il n'y avait pas de temps à perdre, et commencer par des banalités aurait été presque insultant.

— J'ai besoin de votre aide, déclara-t-il. Je ne vous solliciterais pas si cette affaire n'était pas de la plus haute importance.

— Bien entendu.

Une ombre traversa néanmoins le visage de Pardoe. Il connaissait trop bien Narraway pour s'imaginer qu'il allait avoir le choix. Ce dernier ne lui avait jamais rien demandé par le passé. Par conséquent, le moment était venu d'honorer sa dette. Il s'éclaircit la voix.

— Que puis-je pour vous ?

— Parlez-moi des Kynaston, Bennett, Ailsa et Dudley.

— Qu'y a-t-il à en dire ? s'étonna Pardoe. Bennett est mort depuis des années. Je crois que, dans une certaine mesure, Dudley prend soin d'Ailsa, en mémoire de son frère. Il lui était entièrement dévoué. Je suis sûr que vous savez tout cela. Ce n'est un secret pour personne.

— Commençons par la rencontre de Bennett et d'Ailsa. Se sont-ils connus par l'intermédiaire de Dudley ?

— Grands dieux, non ! s'écria Pardoe, surpris. Ils se sont rencontrés par hasard, à Stafford, je crois. Ailsa était là en vacances.

— En vacances ? D'où est-elle originaire ?

— De Suède. Ailsa est suédoise. Il me semble qu'elle s'appelait Ilsa à l'origine, et qu'elle a modifié son nom pour qu'il ait des consonances plus écossaises.

— Ah ! Je crois que Bennett et Dudley aimaient beaucoup la Suède.

— Oui, jusqu'à ce que…

Pardoe s'interrompit, gêné.

— Jusqu'à ce que quoi, Pardoe ? Je n'ai pas de temps à perdre en délicatesses.

La mâchoire de Pardoe se crispa, et une petite veine tressauta sur sa tempe.

— Écoutez, Narraway, répondit-il, les traits tendus, tout cela s'est déroulé il y a une éternité, et il ne peut y avoir aucun rapport avec ce que vous cherchez. Ce n'était pas la faute de Bennett. Ç'aurait pu arriver à n'importe qui. Vous êtes bien placé pour le savoir !

— Moi ? se récria Narraway, stupéfait. Et pourquoi donc ?

— Vous avez fait votre part de frasques et vous vous êtes servi de votre charme plus d'une fois pour vous sortir d'un mauvais pas, fit remarquer son interlocuteur avec une pointe d'amertume.

— Pardoe ! Cessez de tourner autour du pot et racontez-moi cette histoire, voulez-vous ?

Pardoe capitula. Il ne pouvait nier l'obligation qu'il avait envers Narraway. Peut-être aurait-il envoyé n'importe qui d'autre au diable, mais pas lui. Leur relation était trop ancienne et trop étroite pour cela.

— Bennett est allé passer plusieurs mois en Suède, murmura-t-il. Il logeait dans une famille, les Halvarsen, avec qui il s'entendait très bien. Ce couple avait une fille, Ingrid, âgée d'une quinzaine d'années. Une adorable jeune fille, mais rêveuse, très sérieuse. Comme nous le sommes sans doute tous, à cet âge-là.

Son visage se crispa davantage. On devinait la tension dans les muscles de ses épaules.

— Continuez, l'encouragea Narraway.

À contrecœur, Pardoe s'exécuta.

— Ingrid est tombée amoureuse de Bennett, et lui a écrit des lettres d'amour qu'elle n'a jamais envoyées. Quand il a compris, il a été horrifié. Il n'avait nullement envisagé que leurs relations puissent aller au-delà de quelques conversations amicales. À l'époque, il avait une trentaine d'années. Peut-être n'a-t-il pas montré autant de tact qu'il eût fallu, qui sait ! Quoi qu'il en soit, elle s'est sentie rejetée, humiliée, et même trompée. On l'a retrouvée noyée dans une rivière près de chez elle, mais le suicide ne faisait aucun doute. Quand ses parents ont trouvé les lettres d'Ingrid, ils en ont conclu que Bennett l'avait séduite et déflorée et qu'elle était morte de honte et de chagrin.

— Quelle affreuse tragédie ! murmura Narraway, atterré. Est-ce pour cette raison que Bennett ne pouvait retourner en Suède ?

Au fond, il était déçu. Cette affaire ne semblait pas avoir le moindre rapport avec la trahison de Dudley.

— Évidemment ! répondit Pardoe avec un rire sans joie. La famille le considérait comme un violeur et toute la ville était en émoi, si bien qu'il a été arrêté en partie pour assurer sa propre protection. Halvarsen, qui était respecté, a persuadé les autorités judiciaires d'aller jusqu'au procès. Bennett a été dépeint comme un étranger arrogant qui passait son temps à séduire des jeunes filles honnêtes, trop innocentes pour comprendre qu'on les manipulait. Et dans beaucoup de cultures, abuser de l'hospitalité qui vous a été offerte est le crime le plus épouvantable qui soit. C'est une sorte de trahison…

— Je sais, coupa Narraway. Que s'est-il passé ? Bennett est mort en Angleterre, n'est-ce pas ?

— Oui… oui. Quand Dudley a appris ce qui se passait, il a été fou d'inquiétude. Il s'est précipité en Suède pour essayer de sauver le frère qu'il adorait.

— Et il a réussi ?

— Oui. Il a fini par obtenir l'aide d'un certain Harold Sundstrom, un personnage très influent. Celui-ci a usé de tout son pouvoir pour faire libérer Bennett sous caution et organiser sa fuite en Angleterre. Ensuite, il a persuadé les autorités suédoises de renoncer aux poursuites judiciaires. Il a insisté sur le fait que ce serait préférable pour la réputation de la malheureuse Ingrid et de sa famille. Il a soudoyé le coroner local pour qu'il conclue à un décès accidentel et que la jeune fille puisse être enterrée décemment, sans que sa mort soit entachée par le suicide ou par un éventuel viol.

— Je vois.

Narraway voyait, en effet. Dudley Kynaston avait sauvé l'honneur, voire la vie de son frère bien-aimé, en contractant envers Harold Sundstrom une dette qu'il devrait rembourser jusqu'à la fin de ses jours – petit à petit, par des trahisons répétées.

Pardoe se tut. L'émotion se lisait sur ses traits.

17

Tôt le lendemain matin, Pitt était assis dans sa cuisine, attablé devant une tasse de thé et des toasts accompagnés de beurre et de marmelade. Stoker, Narraway, Vespasia et bien sûr Charlotte lui tenaient compagnie. Minnie Maude s'appliquait à faire griller des tranches de pain sur une pique qu'elle tenait aussi près que possible de la porte ouverte du fourneau.

Narraway venait d'achever son récit.

— Et vous dites qu'Ailsa était l'épouse de son fils, Anders Sundstrom, qui est mort par la suite ? demanda Charlotte, s'assurant qu'elle avait bien compris. Est-ce donc elle qui oblige Dudley à honorer cette dette ?

Elle fronça les sourcils.

— Pourquoi ? Harold est mort ?

— Non, répondit Narraway. J'ai passé la moitié de la nuit à vérifier divers détails. Il y a encore quelques jours, Harold Sundstrom se portait comme un charme. Il occupe un poste dans la recherche navale…

Il laissa sa phrase en suspens, n'ayant nul besoin de conclure. Les implications étaient claires.

Pitt resta quelques instants silencieux.

— Et Ailsa aurait manipulé le frère de son mari défunt par patriotisme ? demanda-t-il d'un ton songeur. Ou pour venir en aide au père de son premier mari ? Cela semble un curieux partage de loyautés.

— Et une trahison de Bennett, ajouta Charlotte. Pourtant, d'après Rosalind, Ailsa est encore si attachée à Bennett qu'elle ne peut envisager de se remarier… mais elle a quand même une sorte de liaison avec Edom Talbot.

— Edom Talbot ? s'écria Vespasia, stupéfaite. Pourquoi donc ? C'est une très belle femme, très remarquée. Elle pourrait facilement trouver quelqu'un qui soit issu de la même classe sociale qu'elle. Et je crois que cela aurait de l'importance à ses yeux.

— Peut-être l'aime-t-elle ? suggéra Narraway.

— Non… pas du tout ! intervint Charlotte. Elle le trouve…

Elle s'interrompit, cherchant le mot juste.

— Vulgaire, déclara Pitt, se souvenant de la description qu'elle lui avait faite.

Stoker parut perplexe. Non sans embarras, Charlotte relata la scène qu'elle avait surprise dans la glace.

Loin de la désapprobation à laquelle elle s'attendait, le visage de Stoker refléta une certaine admiration.

— Résumons : elle est toujours amoureuse de Bennett Kynaston, son mari défunt ; elle est la belle-fille d'un Suédois qui travaille pour la marine de guerre ; et elle se sert à la fois d'Edom Talbot et de Dudley Kynaston pour transmettre nos secrets aux Suédois, conclut-il, d'un ton incrédule. Cela n'a aucun sens. Surtout si on y ajoute le fait qu'elle était la seule à rechercher Kitty Ryder. Quelque chose nous échappe.

— On le dirait, en effet, reconnut Narraway gravement.

— Ailsa est-elle au courant de la mort d'Ingrid et de ce qui est arrivé à Bennett ? s'enquit Vespasia.

— Forcément, affirma Pitt. C'est son beau-père qui l'a tiré d'affaire.

Vespasia le regarda, le front barré d'un pli.

— Quel était le nom de famille d'Ailsa avant qu'elle épouse Anders Sundstrom ?

Narraway repoussa sa chaise et se leva.

— Je vais le chercher. Elle a conservé sa nationalité suédoise bien qu'elle vive ici. Il sera facile de se renseigner. Puis-je me servir de votre téléphone, Pitt ?

— Naturellement.

Il sortit aussitôt, ses pas résonnant sur le linoléum du couloir.

Personne ne parla avant son retour. Minnie Maude fit d'autres toasts en silence et remplit la théière d'eau bouillante. On n'entendait que le tapotement des pattes d'Uffie derrière elle.

Lorsque Narraway revint, la tension se lisait sur ses traits.

— Une vengeance, dit-il simplement. Ingrid Halvarsen était sa sœur. Elle a dû épouser Bennett Kynaston dans le but de se venger, mais il semble être mort de cause naturelle avant qu'elle puisse le faire. Elle s'est rabattue sur Dudley. Après tout, c'est lui qui a sauvé Bennett en l'arrachant à la justice suédoise…

Le silence accueillit ses paroles. Tout s'expliquait à présent.

Charlotte fut la première à parler.

— Elle voulait qu'il connaisse à la fois la disgrâce et la ruine, dit-elle lentement. Elle devait attendre que Dudley s'implique au point de ne plus pouvoir faire marche arrière pour le dénoncer.

— Elle peut toujours le faire, non ? objecta Vespasia.

— Il faut l'en empêcher ! s'exclama Pitt. Cela nous causerait des torts irréparables. Nous perdrions tout respect, toute crédibilité auprès de nos alliés comme de nos ennemis…

— Certes, coupa Narraway. Et qu'en est-il de Talbot ? Elle ne l'aime pas. Par conséquent, elle a une autre raison de le fréquenter. Y a-t-il un rapport avec les secrets que Kynaston transmet à Sundstrom ?

— Que savons-nous de lui ? demanda Pitt, s'adressant à lui-même.

Il tenta de laisser de côté son antipathie personnelle envers cet homme. Ni ses sentiments ni l'hostilité que lui témoignait Talbot n'avaient la moindre importance. À sa grande surprise, Vespasia prit la parole.

— C'est un ambitieux qui rêve de faire partie de la haute société, laquelle ne l'acceptera jamais. Malheureusement, il en est aigri…

Stoker lui lança un rapide coup d'œil, n'osant toutefois intervenir. Sans doute voyait-il en Vespasia une femme qui avait eu le privilège de ne jamais se sentir exclue d'aucun milieu, surtout pas celui qu'elle évoquait.

Elle saisit son regard.

— Je n'approuve pas cette attitude, Mr. Stoker, j'observe simplement qu'elle a peut-être une incidence sur la conduite de Mr. Talbot. Peut-être n'y avez-vous jamais songé, mais la plupart des femmes savent ce qu'est l'exclusion. Certaines d'entre nous aimeraient pouvoir voter pour décider sous quel gouvernement nous vivons, malheureusement cette possibilité ne semble pas envisageable dans un avenir proche, quels que soient nos moyens ou notre intelligence.

Elle avait parlé avec douceur, pourtant Stoker rougit jusqu'aux oreilles. Non, il n'avait jamais pensé à cela ; pour lui, c'était simplement une réalité : il en avait toujours été ainsi. Il redressa le menton et déglutit avec peine.

— Je suis désolé, dit-il en la regardant en face. Vous avez raison. Cette idée ne m'était jamais venue.

Elle lui sourit.

— Au moins, depuis la loi sur les biens des femmes, j'ai le droit de posséder mes propres vêtements.

Il la dévisagea, sidéré.

Elle eut un petit rire amusé.

— Vous êtes trop jeune pour vous en souvenir. Je n'y fais allusion que pour vous persuader que je comprends la colère de ceux qui ont le sentiment d'être en butte à l'injustice. J'ai une certaine compassion pour Mr. Talbot. Il est sans doute plus intelligent et plus compétent que nombre de gens qui seront toujours ses supérieurs en raison du nom qu'ils portent. Ce qui est tragique, c'est que ce ressentiment l'a peut-être privé de postes qui auraient été à sa portée. Si compréhensible soit-elle, l'amertume reste un poison qui fait son œuvre lentement, ronge le jugement, la pitié et, en fin de compte, jusqu'à l'existence.

Elle s'interrompit, rougissant légèrement.

Pitt s'empressa d'intervenir pour combler le silence. Vespasia s'était révélée sous un jour différent, plus vulnérable qu'elle ne s'était jusque-là autorisée à le paraître. Il avait toujours été certain que toutes les portes s'étaient ouvertes devant elle. Maintenant qu'il y réfléchissait, il comprenait qu'il s'était trompé. Elle était née dans une famille fortunée et respectée, certes. Elle était remarquablement belle. Mais elle demeurait femme. Son admiration et son affection pour elle le lui avaient fait oublier. Il aurait été grossier de l'avouer.

— Cela étant, n'est-il pas probable que Talbot cherche à prendre sa revanche en vendant les secrets d'une société qui l'a rejeté par préjugé ?

Charlotte ouvrit la bouche pour répondre, puis se ravisa.

— Tu n'es pas d'accord ?

Tous se tournèrent vers elle, attendant sa réponse.

— Je suis sûre que Talbot est coupable, répondit-elle. En revanche, je crois que son mobile premier était non pas la vengeance, mais l'appât du gain.

— L'argent ? s'étonna Narraway. Connaissez-vous sa situation financière ?

Elle sourit.

— J'ai vu comment il s'habille et je sais ce que coûtent les complets de Thomas. Et ses chemises ! Talbot porte des boutons de manchette en or. Je lui en ai vu plusieurs paires différentes. Je pourrais nourrir toute ma famille pendant une semaine entière avec l'argent que coûte un seul de ses cigares ! Et je ne serais pas surprise qu'il ait offert des bijoux à Ailsa. Quelle que soit leur relation, il la désire et, pour courtiser une femme comme elle, on ne lésine ni sur les cadeaux, ni sur les fleurs, ni sur les invitations à dîner dans les restaurants à la mode. D'autant qu'il doit rivaliser avec Dudley Kynaston, un homme riche, séduisant, issu d'une famille en vue, qui ne manque pas de charme et qui est très à l'aise en société.

— Je pense que vos observations sont tout à fait pertinentes, acquiesça Vespasia. Qu'allons-nous faire ? Je crains que nous n'ayons guère le temps de la réflexion.

— Il nous faut des preuves, monsieur, intervint Stoker en regardant Pitt. Si Mrs. Pitt a raison, il sera facile d'en trouver. L'argent laisse toujours des traces quand il change de mains, surtout s'il vient d'un autre pays. Et s'il a dépensé plus qu'il ne gagne, nous pouvons le savoir.

— Il a laissé entendre qu'il avait fait un bel héritage, murmura Pitt, se remémorant une conversation qu'il avait eue avec Talbot à Downing Street.

— Cela aussi est vérifiable, monsieur, s'empressa de dire Stoker. Je m'en occupe tout de suite, si vous voulez.

— S'il vous plaît, oui.

Pitt promena un regard autour de la table, considérant Narraway et Vespasia tour à tour. Il éprouva une pointe d'amusement à la pensée qu'elle n'occupait aucun poste officiel ou autre et pourtant il sollicitait naturellement son avis, même devant Narraway, l'homme en qui il avait le plus confiance.

Ce dernier hocha la tête et se leva.

— Je vais m'intéresser de plus près au passé d'Ailsa Kynaston. Pitt, j'imagine que vous allez continuer à enquêter sur Dudley Kynaston et ses collègues, au cas improbable où nous aurions commis une erreur. Mr. Stoker…

— Oui, monsieur ?

— Je préférerais que vous ne nous donniez pas de détails, mais je suppose que Miss Ryder se trouve en lieu sûr ?

Stoker rougit.

— Oui, monsieur !

— Et elle a fait une déposition écrite et l'a signée ?

— Oui, monsieur.

— En présence d'un témoin ?

— Oui, monsieur.

Il avait eu une brève hésitation, d'une fraction de seconde, qui n'échappa point à Narraway.

— Vous n'êtes pas certain que le témoin soit… impartial ?

— Oui… monsieur, avoua Stoker, gêné.

Il avait oublié à quel point Narraway était perspicace. Il avait travaillé sous ses ordres des années durant, mais celui-ci appartenait déjà au passé.

Pitt se sentit vaguement mal à l'aise, cependant le moment était mal choisi pour céder à l'émotion. La réticence de Stoker venait sans doute du fait que le témoin était un membre de sa propre famille, sa sœur ou son beau-frère. Il se surprit à sourire, non pas de cette petite erreur de jugement, mais parce qu'il était touché par le soin de Stoker, et par sa rigoureuse honnêteté.

Narraway dut voir l'expression de Pitt, car il n'insista pas. Ils se séparèrent, chacun allant vaquer à sa propre tâche.

Vespasia retourna chez elle, consternée d'avoir fait preuve d'un manque aussi total de discipline. C'était ridicule. Elle n'avait plus dix-huit ans, tant s'en fallait ! Elle aurait dû être maîtresse d'elle-même. Cependant, à peine eut-elle franchi le seuil du vestibule baigné de soleil que la bonne vint à sa rencontre, coupant court à ses réflexions.

— Milady, Mr. Carlisle est venu vous voir. Il semblait très pressé.

Elle prit une profonde inspiration, l'incertitude se lisant dans son regard.

— Je lui ai dit que je ne savais pas quand vous seriez de retour et même que vous seriez peut-être absente toute la journée, mais il était décidé à attendre.

Alors je lui ai suggéré de s'installer dans le salon. J'espère ne pas avoir commis d'impair…

Vespasia jeta un coup d'œil à la grande horloge à sa droite.

— Vous avez fait exactement ce qu'il fallait, merci. Il est un peu tôt pour prendre le thé. Peut-être désire-t-il autre chose. Dans ce cas, je sonnerai. Sinon, je préférerais que nous ne soyons pas dérangés.

— Bien, madame.

Soulagée de ne pas avoir été réprimandée, la jeune femme s'éloigna.

Vespasia entra dans le salon, réfléchissant à toute allure à ce qu'elle allait dire à Carlisle.

Celui-ci se leva. Impeccablement vêtu, comme d'habitude, il avait les traits tirés et paraissait anxieux, voire troublé.

— Je suis navré de vous déranger, commença-t-il, surtout à une heure aussi matinale, mais je crois qu'il s'agit d'une affaire urgente.

— Dans ce cas, vous avez eu raison, affirma-t-elle, ayant recouvré le sang-froid qui la caractérisait d'ordinaire. Nous nous connaissons depuis des années, néanmoins je ne vous ai jamais vu céder à la panique.

Elle s'assit, l'invitant à faire de même.

— Que s'est-il passé ?

Le visage expressif de Carlisle, qui recelait toujours une trace d'humour, revêtait aussi ce jour-là l'ombre de la douleur.

— J'ai eu tout le loisir de me pencher sur la conduite que j'ai adoptée en apprenant la trahison de Kynaston, répondit-il. Et je me rends compte que ma réaction était en partie due à la peur. La fin du siècle approche à grands pas.

Sa voix était empreinte de lassitude.

— Et je crois que le règne à venir, qui a tant tardé, sera fort différent de celui-ci.

Vespasia ne chercha pas à l'interrompre. Ces pensées lui étaient venues aussi.

— L'équilibre du pouvoir est en train de changer, reprit-il. Je vois des ombres dans toutes les directions. Peut-être mon inquiétude est-elle injustifiée, mais j'en doute. La situation internationale est de plus en plus tendue. Néanmoins, j'ai agi…

Il chercha le mot juste.

— J'ai agi sans envisager toutes les conséquences de mes actes, ni la manière dont d'autres pourraient être affectés. Pitt aurait pu m'inculper, même s'il a choisi de ne pas le faire.

Il leva vers elle un regard coupable.

— J'ai envers lui une dette qu'il me faut rembourser.

Elle aurait sincèrement voulu l'aider, pourtant il y avait des limites qu'elle s'interdisait de franchir.

— Si vous êtes en quête d'informations, mon cher, je ne peux rien pour vous.

Bien que douce, sa voix était implacable. Elle devait lui faire comprendre qu'il ne pourrait la convaincre de changer d'avis.

Une expression amusée traversa les traits de Carlisle avant de s'évanouir aussitôt.

— Si vous le faisiez, je vous haïrais plus que vous ne pouvez l'imaginer, répliqua-t-il. Vous êtes une constante dans cet univers en proie à l'érosion. Et nous avons tous besoin d'un repère immuable, d'une véritable étoile Polaire.

Elle cilla rapidement, refoulant les larmes qui lui montaient aux yeux.

— C'est sans doute le compliment le plus étrange qu'on m'ait jamais fait, murmura-t-elle d'une voix rauque. Mais aussi l'un des plus beaux. Que puis-je faire pour vous, hormis vous donner des informations ?

— Me dire ce que je pourrais entreprendre pour vous aider.

— À quoi songez-vous ? demanda-t-elle, perplexe.

Avait-il quelque chose en tête ?

— À une foule de possibilités, répondit-il avec un geste éloquent des deux mains, comme pour embrasser un vaste espace. Je connais assez bien la loi, même si je ne me sens pas tenu de la respecter à la lettre. Et je peux prendre des risques lorsque cela me convient.

— Je vous en prie, ne recommencez pas à voler des cadavres pour les déposer ici et là, ironisa-t-elle. Il y a d'autres moyens d'attirer l'attention.

Il lui adressa un petit sourire.

— Rares sont ceux qui marchent aussi bien, admettez-le !

— Certes, mais il est peu probable qu'un juge ose le dire tout haut, quelle que soit son opinion. Peu d'entre eux ont le sens de l'absurde. De toute façon, enchaîna-t-elle avant qu'il puisse l'interrompre, cela ne va plus marcher pendant un certain temps !

— Je vous en prie ! supplia-t-il. Il doit bien y avoir quelque chose…

Que pouvait-elle lui dire sans trahir la confiance de Pitt ?

Carlisle se pencha vers elle, la mine grave.

— Kynaston vend nos secrets aux Suédois, et qui sait où ils iront ensuite ? Lady Vespasia, cette affaire est trop importante pour ne pas s'engager. J'ignore pourquoi il agit ainsi, cependant je suppose que sa belle-sœur est impliquée, et peut-être aussi cet amant mal dégrossi qu'elle a, ce Talbot. Sauf que je n'ai pas la moindre idée de quel côté il est. Peut-être celui de son banquier. Tant pis si je le calomnie.

— Croyez-vous ? demanda-t-elle avec empressement. Qu'il vive au-dessus de ses moyens, je veux dire ?

Il la dévisagea calmement, sans ciller.

— Aimeriez-vous le savoir ? Pas seulement par… simple curiosité ?

Elle comprit ce qu'il lui demandait. Elle n'hésita qu'un instant. C'était comme de sauter du haut d'une falaise dans une mer glacée. Si on hésitait trop longtemps, qu'on regardait en bas, on ne le ferait jamais.

— Oui. Je crois que j'aimerais beaucoup le savoir, répondit-elle. Je veux dire le savoir, et non le supposer. Je le suppose déjà.

Il se baissa vers elle et l'embrassa doucement sur la joue. Ce fut un effleurement, une impression de chaleur, rien de plus. Puis il sortit. Elle l'entendit qui disait au revoir à la bonne dans le couloir et la remerciait de l'avoir laissé attendre Lady Vespasia. L'instant d'après, la porte d'entrée se referma.

Elle demeura immobile une demi-heure durant, les yeux rivés à l'horloge. Alors, elle se leva et alla téléphoner à Pitt. Ce fut seulement en découvrant qu'il était injoignable qu'elle sentit la panique la gagner.

Quel danger avait-elle fait courir à Carlislc ? Il ne s'agissait pas d'un jeu, mais de haute trahison. S'il n'y avait pas encore eu meurtre, ce n'était peut-être qu'une question de temps. La haute trahison était passible de la pendaison, comme le meurtre et la piraterie. À supposer que Talbot fût coupable, il n'aurait rien à perdre en l'assassinant.

Elle tenta de se ressaisir. Elle avait encouragé Carlisle à chercher la preuve de la culpabilité de

Talbot. Désormais, c'était à elle de veiller sur lui. Si elle ne pouvait joindre Pitt, elle devait appeler Narraway. Qu'allait-il penser d'elle ? S'il était déçu par son attitude, elle en souffrirait terriblement. Maintenant, alors qu'elle était sur le point de perdre son respect, elle se rendait compte que son opinion lui importait plus que celle de quiconque.

Parce qu'elle l'aimait, comprit-elle subitement, le cœur serré.

On ne tombait pas amoureux à son âge. C'était absurde. Cela manquait de dignité. Et pourtant, le sentiment qu'elle éprouvait était aussi ardent qu'une passion de jeunesse, et plus profond. Il contenait tous les désirs, les rires et les expériences passées, et aussi la douleur, et l'infinie douceur de la vie.

Les mains tremblantes, elle décrocha le téléphone et demanda le numéro de Narraway. Il lui sembla que des minutes entières s'écoulaient avant qu'il réponde et pourtant seules quelques secondes avaient passé.

— Victor, commença-t-elle aussitôt, en rentrant chez moi, j'ai trouvé Somerset Carlisle qui m'attendait. Il était très ému…

— Que s'est-il passé ? coupa-t-il. Vous allez bien ?

Il avait dû percevoir l'affolement dans sa voix. Elle devait se contrôler davantage.

— Oui, merci, je vais très bien. Ce n'est pas pour moi que je m'inquiète. Je vous en prie, écoutez-moi.

Si elle l'autorisait à la réconforter, elle n'aurait plus le courage de lui parler du danger que courait Carlisle.

— Il se sentait coupable à propos des cadavres… et de la situation en général, reprit-elle plus posément. Il est atterré par la haute trahison. Il voit approcher les ténèbres et il a peur pour l'avenir de nous tous…

Elle avait élevé la voix et y décelait de nouveau un accent de panique. Elle prit une profonde inspiration avant de poursuivre.

— Il pense que le temps presse.

— Certes, ma chère, coupa Narraway. Le temps presse. Mais sans la preuve de la culpabilité de Talbot, nous ne pouvons rien faire. Et si Talbot est l'intermédiaire, arrêter Kynaston sans lui n'est qu'un demi-résultat…

— Victor ! Écoutez-moi… Carlisle semble savoir que Talbot est impliqué. Il va essayer de chercher la preuve que celui-ci a touché des pots-de-vin…

— Où est-il allé ? demanda Narraway avec un calme surprenant, sa voix à peine tendue.

— Je l'ignore. Chez Talbot, peut-être ? Là où il espère trouver des documents compromettants…

— Avez-vous averti Pitt ?

— Je n'ai pas pu le joindre.

— Vous disiez que Carlisle est allé chercher la preuve que Talbot avait reçu des sommes d'argent dont il ne pourrait expliquer la provenance ? répéta-t-il, choisissant ses mots avec soin.

— Oui, dit-elle, plus fermement. Il soupçonnait Talbot d'être coupable. Je ne lui ai rien dit.

Elle hésita. Elle devait s'expliquer avant qu'il l'interroge davantage. Il lui était atrocement pénible de penser qu'elle s'était conduite avec pareille désinvolture, d'autant plus qu'elle risquait fort de recommencer. Sa compassion envers Carlisle et sa compréhension de ce qu'il éprouvait étaient trop fortes pour qu'elle les ignore.

— Vespasia ? insista Narraway d'un ton pressant.

— Oui. Je… Carlisle se fait des reproches pour la manière dont il a poussé Pitt à enquêter. Il veut coûte que coûte payer sa dette envers lui.

— Je vois. Dans l'immédiat, nous devons déterminer où il est allé. Si, comme vous le craignez, il est surpris par Talbot lui-même, il ne s'en tirera pas avec une simple accusation de cambriolage. Sans compter que Talbot saura que nous le soupçonnons. Au mieux, il disparaîtra, peut-être en Suède où il sera hors d'atteinte, en emportant ses secrets avec lui. Au pire, il risque de tuer Carlisle…

Vespasia se sentit glacée jusqu'à la moelle. Elle aurait pu empêcher Carlisle d'agir. Elle aurait dû le faire, même s'il avait vu là un affront ou une rebuffade.

À l'autre bout du fil, Narraway était silencieux.

Elle eut l'impression d'attendre une éternité. L'horloge égrenait les secondes, interminablement.

— Il est peu probable qu'il y ait des documents compromettants chez lui, reprit enfin Narraway. Sans doute tout se trouve-t-il à la banque. Je me demande si Carlisle aura pensé à la même chose.

— Nous ne pouvons pas avoir accès à quoi que ce soit à la banque, objecta-t-elle à contrecœur. Je ne sais même pas si Thomas parviendrait…

— Ce serait délicat, voire impossible, à moins d'avoir recours à un mensonge particulièrement imaginatif… mais il semble que Carlisle excelle justement à ce genre de pratique.

Une pointe d'amusement perçait dans sa voix.

— Nous devons découvrir le nom de la banque de Talbot. Cela va peut-être exiger un peu de temps, mais c'est pareil pour Carlisle. Je vous en prie, restez…

Elle lui coupa la parole, ce qu'elle n'aurait pas fait en temps normal.

— Victor, cet homme est un arriviste. Il est crucial à ses yeux de paraître à sa place. Je suis sûre qu'il détient un compte dans la banque la plus prestigieuse de toutes.

Elle cita le nom de la sienne, et entendit le soupir de soulagement de Narraway.

— Bien sûr. Merci. Pensez-vous que Carlisle aura eu la même idée ?

— Oui.

Elle n'avait aucun doute à ce sujet. C'était une certitude profonde, instinctive, et elle sentait que Carlisle la partageait.

— Je vous retrouve là-bas, ajouta-t-elle.

— Non ! Vespasia !

La voix de Narraway était sèche.

— Ce pourrait être déplaisant…

— Je n'en doute pas. Cela dit, Carlisle m'écoutera plus que vous.

Et avant qu'il ait pu protester davantage, elle remit l'appareil sur son socle, coupant la communication.

Près d'une heure plus tard, Narraway et elle se tenaient dans le bureau du directeur de la banque la plus en vue de Londres – un lieu où, bien sûr, Vespasia était connue et respectée. Ce n'était pas le cas de Narraway, mais de par son ancien rôle à la tête de la Special Branch et son siège à la Chambre des lords, sa réputation le précédait.

Le directeur, un homme aux traits aquilins, âgé d'une soixantaine d'années et vêtu avec un goût exquis, dissimulait mal sa nervosité derrière une façade de bonnes manières. Vespasia voyait qu'il essayait désespérément de préserver l'image de la banque face à un désastre qu'il comprenait à peine.

— C'est un membre du Parlement ! répéta-t-il une fois de plus. Il a déclaré qu'il s'agissait d'une affaire d'État de la plus haute importance. Un électeur de sa circonscription était impliqué dans une transaction financière qui était susceptible de déclencher une guerre si on ne s'en occupait pas immédiatement. Il m'a donné la preuve de son identité, et d'ailleurs, je le connais de vue. Il a un compte chez nous ! Depuis des années. Vous devez… vous être méprise, milady.

Narraway lança un coup d'œil rapide au directeur, puis à Vespasia, mais n'intervint pas.

— Permettez-moi de deviner, Sir William, dit-elle avec un mince sourire. Mr. Somerset Carlisle désirait savoir si Mr. Edom Talbot avait reçu au cours de l'année écoulée des versements réguliers et fort considérables émanant de Suède.

L'homme parut stupéfait.

— Oui ! Oui, en effet. D'après lui, ces règlements étaient frauduleux et risquaient de causer un scandale épouvantable pour Mr. Talbot et même pour le Premier ministre. Naturellement, je me suis porté garant de la légitimité de ces paiements, dont la provenance était clairement établie.

— Ces fonds ont été dépensés depuis, j'imagine ? ironisa Vespasia.

— Certes.

Le visage du directeur s'était assombri.

— Cet argent appartenait à Mr. Talbot et avait été obtenu de manière tout à fait légale. Tous les documents étaient en ordre, je vous l'affirme. Les fonds ont été transférés selon la procédure habituelle…

— Par un certain Harold Sundstrom ?

Sir William pâlit.

— Oui. Mr. Sundstrom est une personnalité respectée. Nous avons procédé à toutes les vérifications nécessaires. Il n'y avait rien de douteux dans ces transactions. Si toute autre personne que Mr. Carlisle m'avait fait part de ces craintes, je les aurais rejetées sans hésiter.

— Cependant vous ne l'avez pas fait, intervint enfin Narraway. Lui avez-vous montré les preuves dont vous disposez ?

— Non. Je lui ai seulement donné ma parole que tout était en règle et que les montants correspondaient approximativement à ses estimations, répondit Sir William avec raideur. Il désirait les voir, mais il a accepté de me croire.

Narraway le regarda avec gravité, la mâchoire crispée.

— Et vous avez informé Mr. Talbot de cette requête ?

— Naturellement. Je lui ai téléphoné à Downing Street. Il a été atterré, d'où j'ai conclu qu'il redoutait que les inquiétudes de Mr. Carlisle ne soient fondées. D'une manière ou d'une autre, Mr. Talbot a été la victime d'une fraude. Je n'ai aucune idée de ce qui s'est passé…

— Moi si, coupa Narraway. Et si vous voulez éviter que votre banque ne soit accusée de complicité dans une affaire de haute trahison, Sir William, je vous conseille de garder tous ces documents dans votre coffre-fort et de ne permettre à personne de les voir ou de les toucher. Et je veux dire personne ! Y compris Mr. Talbot. Des policiers de la Special Branch viendront les chercher dès qu'ils seront en possession des mandats nécessaires. Suis-je clair ?

— Oui, monsieur, certes ! répondit Sir William avec raideur.

Narraway sourit.

— Merci. La nation vous en sera reconnaissante, même si, très probablement, elle n'en saura jamais rien. En revanche, je veillerai à ce que le Premier ministre soit informé.

Il prit Vespasia par le bras.

— Bonne journée, monsieur.

Dehors sur le trottoir venteux et ensoleillé, Vespasia lâcha un soupir de soulagement et se tourna vers lui.

Il souriait.

— Merci, murmura-t-il. Et soyons reconnaissants au Ciel que Talbot ait eu des aspirations sociales, pauvre diable.

Puis son visage s'assombrit de nouveau.

— Dommage que Sir William l'ait averti. Je suppose que c'était inévitable. Nous ferions mieux d'essayer de joindre Pitt. Talbot risque de s'enfuir et je n'ai pas les moyens de l'en empêcher.

Il la reprit par le bras et se mit à marcher d'un bon pas.

— Nous devons trouver un téléphone.

— Vous irez plus vite sans moi, Victor, fit remarquer Vespasia à regret, l'honnêteté l'emportant sur l'amour-propre. Partez, je vous en prie… Talbot va non seulement s'enfuir, mais emmener Ailsa et laisser à Kynaston le rôle de bouc émissaire.

— Ce serait un énorme gâchis, admit-il sans ralentir le moins du monde. Pire encore, il pourrait l'éliminer et se faire passer pour un héros.

— Comment serait-ce possible alors que tout cet argent a été transféré sur son compte ?

Comme il la tenait toujours par le bras, elle devait trottiner pour rester à sa hauteur, ce qui était fort peu digne.

— Il prétendrait qu'il jouait un double jeu pour confondre Kynaston.

— Et Ailsa ? protesta-t-elle.

— Il faudrait qu'il se débarrasse d'elle aussi. S'il sait que nous la soupçonnons, peut-être est-ce justement ce qu'il est parti faire au lieu de venir à la banque. Sans elle, ce serait sa parole contre celle de Kynaston.

Vespasia était trop hors d'haleine pour continuer à discuter. Ils débouchèrent au coin d'une rue, et, après avoir regardé dans les deux directions, Narraway traversa, la main toujours sur le bras de Vespasia. Il s'arrêta brusquement face à l'entrée discrète d'un club de gentlemen, l'obligeant à faire de même.

— On ne me laissera pas entrer, avertit-elle. Ne perdez pas de temps à essayer de les convaincre. Prévenez Thomas. Si vous n'arrivez pas à le trouver, essayez Stoker.

Il hésita.

— Oh ! Je vous en prie, Victor, allez-y ! ordonna-t-elle.

Sans crier gare il l'entoura de ses bras et l'embrassa fermement sur les lèvres, avec une immense tendresse qui suggérait qu'il aurait aimé prolonger ce baiser. Puis il se retourna et gravit les marches, laissant claquer la porte derrière lui.

Vespasia, abasourdie, resta sur la première marche, envahie par une chaleur aussi soudaine que bouleversante, tandis que son imagination s'emballait.

Il revint dix minutes plus tard, le visage illuminé par le soulagement.

— Vous avez parlé à Thomas ? demanda-t-elle en s'avançant vers lui. Il va arrêter Talbot ?

— Oui, avec Stoker.

Il la prit dans ses bras de nouveau, l'obligeant à lui faire face.

— C'était un excellent conseil – allez-y ! commenta-t-il, imitant le ton qu'elle avait utilisé plus tôt. On devrait avoir le courage de ses convictions, qu'on perde ou qu'on gagne. Vespasia, acceptez-vous de m'épouser ?

Elle en resta sans voix. Ils étaient debout au beau milieu de la rue. Sa demande n'aurait pas pu être faite dans un lieu moins romantique. Pourtant, elle n'eut pas le moindre doute. Elle ne pensait plus à Talbot, au risque qu'il tue Ailsa, à la trahison de Kynaston ni aux dégâts irréparables que causerait un procès. Elle savait sans l'ombre d'une hésitation que le plus important dans sa vie, c'était que Narraway l'aimait, non pas comme une amie, mais avec toute la passion qu'elle éprouvait pour lui.

— Oui, répondit-elle. Mais discrètement, je vous en prie. Pas en pleine rue.

Un bonheur si intense se lut sur les traits de Narraway que deux passants hésitèrent et le regardèrent, puis échangèrent un coup d'œil sans qu'il les remarquât.

— Je consacrerai le reste de mes jours à veiller à ce que vous ne le regrettiez pas, promit-il solennellement.

— Cette possibilité nc m'était pas venue à l'esprit, dit-elle avec un sourire. Le temps est trop précieux pour être gaspillé.

Du bout des doigts, elle lui effleura la joue, un geste tendre et intime.

— Maintenant, pouvons-nous s'il vous plaît cesser de nous donner en spectacle ?

18

Pitt raccrocha et se tourna vers Stoker. Par mesure de précaution, il avait demandé à la police de se rendre au domicile de Talbot et à Downing Street, mais il doutait fort que ce dernier retourne à l'un ou à l'autre. Comme Narraway, il était persuadé que Talbot allait tenter de faire taire Ailsa, le seul témoin qui sache exactement de quoi il était coupable. Sans elle, il pouvait déformer la vérité et apparaître comme le héros qui avait découvert la trahison de Kynaston et lui avait tendu un piège. Étant donné qu'il était un proche collaborateur du gouvernement et du Premier ministre en particulier, nombreux seraient ceux qui se contenteraient de cette version des faits. Ainsi, le scandale serait évité, et Talbot le savait parfaitement.

Pitt venait de téléphoner à Ailsa Kynaston. Le majordome avait répondu, disant que Mrs. Kynaston était partie déjeuner. Il ignorait avec qui, mais savait qu'elle s'était rendue dans un restaurant tout près de Tower Bridge. Apparemment, la passerelle entre les deux tours offrait une promenade des plus remarquables.

— Tower Bridge, lança-t-il à Stoker. Le restaurant juste au-dessous. Nous allons prendre un fiacre. Venez !

— Depuis combien de temps est-elle partie ? demanda Stoker en lui emboîtant le pas.

— Une demi-heure.

Pitt s'élança sur la chaussée, gesticulant à l'approche d'un fiacre.

Le cheval surpris se cabra et s'arrêta net, au grand dam du cocher.

— Tower Bridge ! cria Pitt en s'engouffrant dans la voiture tandis que Stoker se hâtait de grimper de l'autre côté. Aussi vite que possible ! Je vous paierai double si nous arrivons à temps !

— À temps pour quoi ? grommela l'homme. Fichu cinglé !

— Pour sauver la vie d'une femme, répondit Pitt. Allez-y, bon sang !

Le fiacre fit un bond en avant et prit rapidement de la vitesse. Bientôt ils roulèrent à tombeau ouvert dans les rues, négociant les tournants sur deux roues, le cocher agitant son fouet pour inciter les autres véhicules à s'écarter.

Pitt et Stoker se cramponnaient. Le premier avait fermé les yeux, le second ne savait plus où ils étaient. Sagement, le cocher avait évité les artères principales.

Outre sa crainte d'arriver trop tard pour empêcher Talbot de tuer Ailsa, Pitt était taraudé par deux inquiétudes. La moindre : il devrait au cocher une somme largement au-dessus de ses moyens. La principale : il avait mal jugé toute cette affaire et ils ne trouveraient ni Talbot ni Ailsa à Tower Bridge.

Ses mains étaient crispées sur le siège, non seulement pour s'empêcher d'être ballotté d'un côté à l'autre et de s'assommer contre les parois, mais pour essayer de mettre la bride à son imagination, car il se voyait déjà totalement humilié. Il avait enfreint les règles auxquelles il avait obéi toute sa vie durant, pris des décisions qu'il n'avait nullement le droit de prendre. Son premier instinct avait été le bon – il n'était pas l'homme qu'il fallait à ce poste. Il n'avait ni la sagesse ni la trempe nécessaires. Il ne faisait que suivre son intuition à l'aveuglette et il allait décevoir tout le monde.

Ils fonçaient le long d'Embankment, à présent. S'ils avaient pu se pencher au-dehors sans risquer de se rompre le cou, ils auraient vu la silhouette magnifique de Tower Bridge se détacher contre le ciel.

Raide comme un piquet sur son siège, Stoker continuait à fermer les yeux. Sans doute aurait-il des cauchemars après cette expédition. C'était dommage : un agent aussi compétent méritait plus d'égards ! Pitt se demanda vaguement si Kitty Ryder s'était révélée à la hauteur de la vision que Stoker avait d'elle. Tout dans le sourire de Stoker, dans son silence à ce sujet, suggérait que oui. Pitt s'en félicita. Si cette affaire tournait au fiasco, ce ne serait pas la faute de Stoker. Il était juste qu'il échappe à tout blâme.

Le fiacre s'arrêta dans un soubresaut. Stoker manqua de peu tomber sur le trottoir. Pitt descendit d'un pas raide et se redressa avec difficulté, les membres aussi courbaturés que si le trajet avait duré vingt-quatre heures.

— Nous y voilà, m'sieu ! annonça le cocher d'un ton triomphant, tendant le cou vers les tours jumelles qui s'élançaient dans l'air. Un beau pont, hein ? On n'en verra pas de pareil. Y a qu'à Londres qu'on peut faire ça.

Il adressa à Pitt un sourire édenté, plein de fierté.

— Ça vous fera neuf shillings et sixpence, m'sieu.

Cher. Presque la moitié de la solde hebdomadaire d'un agent de police, ou plutôt, puisqu'il avait promis de doubler la somme, presque une semaine de solde. Il fouilla dans sa poche : il avait trente shillings sur lui. Il en offrit vingt à l'homme.

— Merci, dit-il sincèrement.

Le cocher considéra les pièces avant de pousser un long soupir.

— Dix suffiront, m'sieu. Je me suis bien amusé. La vieille Bessie n'a pas galopé comme ça depuis des années. On a fichu la trouille à du monde en route, hein ? ajouta-t-il avec un grand sourire.

— Prenez les vingt, insista Pitt généreusement. Faites un cadeau à Bessie. Elle l'a bien mérité.

— Merci, m'sieu. Je le ferai.

Il prit les pièces dans la paume de Pitt et les glissa dans sa poche.

— Au revoir, m'sieu.

Sur quoi il pressa le cheval d'avancer, d'un pas lent et mesuré.

Il fallut une dizaine de minutes à Pitt et à Stoker pour trouver le restaurant. L'heure du déjeuner était passée et seuls quelques clients s'attardaient encore.

Soudain, Stoker saisit Pitt par le bras, avec tant de force que ses doigts s'enfoncèrent dans la chair.

Pitt se figea, puis pivota lentement pour suivre la direction indiquée par son compagnon. Ailsa Kynaston et Edom Talbot, bras dessus bras dessous, se dirigeaient vers la sortie menant aux marches de la tour nord, étroitement blottis l'un contre l'autre, comme des amants. Elle marchait la tête haute, avec grâce et assurance. Il semblait protecteur, prêt à la défendre, alors même qu'il l'entraînait au-dehors, sous les premières gouttes de pluie.

Stoker interrogea Pitt du regard.

Trop tard pour faire marche arrière, songea ce dernier. Il avait pris sa décision. Il devait vivre avec.

Ils les suivirent, prenant soin de rester assez loin pour que leur présence puisse passer pour une coïncidence, mais sans les perdre de vue.

Le couple allait traverser la Tamise, emprunter cette passerelle déjà célèbre qui reliait les deux rives et offrait un panorama spectaculaire sur Londres. Peut-être le spectacle valait-il la peine de se faire mouiller. Par ce mauvais temps, ils seraient sans doute les seuls à en profiter.

Les seuls ! Cette prise de conscience s'abattit sur Pitt avec la violence d'un coup. Il se rua en avant et grimpa les marches quatre à quatre, Stoker sur ses talons. Ils firent irruption sur la passerelle, laissant la porte claquer derrière eux. L'averse s'était transformée en déluge, et ils distinguaient à peine les deux silhouettes qui, penchées à la rambarde, semblaient admirer le spectacle.

Ils se mirent à courir, dérapant dans les flaques, à demi aveuglés, n'entendant rien d'autre que le crépitement de la pluie et les éclaboussures qu'ils provoquaient.

Soudain, Talbot empoigna Ailsa par-derrière et la souleva au-dessus la rambarde. Une fraction de seconde, elle parut comme en suspens, avant de basculer dans le vide. Dans le tonnerre de la pluie, ils ne l'entendirent même pas heurter la surface, mais Pitt savait qu'elle ne survivrait pas plus de quelques secondes, emportée par les eaux glacées du courant.

Talbot suivit la scène des yeux, puis se retourna pour trouver Pitt à quelques pas de lui, Stoker presque à sa hauteur.

Pitt esquissa un sourire, ou plutôt un rictus.

Talbot sourit à son tour.

— Un terrible accident, dit-il d'une voix rauque. À moins qu'il ne s'agisse d'un suicide. Je la poursuivais. Ce n'est pas vraiment mon travail, plutôt le vôtre ; vous n'avez pas été assez rapide.

Sa voix forte dominait le vacarme, parfaitement calme.

— Elle transmettait des renseignements à une puissance étrangère. Peut-être que vous ne l'aviez pas encore compris ? C'est mieux ainsi, n'est-ce pas ? Nous ne pouvions nous permettre d'avoir un procès public. Nous serions passés pour des imbéciles. Nos ennemis s'en seraient réjouis, nos alliés se seraient arraché les cheveux. Ce genre de chose est encore plus dommageable que les fuites proprement dites.

— En effet, acquiesça Pitt, prenant une profonde inspiration pour s'empêcher de trembler. Les procès pour haute trahison sont extrêmement gênants. Je fais toujours de mon mieux pour les éviter. Les procès pour meurtre, en revanche, sont tout autre chose.

Talbot se figea, comprenant brusquement.

Pitt sourit de nouveau.

— Edom Talbot, je vous arrête pour le meurtre d'Ailsa Kynaston. Une querelle d'amoureux, je présume. C'est à cela que la scène faisait penser, n'est-ce pas, Stoker ? Un drame ordinaire, bien sûr, mais cela suffira. Comme vous le disiez, personne ne souhaite un procès pour haute trahison. Nous ferions figure d'incompétents.

— Absolument, monsieur, renchérit Stoker. La dame semblait repousser ses avances. C'est très difficile à accepter, monsieur, d'être ridiculisé par une femme, humilié comme ça. Je l'ai déjà vu. Ce n'était vraiment pas un bon endroit pour dire à un homme qu'on en a fini avec lui.

Talbot le foudroya du regard. Stoker se contenta de répondre d'un sourire aussi serein que le soleil, qui venait de percer entre les nuages déchirés par le vent.

Pitt se rendit aussitôt à la Chambre des communes, où il fit transmettre un message à Jack Radley, demandant à lui parler sur-le-champ au sujet d'une affaire d'État.

Au bout de vingt minutes, Jack apparut enfin. Il traversa le vaste hall à pas lents, le visage blême.

— Qu'y a-t-il ? demanda-t-il dans un murmure, pour ne pas être entendu des gens qui allaient et venaient à pas feutrés autour d'eux. Que s'est-il passé ?

Pitt lui résuma brièvement la situation.

— Je voulais vous demander d'accepter le poste qu'on vous propose aux côtés de Kynaston… conclut-il.

— Mais vous venez de dire qu'il est coupable de haute trahison ! éructa Jack, atterré.

— Précisément.

Pitt le prit par le bras, avec tant de force que Jack ne parvint pas à se dégager.

— Il a transmis des renseignements importants aux Suédois, et par conséquent à je ne sais qui d'autre, afin de rembourser une dette d'honneur contractée au nom de son frère défunt. Je vais maintenant lui faire envoyer des informations erronées pour qu'il paie sa propre dette – envers nous. Si vous êtes d'accord, vous travaillerez pour lui et veillerez à ce qu'il obéisse…

Son beau-frère écarquilla les yeux et cessa brusquement de lutter, si bien que Pitt faillit perdre l'équilibre.

— Acceptez-vous ?

Jack lui serra la main si fort qu'il grimaça.

— Oui, dit-il avec ferveur. Vous ne le regretterez pas, Thomas !

— Je sais, répondit Pitt en lui rendant sa poignée de main. Maintenant, mieux vaut que j'aille informer Kynaston.

Pitt alla chez Dudley Kynaston le soir même. Il le trouva seul dans son cabinet de travail, assis sous le portrait de Bennett. Il semblait pâle, mais calme.

— J'ai appris qu'Ailsa est morte, murmura-t-il alors que Pitt refermait la porte. Vous a-t-elle parlé ?

— Non, cela n'a pas été nécessaire. Je sais pourquoi Talbot l'a tuée. J'ai essayé de la sauver, mais je suis arrivé trop tard. Peut-être cela vaut-il mieux ainsi.

Il resta debout. Livide, Kynaston leva vers lui ses yeux cernés.

— Vous savez…, dit-il d'une voix étouffée.

— Oui. J'en sais probablement plus long que vous. Je sais qu'elle était la sœur d'Ingrid et qu'elle n'a jamais pardonné sa mort à Bennett…

Kynaston se leva d'un bond.

— Ce n'était pas la faute de Bennett ! Elle s'était amourachée de lui ! Il ne l'a jamais…

Il s'interrompit brusquement.

— La sœur d'Ingrid ? Vous… vous en êtes sûr ?

— Oui, évidemment ! Et peu importe à présent où était la vérité, ajouta Pitt avec douceur. Ce n'était sans doute qu'une tragédie, pourtant Ailsa a blâmé Bennett. Elle n'a pas pu accepter que la sœur qu'elle adorait était mentalement fragile, obsédée par un homme qui ne l'aimait pas. Vous avez fait appel à Harold Sundstrom pour sauver Bennett et vous aviez donc une dette envers lui que vous ne pouviez jamais rembourser : celle de Bennett. Je comprends cela. Mais vous êtes tout de même coupable de haute trahison.

— Je sais, admit Kynaston tout bas. Je suppose que, si j'avais réfléchi lucidement à l'époque, j'aurais compris. Tout a commencé par une broutille ! Une question en apparence innocente, due à la simple curiosité.

— Vous étiez amoureux d'Ailsa ?

— Je me suis entiché d'elle, rectifia Kynaston. Ingrid avait quinze ans, vous savez ! Seigneur ! Comment ai-je pu la blâmer alors que je n'ai pas eu plus de bon sens moi-même ? Alors, il était trop tard… j'ai été terrifié quand on a retrouvé ce corps dans la carrière. J'avais tellement peur que ce ne soit cette pauvre Kitty. Je croyais qu'on l'avait tuée pour me donner un avertissement !

— Kitty est saine et sauve, assura Pitt.

Absurdement, il éprouvait de la compassion pour cet homme.

— Tant mieux. Que va-t-il arriver à Rosalind ? Elle ne mérite pas cela…

Pitt avait déjà pris sa décision et n'avait aucune intention de revenir dessus. Une fois engagé, il ne pourrait faire marche arrière sans causer un profond embarras au gouvernement.

— Il ne va rien lui arriver, déclara-t-il fermement. Je ne vais pas vous arrêter. Ce n'est pas pour cela que je suis venu. Je sais que vous avez transmis des secrets à Ailsa, qu'elle-même transmettait à Edom Talbot, lequel les vendait à Sundstrom. À propos, ce dernier était le père du premier mari d'Ailsa. Le saviez-vous ?

Interdit, Kynaston secoua imperceptiblement la tête.

— Vous allez continuer à remettre des renseignements à Sundstrom. Nous trouverons le moyen d'établir un nouveau contact. Bien entendu, il va apprendre qu'Ailsa est morte, tuée par Edom Talbot lors d'une querelle d'amoureux. Elle l'a repoussé et il n'a pu le supporter. Il sera jugé pour meurtre et reconnu coupable.

— Mais..., balbutia Kynaston.

Pitt lui sourit.

— Sir John Ransom vous donnera les informations qu'il souhaite vous voir transmettre et vous aurez un nouvel intermédiaire, puisque Ailsa n'est plus là. Jack Radley se chargera de tout. Je sais qu'il va finalement accepter le poste que vous lui avez proposé, car je m'en suis assuré.

— Il est totalement loyal ! protesta Kynaston. Il ne...

— Il suivra les instructions qu'on lui donnera, coupa Pitt. Je le connais très bien. C'est mon beau-frère, ne l'oubliez pas. Il sera très efficace pour envoyer toutes sortes de renseignements à Sundstrom.

Kynaston cilla.

— Vous voulez dire... de faux renseignements ?

— Précisément. Vous avez fait beaucoup de dégâts. Désormais, vous ferez du bien. C'est ainsi que vous rembourserez votre dette.

Kynaston se laissa retomber sur sa chaise, les larmes aux yeux.

— Merci, dit-il d'une voix sourde, presque inaudible. Merci, Pitt.

Du même auteur
aux Éditions 10/18

À L'OMBRE DE LA GUILLOTINE, n° 3690
DU SANG SUR LA SOIE, n° 4470

Série « Petits crimes de Noël »
LA DISPARUE DE NOËL, n° 3858
LE VOYAGEUR DE NOËL, n° 3961
LA DÉTECTIVE DE NOËL, n° 4068
LE SECRET DE NOËL, n° 4174
LA PROMESSE DE NOËL, n° 4279
UN NOËL PLEIN D'ESPOIR, n° 4496
L'ODYSSÉE DE NOËL, n° 4607
LE SPECTACLE DE NOËL, n° 4770

Série « Charlotte et Thomas Pitt »
L'ÉTRANGLEUR DE CATER STREET, n° 2852
LE MYSTÈRE DE CALLENDER SQUARE, n° 2853
LE CRIME DE PARAGON WALK, n° 2877
RESURRECTION ROW, n° 2943
RUTLAND PLACE, n° 2979
LE CADAVRE DE BLUEGATE FIELDS, n° 3041
MORT À DEVIL'S ACRE, n° 3092
MEURTRES À CARDINGTON CRESCENT, n° 3196
SILENCE À HANOVER CLOSE, n° 3255
L'ÉGORGEUR DE WESTMINSTER BRIDGE, n° 3326
L'INCENDIAIRE DE HIGHGATE, n° 3370
BELGRAVE SQUARE, n° 3438
LE CRUCIFIÉ DE FARRIERS' LANE, n° 3500
LE BOURREAU DE HYDE PARK, n° 3542
TRAITORS GATE, n° 3605
PENTECOST ALLEY, n° 3665
ASHWORTH HALL, n° 3743
BRUNSWICK GARDENS, n° 3823
BEDFORD SQUARE, n° 3884
HALF MOON STREET, n° 3948
LA CONSPIRATION DE WHITECHAPEL, n° 3987
SOUTHAMPTON ROW, n° 4029

Seven Dials, n° 4086
Long Spoon Lane, n° 4111
Buckingham Palace Gardens, n° 4227
Lisson Grove, n° 4333
Dorchester Terrace, n° 4509
Bryanston Mews, n° 4653
▶ L'Inconnue de Blackheath, n° 4786

Série « William Monk »

Un étranger dans le miroir, n° 2978
Un deuil dangereux, n° 3063
Défense et trahison, n° 3100
Vocation fatale, n° 3155
Des âmes noires, n° 3224
La marque de Caïn, n° 3300
Scandale et calomnie, n° 3346
Un cri étranglé, n° 3400
Mariage impossible, n° 3468
Passé sous silence, n° 3521
Esclaves du passé, n° 3567
Funérailles en bleu, n° 3640
Mort d'un étranger, n° 3697
Meurtres sur les docks, n° 3794
Meurtres souterrains, n° 3917
Mémoire coupable, n° 4230
La fin justifie les moyens, n° 4446
Une mer sans soleil, n° 4579
Une question de justice, n° 4747

Série « Joseph et Matthew Reavley »

Avant la tourmente, n° 3761
Le temps des armes, n° 3863
Les anges des ténèbres, n° 4009
Les tranchées de la haine, n° 4024
À la mémoire des morts, n° 4140

10/18, une marque d'Univers Poche,
est un éditeur qui s'engage pour
la préservation de son environnement
et qui utilise du papier fabriqué à partir
de bois provenant de forêts gérées
de manière responsable.

Impression réalisée par

La Flèche (Sarthe), 3004269
Dépôt légal : avril 2014
X06274/01

Imprimé en France